आदिवासी स्वर–1

संघर्षों के संधिपत्र

आदिवासी स्वर–1

संघर्षों के संधिपत्र

सम्पादक

एच. वासुदेवन

आर.के. पाल

वाणी प्रकाशन

वाणी प्रकाशन
4695, 21-ए, दरियागंज, नयी दिल्ली 110 002
शाखा
अशोक राजपथ, पटना 800 004
फ़ोन : +91 11 23273167 फ़ैक्स : +91 11 23275710
www.vaniprakashan.in
vaniprakashan@gmail.com
sales@vaniprakashan.in

Aadivasi Swar-1
SANGHARSHON KE SANDHIPATRA
edited by H. Vasudevan, R.K. Paul

ISBN : 978-93-5229-733-7
Social Science

संस्करण 2006
आवृत्ति 2017

मूल्य : ₹695

बालाजी प्रिंटर्स, दिल्ली-110 093 में मुद्रित

वाणी प्रकाशन का लोगो मक़बूल फ़िदा हुसेन की कूची से

प्रकाशकीय वक्तव्य

आदिवासी स्वर के अंतर्गत 'संघर्षों के संधिपत्र', यह पुस्तक माला सदियों से जल-जंगल-जमीन और अपनी स्वतंत्र अस्मिता की तलाश में संघर्षरत विभिन्न आदिवासी समुदायों की गाथा प्रस्तुत करने का प्रयास है। संयोग से यह पुस्तक माला ऐसे समय में प्रकाशित हो रही है, जब एक महत्त्वपूर्ण आदिवासी जनजाति संतालों के संघर्ष का एक यादगार प्रस्थान-बिंदु 'हूल' या 'संताल विद्रोह' की 150वीं वर्षगाँठ मनाई जा रही है।

'हूल' या 'संताल विद्रोह' के संदर्भ में देश के विभिन्न हिस्सों में फैली आदिवासी जातियों-जनजातियों के इतिहास और वर्तमान की पड़ताल और भविष्य की संभावनाओं की तलाश की जानी चाहिए।

निस्संदेह, विभिन्न आदिवासी समुदायों की वर्तमान स्थिति के लिए शोषकों द्वारा विनिर्मित धूसर अतीत और जारी वर्तमान जिम्मेवार है, पर भविष्य सुनहरा हो, इसके लिए आदिवासियों के साथ हम सबको मिलकर राजनीतिक, सांस्कृतिक, सामाजिक, आर्थिक आदि कई मोर्चों पर लड़ाई लड़नी होगी, अपना दाय देना होगा। सुदूर अतीत में विभिन्न आदिवासी समुदायों के जीवट और संघर्षों की सार्थकता को जहाँ पीछे मुड़कर याद करना ही चाहिए, वहीं निकट भविष्य में उनकी सफलता और चरम को आँकने का प्रयास भी होना चाहिए। इस महत् कार्य में खुद आदिवासी समुदायों की सक्रिय भूमिका निर्णायक सिद्ध होगी।

हालाँकि अभी भी देश के विभिन्न हिस्सों में बसने-घूमने वाले आदिवासी समुदायों में अपने अस्तित्व की रक्षा के संघर्ष का माद्दा है; इसमें जब-तब कोई उबाल आता है, तो कभी यह 'कोमा' की गहराइयों में चला जाता है। बावजूद इसके, जो उनके अवचेतन में है—उनका क्या करिए!—इस गहरी नींद का फायदा हमारी वर्तमान राजनीति, हमारा पूरा तंत्र (System) उठा रहा है। व्यवस्था भोग रही है उनकी उपलब्धियों को, और वे अभिशप्त हैं, व्यवस्था की विकृतियों, असफलताओं और प्रपंचों को झेलने के लिए।

चार खंडों में प्रकाशित इस पुस्तक माला का पहला खंड है, 'संघर्षों के संधिपत्र'।

इस खंड में एक महत्त्वपूर्ण आदिवासी जनजाति संतालों के इतिहास, उनके संघर्ष, शोषण, दलन और उनके 'नायकों' को याद किया गया है। संताल भारत की पुरातन आदिवासी जनजातियों

में एक है। 1856 ई. में अंग्रेजी शासक और देशी जमींदारों, साहूकारों, महाजनों के शोषण के प्रतिक्रियास्वरूप 'हूल' यानी विद्रोह हुआ। यह विद्रोह 'असफल' रहा, पर इस विद्रोह से जो ऊर्जा निःसृत हुई, वह आज भी आदिवासियों के लिए प्रकृत उत्साह का स्रोत बनी हुई है।

पाठकों के हाथों में प्रस्तुत है पुस्तक माला का पहला खंड 'संघर्षों के संधिपत्र'।

सूची

1.	संघर्षों के संधिपत्र	*बासुदेव बेसरा*	9
2.	प्रतिरोध के स्वर	*दिगंबर हांसदा*	19
3.	हूल के डेढ़ सौ वर्ष बाद	*मुन्नी हेंब्रम*	26
4.	हूल : अधिकारों की पहली लड़ाई	*रमेश हेंब्रम*	30
5.	आदिवासी इतिहास को खँगालने के संभावित उपकरण	*महादेव टोप्पो*	34
6.	पचवाड़ा संघर्ष : पुरखों की जमीन देने से इंकार	*स्टेन गोस्वामी*	39
7.	हूल : प्रतिरोध की सांस्कृतिक अवधारणा	*नीलकंठ मिश्र*	50
8.	संताल हूल पुरखों की जबानी	*हेंब्रम आर कुमार*	66
9.	संताल हूल के महानायकों का गाँव विकास से कोसों दूर	*ग्लैडसन डुंगडुंग*	74
10.	संताल आदिवासियों का इतिहास और अस्मिता के सवाल	*निर्मला पुतुल*	81
11.	कहाँ गए वे क्रांतिवीर?	*भुवनेश्वर सवैयाँ*	88
12.	संताल हूल की प्रेरणा आज भी जीवित है	*स्टीफन मरांडी*	93
13.	मूल्यांकन अभी शेष है	*पृथ्वी माँझी*	102
14.	अमर शहीद उदय किरार	*डॉ. सुश्री शरद सिंह*	120
15.	अमर शहीद देभोबाई	डॉ. सुश्री शरद सिंह	134
16.	आदिवासियों के न्याय में अब और देरी न हो	*भारत डोगरा*	148
17.	सिद्धो-कान्हू का अधूरा सपना	*बोड़ो बास्की*	154
18.	150 वर्षों में कुछ भी नहीं बदला	प्रभाकर तिर्की	166
19.	हूल को प्रवाहमान बनाए रखना है	*डॉ. रोज केरकेट्टा*	180
20.	हूल के अक्षर का इतिहास	*अश्विनी कुमार पंकज*	186
21.	धरती के साथ अन्याय बंद करना होगा	*डैनिएला बेज्जी*	192

संघर्षों के संधिपत्र

□ बासुदेव बेसरा

यह एक निर्विवाद तथ्य है कि संताल परगना जिले का निर्माण चर्चित संताल विद्रोह (1855) का प्रत्यक्ष परिणाम था। सन् 1855 में अधिनियम संख्या-37 के द्वारा भागलपुर एवं वीरभूम जिले के कुछ भागों को मिलाकर इस नए जिले का सृजन किया गया था। बाद में इस अधिनियम का नाम बदल कर संताल परगना अधिनियम 1855 किया गया। इस अधिनियम की अनुसूची में उन सारे क्षेत्रों को शामिल किया गया था जो सन् 1855 के संताल विद्रोह से प्रभावित थे। इस क्षेत्र के अंतर्गत निल की खेती करने वाले अंग्रेज जमींदारों की जमीन भी आती थी। इसे देखकर अंग्रेज निलहों ने सरकार को एक आपत्तिनामा भेजा, जिसे ईस्ट इंडिया कंपनी के बोर्ड ऑफ डायरेक्टर्स ने संशोधित अधिनियम संताल परगना अधिनियम 1857 (अधिनियम सं. 10/1855) पारित कर संताल परगना अधिनियम 1855 की अनुसूची में आवश्यक संशोधन कर दिया।

संताल पुलिस रूल्स 1856

संताल परगना बनने के बाद पहला अधिनियम सन् 1856 के 29 दिसंबर को बना। इस अधिनियम का नाम संताल पुलिस रूल्स 1856 था। इसे भागलपुर के तत्कालीन कमिश्नर के नाम पर युले रूल्स भी कहा जाता है। इस अधिनियम के द्वारा संताल परगना में प्रशासन का पहला ढाँचा बनाने का प्रयास हुआ। इसका मूल उद्देश्य शासक एवं जनता के बीच सीधा संबंध स्थापित करना था। **युले रूल्स** की द्वितीय धारा द्रष्टव्य है—

1. पुलिस के नायाबों, सजवालों, दारोगाओं, मुहर्रिरों, जमादारों एवं बरकंदाजों को वहाँ समाप्त किया जाता है और उनके कर्त्तव्यों का निर्वहन अब से जनता द्वारा ही किया जाएगा और सब-असिस्टेंट, असिस्टेंट एवं उपायुक्त के द्वारा किया जाएगा।

इसी प्रकार धारा-2 में कहा गया—

2. संताल एवं पहाड़िया के बीच माँझी, परगना, देश माँझी और पहाड़ों में सरदार एवं उसके नायब एवं अन्य सहायक, चाहे वे चौकीदार अथवा गोरायत या उसे किसी और नाम से जाना जाता है, अपने-अपने क्षेत्र अथवा गाँवों में, चाहे जिस जाति का निवासी हो, काम करेंगे।

संताल परगना सेटलमेंट रेगुलेशन, 1872

प्रशासनिक स्तर पर पुलिस की भूमिका समाप्त किए जाने के बाद राजस्व की ओर तत्कालीन प्रशासन ने ध्यान देना शुरू किया। राजस्व विशेष का भू-राजस्व एवं मिल्कियत के बारे में कानून बनाना आवश्यक समझा गया। इसलिए सन् 1872 में पहला रैयती कानून संताल परगना सेटलमेंट रेगुलेशन 1872 को गवर्नर जनरल-इन-काउंसिल द्वारा पारित किया गया एवं एक मई 1872 की तारीख से इसे प्रभावी बनाया गया। संताल परगना क्षेत्र में यह पहला काश्तकारी कानून था।

सन् 1855-60 के बीच दमन एवं संशोधन द्वारा विधान के क्षेत्र में जो भी प्रयास हुए उनके मूल्यांकन में भी काफी वक्त लगाने के बाद ही 1872 के संताल परगना सेटलमेंट रेगुलेशन (1872 का 3) को पारित किया गया था। इसमें संताल परंपरागत संस्थाओं—माँझी, परगना आदि को भू-राजस्व के मामलों में वैधानिक स्वीकृति दी गई। जिसे बाद में चलकर अनुपूरक अधिनियम 1949 के अधीन राजस्व न्यायालय के समानांतर अधिकार से संपन्न किया गया।

इस अधिनियम का सार-संक्षेप इस प्रकार है—भूमि बंदोबस्ती की (सरकार द्वारा) घोषणा (धारा-9), बंदोबस्ती पदाधिकारी की नियुक्ति (धारा-10), जमींदार, रैयतों एवं माँझी के अधिकारों को लिपिबद्ध करने की व्यवस्था (धारा 12, 13), परती जमीन की मापी (धारा-15), माँझी एवं अन्य परंपरागत सामाजिक पदाधिकारियों के अधिकारों को दर्ज करना (धारा-17) तथा किसानों एवं रैयतों के अधिकारों को परिभाषित करना (धारा-18) आदि प्रमुख प्रावधान किए गए थे।

इस अधिनियम के माध्यम से संताल परगना क्षेत्र में काश्तकारी से संबंधित एवं कर्त्तव्यों को पहली बार परिभाषित किया गया था। साथ ही, चूँकि तत्कालीन ब्रिटिश शासक यहाँ से अधिक से अधिक राजस्व की लूट की फिराक में थे, वे भूमि पर लगान की दर लगातार बढ़ाते जाने के पक्ष में थे। लगान वसूली के लिए कड़े से कड़े नियम बनाए जाने लगे। इन सारे प्रयासों को एक कानून संताल परगना रेंट रेगुलेशन 1886 के माध्यम से लागू किया गया कि अगर कोई काश्तकार समय पर लगान अदा नहीं कर सकता हो, तो जमींदार उस काश्तकार से जमीन वापस लेकर दूसरे ऐसे व्यक्ति

को दे सकता है जो समय पर जमीन का लगान अदा करे। इस कानून के कारण अनेक संतालों को अपनी बनाई हुई जमीन से ही हाथ धोना पड़ा था। केवल काश्तकार ही नहीं, कई छोटी-छोटी जमींदारियाँ जो अधिकांश घटवालों एवं पहाड़िया के पास थीं, उन्हें भी देनदारी के चलते बेचना पड़ा। इस खरीद-फरोख्त में यहाँ के बंगाली जमींदार बहुत लाभान्वित हुए। उन्होंने अनेक जमींदारियाँ खरीदीं। सबसे अधिक घाटे में कोई रहा, तो वे थे संताल काश्तकार, जिनकी जमीनें छीनी गई थीं। इस प्रकार हस्तांतरित होने वाली जमीन का कुल रकबा 63,073 एकड़ था। अगली बंदोबस्त कार्यवाही में (जे.एफ. गेंजर्स के निर्देशन में) यह रकबा बढ़ाकर 1,07,328 एकड़ हो गया। इस प्रकार संताल परगना की स्थापना (1855) से सन् 1935 तक कुल 1,70,401 एकड़ जमीनों को बनाने में किसी प्रकार की मेहनत नहीं की थी। ये सूदखोर एवं महाजन लोग थे।

संताल परगना काश्तकारी कानून, 1949

मि. गेंजर की बंदोबस्त रिपोर्ट में बहुत भयानक तस्वीर सामने आई थी। इसे देखकर एवं बदली परिस्थितियों में तत्कालीन बिहार सरकार ने संताल परगना इन्क्वायरी कमिटी 1937 बैठा दी। इस कमिटी को संताल परगना के समग्र प्रशासन की सभी दृष्टिकोणों से जाँच-परख कर अपनी सिफारिश देनी थी। इस कमिटी ने संताल परगना के विभिन्न स्थानों में बैठकर जाँच का काम पूरा किया एवं सरकार को की गई सिफारिशों के आधार पर संताल परगना काश्तकारी अधिनियम, 1949 (बिहार अधिनियम सं. 14, 1949) का निर्माण किया गया। इस अधिनियम में कुल 72 धाराएँ हैं। इन धाराओं को संक्षेप में इस प्रकार विभाजित किया जा सकता है—

1. सामुदायिक जीवन की मान्यता से संबंधित प्रावधान (धारा-5 से 11 तक)

2. रैयतों के व्यक्तिगत अधिकारों से संबंधित प्रावधान (धारा-12 से 26 तक)

3. भूमि की बंदोबस्ती एवं रैयतों के सामूहिक अधिकार (धारा-27 से 40 तक)

4. पहाड़ियों एवं उनके गाँवों की सुरक्षा के प्रावधान (धारा-41)

5. गैर कानूनी ढंग से हड़पी जमीन की वापसी के प्रावधान (धारा-20 एवं 42)

6. मालगुजारी के संबंध में प्रावधान (धारा-43 से 52)

7. भूमि अधिग्रहण से संबंधित प्रावधान जिसे निरस्त किया गया है (धारा-63)

8. न्यायिक प्रक्रिया से संबंधित प्रावधान (धारा-54 से 63)

9. विविध प्रावधान (धारा-64 से 72)

इस अधिनियम में पहली बार काश्तकारों के निजी एवं सामूहिक अधिकारों को परिभाषित किया गया एवं यह भी प्रयत्न किया गया कि व्यक्तिगत एवं सामूहिक हितों के बीच टकराव न हो। इस अधिनियम का उद्देश्य काश्तकार को अपनी जमीन पर सुरक्षा प्रदान करना है।

दूसरी विशेषता यह है कि काश्तकार को अपनी जमीन हस्तांतरित करने का अधिकार नहीं है। वास्तव में यह प्रावधान सन् 1872 के संताल परगना सेटलमेंट रेगुलेशन के समय से ही चला आ रहा है। उक्त बंदोबस्ती कार्रवाई के बाद गाँवों में उपलब्ध परंपराओं के तहत भूमि के उपयोग के संबंध में अधिकारों का अभिलेख (रेकर्ड ऑफ राइट) तैयार किया गया था जो आज भी काश्तकारी अधिनियम की रीढ़ है।

इस अधिनियम की तीसरी विशेषता विधिवत निर्वाचित ग्राम प्रधान (माँझी) को गाँव की परती जमीन की बंदोबस्ती में राजस्व न्यायालय के समकक्ष अधिकार प्राप्त है। जिस प्रकार अनुमंडल पदाधिकारी को खास गाँवों (प्रधान रहित) में परती जमीन अथवा रिक्त होल्डिंग की बंदोबस्ती का अधिकार प्राप्त है, यह बंदोबस्ती कानूनी एवं वैध है।

चौथी विशेषता, इस अधिनियम में साहित दंड व्यवस्था है। कोई रैयत अथवा अवैध दखलकार दूसरे के अधिकारों का अथवा भूमि का बलात् अतिक्रमण करता है तो उसे धारा-67 के अधीन छः महीने के कारावास एवं जुर्माने से दंडित किया जा सकता है। भूमि अतिक्रमण या अवैध दखल के मामलों में उच्छेद के आदेश की तिथि से भूमि को खाली करने की तिथि तक प्रतिदिन 10/- (दस रुपए) से लेकर 50/- (पचास रुपए) की दर से अर्थदंड वसूल करने का प्रावधान है।

इस अधिनियम में अपील का भी प्रावधान है। अनुमंडल पदाधिकारी के निर्णय के विरुद्ध उपायुक्त के समक्ष एवं उपायुक्त अथवा अपर उपायुक्त के निर्णय के विरुद्ध प्रमंडलीय आयुक्त के समक्ष अपील दायर किया जा सकता है। संताल परगना जस्टिस रेगुलेशन 1893 के तहत संताल परगना के आयुक्त का न्यायालय, संताल

परगना के लिए उच्च न्यायालय है। (धारा-15)

इतना सब होने के बाद भी संताल परगना काश्तकारी अधिनियम 1949 दोषरहित नहीं है। इसमें कुछ खामियाँ अभी भी हैं। इन खामियों के कारण यह अधिनियम काश्तकारों एवं आम नागरिक के लिए अनेक असुविधा का कारण बना हुआ है। उन कमजोरियों का ब्यौरा निम्न प्रकार है–

संताल परगना काश्तकारी (अनुपूरक) अधिनियम 1949 की धारा-11 में ग्राम प्रधानों, परगनैत एवं पहाड़िया सरदार आदि को उनके अच्छे कार्यों के लिए पुरस्कृत करने का प्रावधान है। इस अधिनियम में अथवा इसके अधीन निर्मित नियमों में कहीं भी अच्छे कार्यों को परिभाषित नहीं किया गया है, परिणामतः आज तक संताल परगना में किसी ग्राम, परगनैत अथवा पहाड़िया सरदार को पुरस्कृत नहीं किया जा सका है।

इस अधिनियम की दूसरी कमजोर धारा-28 (बी) है। इस धारा में जमीन बंदोबस्ती पानेवाले व्यक्ति की योग्यता बताई गई है। इस धारा के अनुसार कोई भी व्यक्ति, ग्राम, समुदाय, समाज अथवा राज्य को उनके द्वारा दी गई सेवाओं के बदले जमीन की बंदोबस्ती में विशेष दावा करने का उसे अधिकारी बनाता है। इस वाक्य की संरचना इतनी लचीली है कि भारतवर्ष का कोई भी व्यक्ति इस श्रेणी में आ सकता है। ऐसी व्यवस्था के सम्मुख विशेष काश्तकारी कानून बनाकर रैयतों के अधिकारों की रक्षा की बात बिल्कुल खोखली नजर आती है।

तीसरी कमजोरी जमीन पट्टे पर देने में पाबंदी को लेकर है। धारा-20 (1) में यह प्रावधान है कि कोई रैयत अपनी जमीन का कोई हिस्सा बिक्री, दान, रेहन, वसीयतनामा अथवा पट्टा द्वारा किसी दूसरे को नहीं दे सकता है।

इस प्रकार जमीन का हस्तांतरण पूर्णतः निषिद्ध है चाहे वह समझौता प्रकट में हो अथवा गुप्त हो। व्यवहार में कुछ जिलों जैसे पाकुड़, दुमका, गोड्डा, जामताड़ा, साहेबगंज आदि में उपायुक्तों ने सैकड़ों एकड़ रैयती जमीन पत्थर उत्खनन करने के लिए गैर-आदिवासियों को पट्टे पर दिया है। इस प्रकार पट्टा प्रदान करना इस अधिनियम का घोर आपराधिक उल्लंघन है। उपायुक्त को न तो इस कानून के तहत रैयत और

न ही उसे इन जिलों में रैयती जमीन पट्टे पर देने का वैध अधिकार प्राप्त है। इस जमीन चोरी के विरुद्ध उन उपायुक्तों पर आवश्यक कार्रवाई होनी चाहिए। इसकी वैधानिक व्यवस्था की जानी चाहिए। चौथी संताल रैयत संताल विधि के अनुसार अपनी बहन अथवा बेटी को अपनी जमीन दान में दे सकता है; बशर्ते कि जिला का उपायुक्त लिखित रूप में इसकी पूर्वानुमति देता हो। व्यवहार में इस कानून के बनने से आज तक किसी उपायुक्त ने ऐसी एक भी अनुमति नहीं दी है। पहली आपत्ति तो यह उठाई जाती है कि संताल विधि का अस्तित्व ही नहीं है। जो परंपरागत व्यवहार है, तो वह कानून की परिभाषा में खरा नहीं उतरता। इसी कारण से इस प्रावधान का लाभ संताल रैयतों को आज तक नहीं मिल सका है।

पाँचवीं कमजोरी घर-जमाय की स्थिति को लेकर है। धारा-20 (2) के परंतुक में कहा गया है कि आदिवासी रैयत अपने घर-जमाय को अपनी जोत या उसका कुछ हिस्सा हस्तांतरित कर सकता है। व्यवहार में इसमें भी कई अड़चनें हैं। ईसाइयों का विवाह क्रिश्चियन मैरेज एक्ट 1872 के अधीन होता है। इसी कानून के तहत उन्हें विवाह प्रमाण पत्र प्रदान किया जाता है। इस कानून में घर-जमाय विवाह का कहीं उल्लेख तक नहीं है। इस प्रकार जो ईसाई धर्मावलंबी संताल अपनी पुत्रियों के लिए घर-जमाय लाते हैं उनकी कानूनी स्थिति अस्पष्ट है। संताल परगना काश्तकारी कानून 1949 के अधीन ये ईसाई घर-जमाय अवैध दखलकार की श्रेणी में हैं, जिनका धारा-42 के तहत उच्छेद किया जा सकता है। ऐसे हजारों परिवार संताल परगना में काश्तकारी अधिनियम 1949 के तहत अनिश्चितता की स्थिति में जी रहे हैं।

बिहार शिड्यूल्ड एरिया रेगुलेशन, 1969

संताल परगना काश्तकारी (अनुपूरक) अधिनियम 1949 में बड़ा एवं महत्त्वपूर्ण संशोधन बिहार शिड्यूल्ड एरिया रेगुलेशन 1969 के द्वारा लाया गया। यह संशोधन बहुत दूरगामी प्रभाव लिए हुए था। इस रेगुलेशन के द्वारा इस अधिनियम की धारा 20 (5) का संशोधन किया गया है। इस संशोधन के माध्यम से यह व्यवस्था की गई है कि अगर किसी व्यक्ति ने इस रेगुलेशन के अस्तित्व में आने के 30 वर्ष पूर्व तक अवैध रूप से हस्तांतरित

भूमि पर कोई मकान आदि बना लिया हो तो उपायुक्त उस व्यक्ति से क्षतिपूर्ति की रकम लेकर उस अवैध हस्तांतरण को वैध ठहरा सकता है। इसका अर्थ यह हुआ कि इस अधिनियम में जो हस्तांतरण अवैध है, उसे जिले का उपायुक्त क्षतिपूर्ति की रकम लेकर वैध ठहरा सकता है। व्यवहार में इस संशोधन के माध्यम से संथाल परगना काश्तकारी (अनुपूरक उपबंध) अधिनियम 1949 की आत्मा ही निकाल ली गई है।

यही नहीं, इस रेगुलेशन के द्वारा एक और व्यापक प्रभाव वाला संशोधन भी किया गया है। किसी रैयत की जमीन अगर कोई अवैध रूप से दखल कर रहा हो तो उसे जमीन से उच्छेद करने के लिए आवेदन देने की कोई समय सीमा निर्धारित नहीं है (धारा-64)। परंतु बिहार शिड्यूल्ड एरिया रेगुलेशन 1969 द्वारा अवैध हस्तांतरण की भी समय सीमा निर्धारित कर दी गई। इस प्रकार अवैध दखलकार को जमीन से हटाने के लिए 30 वर्षों की समय सीमा बाँधी गई। यह समयावधि वास्तविक रैयतों के हितों के विपरीत है, क्योंकि 30 वर्षों की समय सीमा बीत जाने के पश्चात कोई रैयत अपनी जमीन पर अवैध दखलकार को उसी जमीन को बंदोबस्त कर सकता है। यह संशोधन इस अधिनियम की व्यवस्था (धारा-69) के प्रतिकूल है।

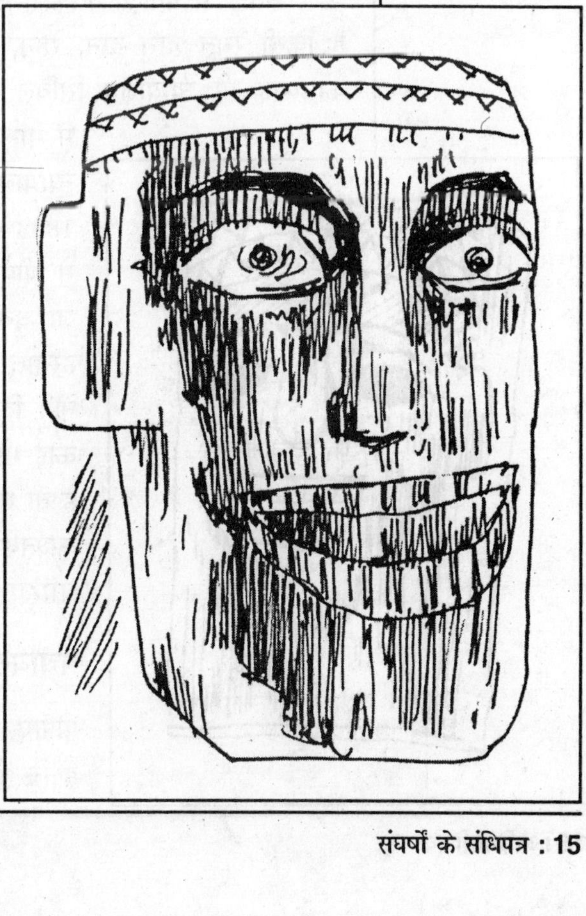

इसके साथ ही साथ इस संशोधन द्वारा विभिन्न वित्तीय संस्थानों को रैयतों की जमीन ऋण के बदले जमानत पर लेने का अधिकार देता है और ऋण अदा नहीं होने की स्थिति में उस जमीन को नीलाम करने का भी अधिकार देता है। यह संशोधन काश्तकारी कानून के पूरे स्कीम को नेस्तनाबूद करने के लिए काफी है। इस कानून के लागू हुए पचास वर्षों में इस प्रमंडल में पद-स्थापित सारे उपायुक्तों ने अपने अधिकारों का खुलकर दुरुपयोग किया है। उपायुक्तों को इस अधिनियम के तहत दिए गए सारे आवश्यक एवं अनुत्पादक अधिकारों की कटौती की जानी चाहिए।

आधी सदी के व्यवहार में यह तो स्पष्ट हो ही गया है कि संताल परगना काश्तकारी (अनुपूरक उपबंध) अधिनियम 1949 का टकराव क्रिश्चियन मैरेज एक्ट 1872, भारतीय वन अधिनियम 1927, भारतीय खनन अधिनियम 1957 एवं लघु खनिज

नियमावली 1972 के साथ है। इसके कारण संताल परगना में भूमि प्रबंधन में अनेक प्रकार की बाधाएँ उपस्थित हो रही हैं।

संताल परगना के जिला मुख्यालयों जैसे, दुमका, देवघर, जामतारा, गोड्डा, पाकुड़, साहेबगंज में काफी बड़ी मात्रा में जमीन का अतिक्रमण हुआ है। अतिक्रमणकारी झारखंड के बाहर के लोग हैं। चूँकि संताल परगना में जमीन सर्वे का काम अभी चल रहा है इसलिए इसका सही आँकड़ा सर्वे समाप्त होने पर ही आएगा हालाँकि जमीन का अतिक्रमण तो हुआ ही है। इस अतिक्रमण का माध्यम अवैध दान-पत्र, पीपी पट्टा (प्रीविलेज्ड पर्सन्स होमस्टीड टेंनेंसी एक्ट, 1947 के अधीन प्रदान किया जाने वाला पट्टा) एवं गैर-कानूनी बिक्री है। उपायुक्तों ने स्वयं एक कानून का निर्माण कर लिया कि स्थानीय प्राधिकार जैसे अधिसूचित क्षेत्र, नगरपालिका आदि की सीमा में आने वाली जमीन को हस्तांतरणीय मान लिया गया, जबकि संताल परगना काश्तकारी अधिनियम 1949 में इसका कोई प्रावधान ही नहीं किया गया है, न ही ऐसा कोई संशोधन ही हुआ है। इन सारे अवैध कारोबार में उपायुक्त एवं अनुमंडलाधिकारीगण समान रूप से दोषी हैं।

संताल परगना काश्तकारी अधिनियम 1949 की धारा-20 (3) में स्पष्ट प्रावधान है किसी रैयत द्वारा दान, रेहन, बिक्री, वसीयत के माध्यम से जमीन के हस्तांतरण को कोई भी न्यायालय सिविल, आपराधिक अथवा राजस्व क्षेत्राधिकार के व्यवहार में मान्यता नहीं देगा। संताल परगना के आयुक्त जिसे उच्च न्यायालय की अधिकारिता संताल परगना जस्टिस रेगुलेशन 1893 की धारा-15 द्वारा 25.9.1989 के आदेश के माध्यम से पीपी पट्टा द्वारा बंदोबस्त जमीन को रद्द घोषित किया जा चुका है एवं स्थानीय प्राधिकार में आनेवाली भूमि को हस्तांतरणीय मान का कोई कानून विधायिका द्वारा पारित नहीं किया गया है। इस स्थिति में संताल परगना के अंदर कोई भी उपायुक्त इस प्रकार का विधि-विरुद्ध आचरण करता है तो उसे सजा देने का कोई न कोई प्रावधान संताल परगना काश्तकारी (अनुपूरक उपबंध) अधिनियम 1949 में होना चाहिए।

पंचायत उपबंध (अनुक्षेत्र में विस्तार) अधिनियम 1969

पीपीए, 1996 में धारा-4 (एम) (3) में यह स्पष्ट प्रावधान है कि किसी आदिवासी की जमीन अगर गैर कानूनी तरीके

से हस्तांतरित हो गई है तो उसे ग्रामसभा अपनी शक्ति का प्रयोग करते हुए उस आदिवासी को हड़पी गई भूमि वापस दिला सकती है। ग्रामसभा की कार्यवाही संक्षिप्त कार्यवाही (सामन ट्रायल) के दायरे में आती है। अतः ग्राम सभा को ही यह अधिकार दिया गया है। वर्तमान संताल परगना काश्तकारी कानून 1949 में हड़पी जमीन वापस करने की एक लंबी प्रक्रिया है। अनुमंडल पदाधिकारी, उपायुक्त एवं आयुक्त के अलावे कभी-कभी लोग उच्च न्यायालय तक भी गए हैं। इसमें 10-15 वर्ष लग जाते हैं तथा खर्चा भी बहुत आता है। अगर ग्राम सभा ऐसे मामलों को देखे तो यह समस्या हफ्तों में निपटाई जा सकती है। राज्य सरकार अगर कानून बनाकर पंचायत उपबंध अधिनियम 1996 को अंगीकार कर ले तो इसका समाधान चुटकियों में हो सकता है। वर्तमान राज्य सरकार विभिन्न निहित-स्वार्थी तत्त्वों के दबाव में है, इसलिए ऐसा नहीं कर सकती है। भविष्य में कोई सरकार जनता की भलाई का एजेंडा लेकर आए, तो यह संभव है।

पीपी एक्ट द्वारा केवल जमीन वापसी में ही मदद नहीं मिलेगी वरन् अनुसूचित क्षेत्रों के लिए सर्वोच्च न्यायालय द्वारा घोषित नीतियों को भी लागू करने में सहायता मिलेगी, जैसे पीरामी रेड्डी बनाम आंध्र प्रदेश सरकार (1988 एयर (एससी) 1626) में बताया गया है कि अनुसूचित क्षेत्रों में बाहरी व्यक्ति प्रवेश नहीं कर सकते आदि। संताल परगना के अनुसूचित्त क्षेत्रों में अनुक्षेत्र से बाहर के लोगों ने भी प्रवेश किया है। सरकारी मशीनरी उनकी पहचान नहीं कर सकती। कभी-कभी तो उन लोगों को यहाँ बसाने में सरकारी-तंत्र भी सहायक की भूमिका निभाता रहा है। इन अपराधों पर ग्रामसभा तत्काल रोक लगा सकती है एवं अवांछित लोगों की पहचान कर सकती है।

निष्कर्ष

निष्कर्ष यह है कि संताल परगना में

भूमि की सुरक्षा एवं रैयतों की सुरक्षा के लिए अनेक प्रावधान, यहाँ के भूमि संबंधी कानूनों में हैं, परंतु उनके विवेकपूर्ण व्यवहार के अभाव में आज बड़ी आबादी भूमि का अतिक्रमण कर चुकी है। इन अवैध दखलकारों को कानूनी प्रक्रिया से जल्द बाहर नहीं किया गया तो एक नए भूमि मुक्ति आंदोलन की दहलीज पर यह क्षेत्र खड़ा है। इसके ऊपर घाव पर नमक की तरह विस्थापन की परत भी चढ़ रही है। संताल परगना में भूमि समस्या विवेकपूर्ण निदान की राह देख रही है।

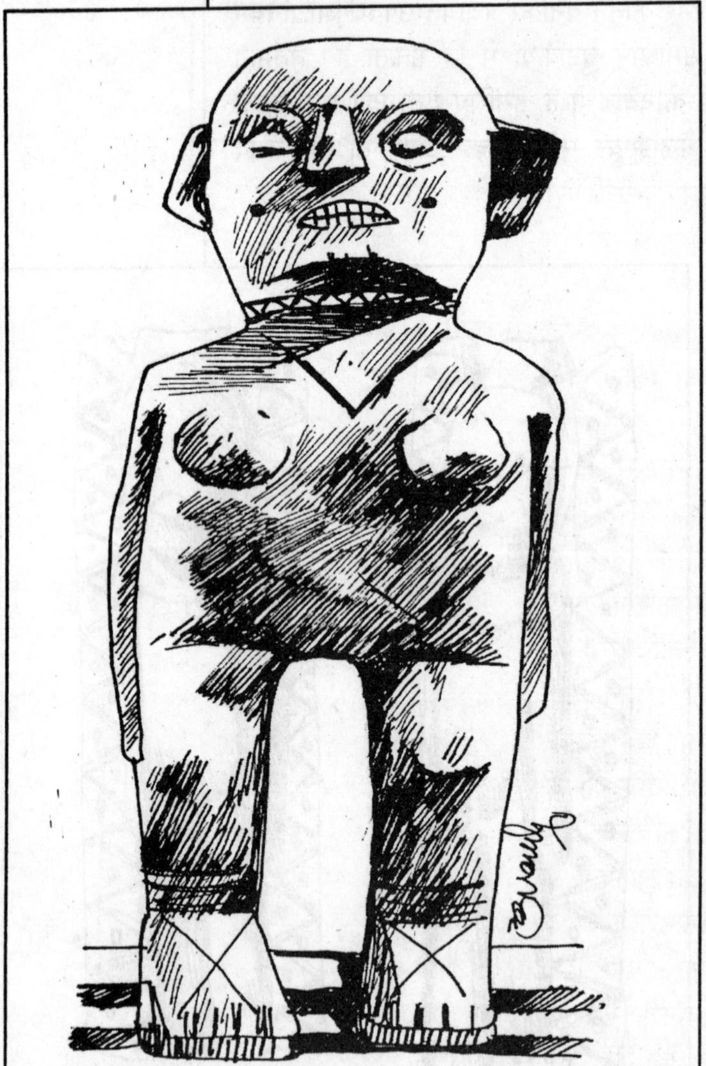

प्रतिरोध के स्वर

□ दिगंबर हाँसदा

ब्रिटिश साम्राज्यवादी ईस्ट इंडिया कंपनी के उपनिवेश भारत के जंगलमहल एवं दामिन-ई-कोह क्षेत्र में देश के महान स्वतंत्रता सेनानी वीर सपूतों—सिद्धो, कान्हू, चाँद और भैरव का जन्म हुआ था। वह पवित्र स्थल वर्तमान झारखंड राज्य के जिला—साहेबगंज, थाना—बाड़हेत, संताल परगना में स्थित भोगनाडीह गाँव है, जहाँ के पुजारी (नायके) चुनू मुर्मू के परिवार में उनका जन्म हुआ था। बादशाह अकबर के सूबेदार मानसिंह ने सन् 1595 ई. में इस जंगलमहल के राजमहल में बंगाल, बिहार एवं उड़ीसा को सूबे की राजधानी बनाया तथा 1660 के बाद राजधानी को ढाका में स्थानांतरित किया गया।

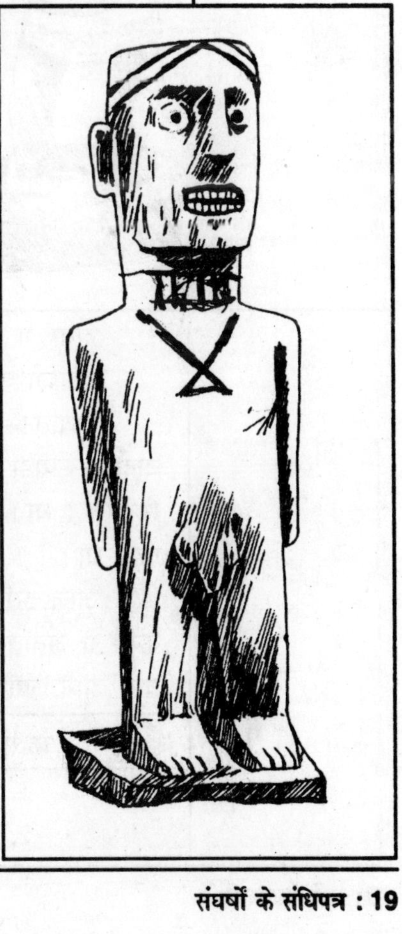

ब्रिटिश ईस्ट इंडिया कंपनी का व्यापार दिल्ली के सम्राट शाहजहाँ (1628 1658) का पहला दानपत्र से आरंभ होता है। जब सम्राट की बेटी भयानक कठिन बीमारी से पीड़ित थी तो ईस्ट इंडिया कंपनी के डॉ. ग्रामीयर बोटोन ने उनकी बेटी को मृत्यु के हाथों से बचाया था। इसके लिए सम्राट डाक्टर को पुरस्कृत करना चाहते थे, किंतु डॉक्टर ने सुअवसर का मौका खोजने के बाद पुरस्कार लेने को कहा। अभी इतनी जल्दबाजी नहीं है। सुअवसर को देखते हुए डाक्टर ने पुरस्कार के बदले अंग्रेज जाति को व्यवसाय करने के लिए भारत में निःशुल्क दानपत्र का अधिकार प्राप्त कर लिया, इसके साथ ही अंग्रेजों का सीधा संपर्क स्थापित हुआ।

बाँटो और राज्य करो की नीति रोमान मंत्र की देन है। उन्होंने स्थानीय जंगलमहल के लोगों को फोड़कर उनमें से पहाड़िया लोगों को अपने पक्ष में कर लिया और साहेबगंज, गोड्डा एवं दुमका के करीब साढ़े तीन हजार वर्ग किमी के क्षेत्र को दामिन-ई-कोह के नाम से अलग कर पहाड़िया जनजाति के लिए आरक्षित कर दिया।

संताल उस क्षेत्र को जुवदी भी कहते हैं। इस प्रकार उत्तर में सौरिया पहाड़िया एवं दक्षिण में माल पहाड़िया का निवास था। वे आसपास के संताल लोगों की गाय, बैल, बकरी इत्यादि चोरी करते थे, जिससे संताल एवं पहाड़ियों में विवाद एवं विद्वेष था।

ब्रिटिश कंपनी सरकार ने दोनों जातियों को जंगल साफ कर खेती लायक जमीन बनाने का अधिकार प्रदान किया।

दामिन-ई-कोह क्षेत्र में पहले संताल एवं पहाड़ियों के बीच अनेक मतभेद थे, किंतु कुछ दिनों के बाद दोनों समुदायों में प्रगाढ़ मित्रता की भावना उत्पन्न हुई एवं सामूहिक सहयोग, सहभागिता के कठिन परिश्रम से क्षेत्र को आत्मनिर्भर बना दिया तथा धन दौलत से परिपूर्ण होने से लोग सुख एवं शांति से जीवन व्यतीत करने लगे।

इस आनंद से संताल अपने बीते दिनों का खोया हुआ पूर्वजों के इतिहास की गौरव गरिमा की यादें ताजा कर एवं आत्मविभोर होकर सामूहिक रूप से नृत्य करते यह लोकगीत गाने लगता है—

'थम्पा गाढ़ दो लिलि विछि
बादोली-कोयडा किरवोन गोड़हीन
दाया गे चाम्पा बादली कोंथड़ा
दायात्रो गाढ़ वोन वागियाद दो'

अर्थात!—संतालों का थापा नामक नगर-राज्य धन-दौलत से परिपूर्ण था एवं बादोली-कोयंडा नगर-राज्य तो शिक्षा-दीक्षा, शिल्प-कला, कारू-कार्य के सौंदर्य की वजह से प्रसिद्ध था। इस विकसित एवं रमणीय स्थान को विवशता में दया के साथ त्यागना पड़ा था।

आज इस दामिन-ई-कोह के क्षेत्र में अतीत के उन नगर-राज्यों के गौरव को याद करने से अतीव आनंद का अनुभव होता है एवं अपने-अपने गोत्र का नगर राज्य (गढ़) याद आने लगता है। जैसे—

क्र.सं.	गोत्र का नाम	नगर-राज्य (गढ़) का नाम
1.	हांसदा	कुटामपुरी गाङ
2.	मुर्मू	चाम्पागाङ

3. किस्कू कोयंडा गाङ
4. मार्डी बादोली गाङ
5. सोरेन चायबाहेर गाङ
6. टुडू चुई वाङे-लुकुई वाङे गाङ
7. वास्के हारवाकोयोङ गाङ
8. हेमरोम खाईरी गाङ
9. बेसरा वीन-सरिया गाङ
10. पाड़रिया बामा गाङ
11. चोड़े जांगे-कोड़े गाङ
12. बेदिया होलोङ गाडा गाङ

इन सब नगर राज्यों (गाङ) में चाम्पा गाङ, बादोली गाङ एवं कोयङा गाङ अति सुंदर था। संताल इन प्रसिद्ध गाङों को विवशता में छोड़कर एयाय नाई दिशोम—अर्थात् सदा सिंधु नदी के क्षेत्र में आ बसे। यह अनुमान लगाया जाता है कि इन्होंने यहाँ की विश्व प्रसिद्ध सिंधु सभ्यता की स्थापना की। गढ़ हड़प्पा व मोहनजोदड़ो नामक दो नगर-राज्यों की स्थापना की। किंतु दुर्भाग्य से उस विख्यात सभ्यता एवं संस्कृति से परिपूर्ण नगर-राज्य को भी छोड़ना पड़ा। यह जमीन के नीचे दब गई या दबायी गई है, कहना मुश्किल है, किंतु आज उसके अवशेष जमीन के नीचे खुदाई के बाद मिल रहे हैं।

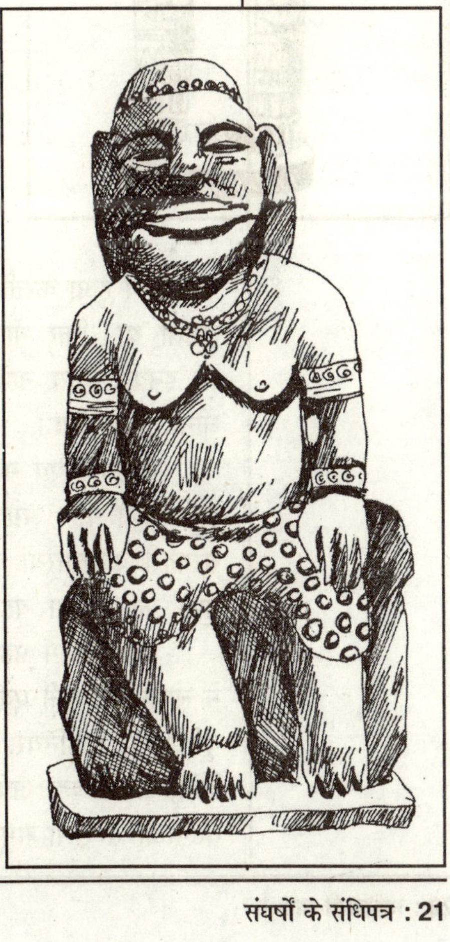

इसके बाद संताल इस जंगलमहल, दामिन-ई-कोह के क्षेत्र में आ बसे। इस क्षेत्र में संताल पहाड़िया लोगों के साथ मिलकर जंगल-पहाड़-पर्वतों को समतल कर वास-योग्य भूमि तथा जीवन यापन के लिए कृषि-योग्य जमीन भी बना कर उसमें धान, बाजरा, मकई, सड़ी, गुँदली, अरहर, दाल, तिलहन प्रचुर मात्रा में उत्पन्न किया।

संताल पेट-भर खाना एवं शरीर ढँकने के लिए वस्तु एवं छोटी-सी झोंपड़ी होने से मस्ती से समय बिताना अधिक पसंद करते हैं, खेत के काम में जाने का समय हो या खेत में काम करते समय या जंगल में लकड़ी चुनने जाना हो, सदा संगीत की मधुर ध्वनि सुनाई देती है। वह वर्तमान काल को अधिक महत्त्व देता है—भविष्य के प्रति गंभीर नहीं है। वे ईमानदार एवं स्वाभिमानी स्वभाव के पक्के होते हैं एवं एक बार कोई

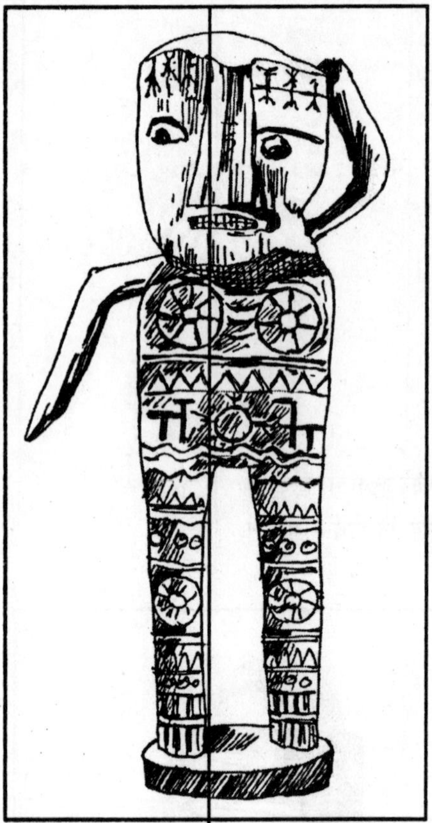

निश्चय या निर्णय कर लेते हैं तो अपनी जान तक देने के लिए तैयार हो जाते हैं।

संताल प्रतिदिन खेत-खलिहान, जंगलों से काम करने के बाद संध्या समय अखड़ा में शारीरिक थकान को दूर करने के लिए सामूहिक रूप में लँगड़े नृत्य करते थे, सम्पूर्ण दामिन-ई-कोह क्षेत्र संध्या काल में नगाड़ा की आवाज, बाँसुरी एवं बनानाम के सुरों के साथ नृत्य गीतों से आनंदमय हो उठता है।

इनकी सुख-शांति, आनंद, नृत्य, गीतों व खुशी से जीवन-यापन को देखकर जमींदार एवं महाजनों को ईर्ष्या होने लगी। धन-दौलत होने के बावजूद जमींदारों एवं महाजनों के जीवन से खुशियाँ गायब थीं।

जमींदारों-महाजनों ने अशिक्षित और भोले-भाले संतालों को जमीन के झूठे मुकदमे में फँसाकर और आजीवन कर्ज में डुबाकर बँधुआ मजदूर बनाकर रखा। हाट बाजार में महाजन संतालों को ठगने के लिए गलत तराजू और नकली बाट का इस्तेमाल करते थे। महाजन किसानों से कम दाम में ज्यादा तौल का सामान खरीदते थे एवं उसी सामान को ज्यादा दाम एवं कम वजन में बेचते थे। इससे केनाराम भगत जैसे हजारों महाजनों का मुनाफा 400 से 500 गुना बढ़ गया। कर्ज पर सूद की दर व्यक्ति-व्यक्ति पर अलग हुआ करती थी। समस्त परिवार पीढ़ी-दर-पीढ़ी केवल सूद देने के लिए बेगारी खटता था। फिर भी सूद की रकम भी कभी अदा नहीं होती थी। कोर्ट कचहरी में भी इनको न्याय नहीं मिलता था। असहाय अवस्था में जमीन जायदाद से भी हाथ धोना पड़ता था।

जमींदार एवं महाजनों का अत्याचार चलता रहा एवं संतालों की स्थिति दयनीय होती चली गई। अंग्रेजी सरकार की उपेक्षापूर्ण नीति, महाजनों की स्वेच्छाचारिता, भ्रष्ट सरकारी कर्मचारियों एवं सिपाहियों के अभद्र व्यवहार से सभी लोगों में असंतोष एवं घृणा की भावना बढ़ती गई।

इस क्षेत्र में पहली बार रेल-लाइन बिछाने का काम शुरू होने से अधिक संख्या में लोगों को कुली एवं मजदूरों के साथ रेजा की भी आवश्यकता हुई। स्थानीय ठेकेदार, यूरोपियन, इंजीनियर, महाजन एवं अन्य पदाधिकारी मजदूरों का शोषण कर रहे थे। किंतु, सबसे बड़ा अपराध तो संताल युवतियों के साथ होने वाला अत्याचार था। इन घटनाओं से सभी समुदाय के लोग क्रोधित हो उठे एवं दारोगा से न्याय की माँग करने

लगे। थाना के दारोगा से न्याय नहीं मिलने से सरकार के उच्च पदाधिकारी—भागलपुर के मजिस्ट्रेट एचई रिचर्डसन एवं पटेंट साहब से भी सहायता माँगी, किंतु सरकार का कहना था, अंग्रेज आदिवासियों की भलाई करने नहीं आए हैं, वह तो अंग्रेजी सरकार का विस्तार चाहते हैं।

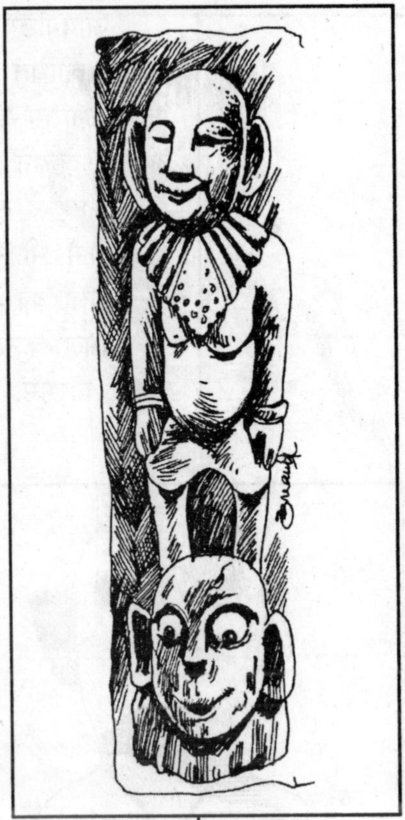

समस्याओं का समाधान नहीं होने से संताल समाज की माँझी परगना की बैठक गाँव-गाँव में बुलाई गई। तय हुआ कि समस्याओं के समाधान में जो निर्णय होगा, उसी के अनुरूप कार्य करना है। किंतु समस्या तब तक संपूर्ण दामिन-ई-कोह की सामाजिक, आर्थिक, धार्मिक एवं माँझी परगनाओं की पारंपरिक शासन व्यवस्था की चुनौतियाँ बन चुकी थी एकमात्र उपाय था विद्रोह के लिए जनमत।

भोगनाडीह के सिद्धो-कान्हू, चाँद-भैरव ने संताल समाज के विशाल सम्मेलन का आयोजन करने का भार अपने ऊपर लिया। चारों भाइयों ने दामिन-ई-कोह के गाँव-गाँव के माँझी एवं देश परगना दिशोम माँझियों को साक पत्ता (टहनी सहित) गिराकर संवाद द्रुतगति से चारों दिशाओं में सम्मेलन की सूचना भेज दी। निर्धारित 30 जून 1855 के दिन भोगनाडीह में करीब 30,000 लोग उपस्थित हुए। विशाल संताल समुदाय ने अपने प्रजातांत्रिक, पारंपरिक सामाजिक शासन व्यवस्था के अनुसार आवेश एवं उत्तेजना से कोई कार्य नहीं किया। अतः यह निर्णय लिया गया कि कांग्रेस सरकार के भागलपुर के कमिश्नर, कलेक्टर, मजिस्ट्रेट, थाना के दारोगा, रेल के उच्च पदाधिकारी, जमींदार एवं महाजनों को पत्र भेजकर इस संबंध में सूचना दी जाए कि 15 दिनों के भीतर समस्याओं का समाधान किया जाए अन्यथा संताल अपने स्वाधीन राज्य की घोषणा करेंगे।

उसी सम्मिलित जनसमूह के सामने से ही महेश दारोगा आमगछिया के गारभु माँझी, पिपरा गाँव के हामा देश माँझी, चाम्पाई माँझी एवं लोखोन माँझी को बिना कुसूर के ही रस्सी से बाँधकर भागलपुर जेल ले जाया जा रहा था। साथ में केनाराम भगत भी था। दारोगा कान्हू के साथ विशाल जनसमूह को देखकर आक्रोशित हो उठा। कान्हू ने दारोगा को इन निर्दोष लोगों को रिहा करने को कहा एवं उनसे माफी माँगने को कहा। दारोगा ने कान्हू को गिरफ्तार करने की धमकी दी और उनको भी जेल में बंद करने की बात कहीं। दारोगा से इस तरह की बात सुनकर सभी ने विरोध किया एवं दोनों को घोड़ों से खींचकर नीचे उतारा एवं बंदी बना लिया गया। गारभु माँझी, हाड़मा देश माँझी, लोखोन एवं चांपाई को खोल दिया गया।

आमगछिया के गारभु माँझी, केनाराम भगत एवं दारोगा महेश लाल दत्त के प्रति अधिक क्रोधित था। गारभु माँझी ने नजदीक के आदमी से फरसा छीन कर सबसे पहले केनाराम भगत का सिर काट दिया एवं हूल-हूल कहते हुए सबको चिल्लाते हुए आवाज दुहराने को कहा। इसका अर्थ था—क्रांति-क्रांति-क्रांति।

कान्हू ने सबको कहा—अब दारोगा नहीं है, महाजन भी नहीं है, सरकार भी नहीं है, हाकिम भी नहीं है, मुख्तार भी नहीं है। अब संताल स्वाधीन है तथा अभी से ही संतालों का स्वराज हो गया है।

सिद्धो-कान्हू, चाँद-भैरव के नेतृत्व की वजह से संग्रामपुर, पियालपुर, राजमहल, पाकुड़, वीरभूम, भागलपुर तथा संपूर्ण दामिन-ए-कोह के पार्श्ववर्ती राज्यों में भी विद्रोह की ज्वाला भड़क उठी। अंग्रेज सरकार की नींव हिलती दिखी। पहली बार सेना को बुलाना पड़ा एवं क्षेत्र में 'मार्शल लॉ' लागू कर दिया गया। सिद्धो-कान्हू, चाँद-भैरव युद्ध करना जानते थे आत्मसमर्पण किसे कहते हैं, वे नहीं जानते। जब तक युद्ध का नगाड़ा बजता था, संताल तब तक युद्ध करता और गोली खाने के बाद ही रुकता था।

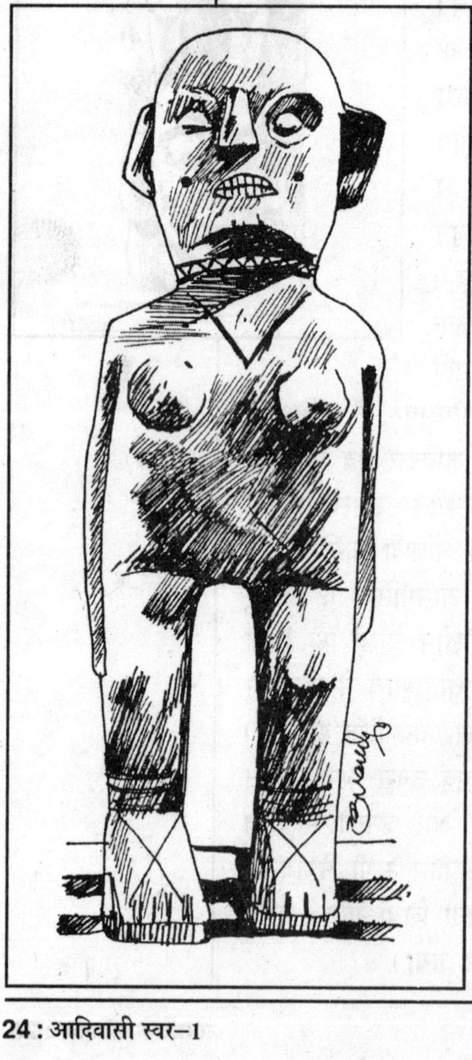

विश्व का यह पहला सशस्त्र आंदोलन था, जिसमें उनकी महिलाओं ने भी बराबरी की भागीदारी निभाई थी। संताल विद्रोह की सबसे बड़ी विशेषता यह थी कि उन्होंने अपने संताल समाज द्वारा घोषित अपराधी को छोड़ अन्य किसी को हाथ तक नहीं लगाया एवं स्त्री जाति से किसी प्रकार का अभद्र व्यवहार करना तो दूर उनके ऊपर नजर उठाकर देखा तक नहीं।

संताल विद्रोह की दूसरी बड़ी विशेषता यह थी कि हरेक समाज के लोग इसमें शामिल थे—जैसे लोहार, चमार, तेली, डोम, ग्वाला, जुलाहा, मोमिन, मुसलमान इत्यादि। पूरे पाँच-छह महीने के संघर्ष में क्रांतिकारी हजारों की संख्या में मारे जा चुके थे। कुछ रुपए की लालच में मुनिया माँझी ने सिद्धो को एवं सरदार घाटवाल ने कान्हू को भी गिरफ्तार किया। दोनों को फाँसी दे दी गई।

सिद्धो-कान्हू, चाँद और भैरव भारतीय स्वतंत्रता आंदोलन के जनक थे। उनके बलिदानों से ही दामिन-ए-कोह को नया नाम संताल परगना मिला। इस नए जिले में अन्य दूसरे लोगों

का प्रवेश निषिद्ध कर दिया गया तथा जमीन की खरीद-बिक्री, लीज एवं बंधक रखना भी बंद किया गया, जिसे संताल परगना टेनेंसी एक्ट भी कहा जाता है।

विद्रोह के बाद संताल परगना के पारंपरिक माँझी परगना शासन व्यवस्था को पुनः बहाल किया गया एवं ग्राम प्रमुख माँझी को पुलिस शक्तियाँ दी गईं। भागलपुर के आयुक्त जज यूल ने संतालों की भावनाओं का ध्यान रखते हुए यह नियम बनाए, जिसे 'यूल्स रूल' भी कहा जाता है। फौजदारी मामलों का निपटारा संतालों द्वारा होने लगा। इस व्यवस्था के कारण वकील-मुख्तार एवं अन्य किसी बिचौलिए की भूमिका नहीं रह गई।

संताल विद्रोह का प्रभाव इतना शक्तिशाली था कि दूसरे ही वर्ष 1857 में सिपाहियों को विद्रोह करने का साहस मिला एवं ब्रिटिश सरकार, ईस्ट इंडिया कंपनी शासन के अंत के लिए बाध्य हुई।

सिद्धो-कान्हू ही देश के ऐसे क्रांतिकारी सपूत हैं, जिनकी जन्म तिथि एवं पुण्य तिथि नहीं मनाई जाती है। बल्कि 30 जून को हूल दिवस के रूप में सम्मान के साथ उन्हें याद करते हैं।

हूल के डेढ़ सौ वर्ष बाद

□ मुन्नी हेंब्रम

बाहर अँधेरा है, लेकिन भीतर तो और भी अंधकार है। इसलिए मैं अपने बरामदे में चूहे के पास बैठी हुई हूँ। केरोसिन की कमी की वजह से अपने छोटे लैंप को मैंने जलाया नहीं है। चूल्हे से निकल रही आग की लपटें मुझे यह आलेख लिखने को जरूरी प्रकाश मुहैया करा रही हैं। वैसे प्रकाश पर्याप्त नहीं है। कई बार यह तेज हो जाता है, तो कई बार मद्धिम पड़ जाता है। लपटें और उनकी छाया मुझे चकित कर देती हैं। ये संतालों के जीवन से मेल खाते हैं। इतिहास के इन काले आदिवासियों के खाते में अधिकतर अँधेरे ही आए हैं, लेकिन कई बार प्रकाशवान क्षण भी रहे हैं। किसने कहा है कि 1855 का संताल हूल संतालों के लिए सबसे यशस्वी व महत्त्वपूर्ण क्षण नहीं है? फिर संतालों के पास गर्व करने लायक क्या है? और सबसे महत्त्वपूर्ण सरकार, राजनीतिज्ञों, विद्वानों और अनुसंधानकों ने इस अवसर को किस तरह मनाया है? घर में या विदेश में?

रांची, कोलकाता या ससेक्स में? आदिवासियों के लिए दिकू कैसे अपने हृदय से सहानुभूति व्यक्त करते हैं? आदिवासियों की उन्नति के देवी-देवता किस प्रकार संतालों, खासकर संताली औरतों के लिए आँसू बहाते हैं?

झारखंड, जिसका शाब्दिक अर्थ जंगलों का देश है, में हूल शक्तिशाली ब्रिटिश शासन और उसके देसी सहयोगियों को नेस्तनाबूद करने के लिए ही शुरू किया गया था। बाहर से यहाँ आकर बसनेवाले आक्रमणकारियों के लिए जंगलों को क्रूरता से साफ कर दिया गया। इलाके के औद्योगीकरण, शहरीकरण, दिकूकरण ने आदिवासियों और इंडिजेनस लोगों को विलुप्ति के हाशिए पर धकेल दिया है। और यह सब उसके द्वारा किया गया है, जिसे 'जंगल का कानून' कहा

जाता है। (यह एक गलत धारणा है—जंगल के कानून उन कानूनों से ज्यादा तार्किक हैं, जिन्हें सभ्य लोगों ने संहिताबद्ध किया है और सभ्य समाज ने क्रियान्वित किया है।) संक्षेप में, झारखंड के आर्थिक व सामाजिक पूँजीपति शायद ज्यादा सामाजिक क्षेत्र हथियाने में आक्रामक रहे हैं और झारखंड में कुछ ऐसे बेहतर स्थान हैं, जहाँ इस पूँजी को संग्रहित कर रखा जाता है।

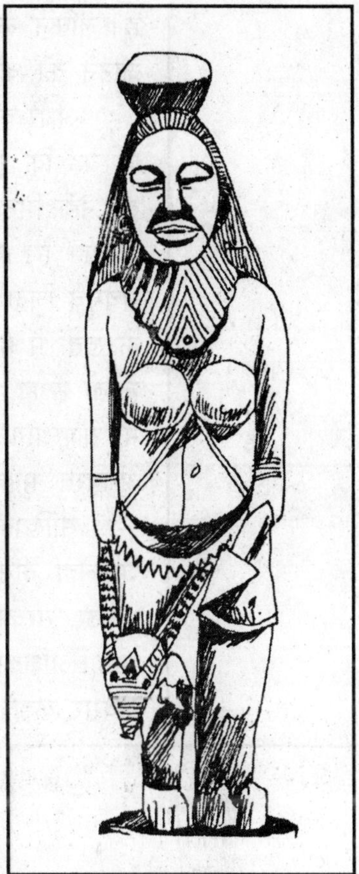

उदाहरण के लिए सामाजिक सेवकों को लें। देश के विभिन्न भागों के लोगों ने झारखंड में सामाजिक सेवा के विस्तार के लिए अपने निवास स्थान बनाए हैं, खास तौर पर आदिवासी औरतों ने। आदिवासियों के प्रति उनकी चिंता ने उन्हें अपने कैरियर, घर (और पता नहीं क्या-क्या) को तिलांजलि देने को विवश किया है। बेचारे आदिवासियों के लिए कुछ किया जाना चाहिए! और इसीलिए वे सबसे ज्यादा उत्तेजित करने वाले प्रस्ताव लिखते हैं (वह भी बहुत सुंदर पर क्लिष्ट अंगरेजी में)। पैसे बहाए जाते हैं। विविध समाजसेवी संगठनों द्वारा आदिवासियों के नाम करोड़ों रुपए के प्रोजेक्ट दूसरे असंख्य समाजसेवी संगठनों के जरिए शुरू किए जाते हैं।

एक आदिवासी औरत होने के नाते मेरे लिए यह कल्पना करना मुश्किल है कि एक करोड़ में कितने ज्यादा रुपए होते हैं। लेकिन सौभाग्य से या दुर्भाग्य से मुझे एक ऐसे ही बड़े और प्रसिद्ध संगठन में, जिसकी प्रमुख एक गॉड मदर जैसी महिला थी और उसकी पूरी दुनिया में ख्याति थी, नौकरी मिली। आदिवासी औरतों के लिए 120 लाख रुपए का एक प्रोजेक्ट था, लेकिन इस पूरी परियोजना को गैर आदिवासी महिला ने खुद को बतौर एक नेता उभारने का साहस किया तो उसे बेदर्दी से निकाल बाहर किया गया। गॉड मदर, जिसके बारे में ख्याति है कि उसने हजारों आदिवासियों का जीवन बदल दिया, ने हमारा पक्ष लेना तो दूर हमारी ओर ताका तक नहीं।

उसने उस गैर आदिवासी व्यक्ति का पक्ष लिया, जिसने कई उपलब्धियाँ हासिल की थीं—एक लड़के की चाह में पाँच या इससे अधिक बच्चियाँ पैदा की थीं और जो आदिवासी औरतों तथा अन्य औरतों का यौन शोषण करता व उन्हें छेड़ता था, जिसने वित्तीय अनियमितताएँ की थीं आदि-आदि। गॉड मदर यश कमाना चाहती थी, इसलिए उसने इसे अपने सामाजिक सेवा उद्यम के जरिए आदिवासी औरतों को एक सामाजिक पूँजी के रूप में इस्तेमाल करके खरीदा। उसकी दरियादिली से चंद आदिवासी लड़कियों व औरतों को जरूर लाभ पहुँचा है, जिनमें से कई तो इंग्लैंड भी घूम आई

हैं। लेकिन क्या कोई परदे के पीछे जाकर देखता है या धूल भरे मैदानों की स्थिति जानने की कोशिश करता है कि आखिर सच क्या है?

अँधेरे के बीच, मैंने जोर देकर सोचा कि अगर हूल नहीं हुआ होता? सबसे बदतर तो यह कि संतालों का नामोनिशान मिट गया होता। क्या इसके लिए कई संतालों को नहीं मिटा डाला गया? पिछले एक-डेढ़ दशक से कोकराझार के आस-पास क्या हो रहा है? या फिर उसके लिए संताल जीवित मृत समुदाय नहीं रहे हैं? क्या वे सचमुच जिंदा हैं? वे सिर्फ जीते हैं, वे पश्चिम बंगाल के गुगली और बर्धमान के धान के खेतों में हाड़तोड़ परिश्रम के एवज में मिली अपर्याप्त आमदनी के कारण अस्तित्व में तो हैं ही। यही स्थिति उत्तर-पूर्व में है, अंडमान के तटों पर, कश्मीर की वादियों में, राजस्थान के रेगिस्तानों में भी। वे काम करते हैं, लेकिन बदले में क्या पाते हैं? अनवरत भूख और भुखमरी से मौत।

सांख्यिकी नियमितता में प्राणघातक मलेरिया वार करता है। टीबी और अन्य जानलेवा बीमारियाँ दैनिक जीवन का हिस्सा हैं, और खूनचूषक महाजन, झोलाछाप डॉक्टर, सरकारी और गैरसरकारी 'दानव' और इन्हीं की तरह अभिन्न लेकिन विपरीत लोग। अशिक्षा ही आदिवासियों के खाते में है। उनके लिए उपलब्ध कराए गए शैक्षणिक अवसर कड़वे सच हैं।

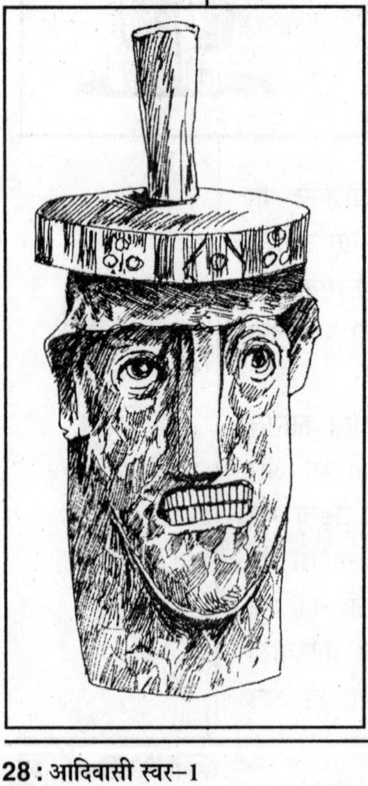

यह स्थिति, जिससे हम हमेशा दो-चार होते हैं, बदतरीन है। हूल निस्संदेह एक बड़ा पुनरुत्थान था, जिसने मुझे अस्तित्व दिया है। यह समय नहीं आया होता, यदि संतालों ने सिद्धो-कान्हू भाइयों तथा फूलो-झानो के महान नेतृत्व में संघर्ष न किया, बलिदान न दिया और न नाम कमाया होता। यह अलग बात है कि हमने बाद में इन्हें भुला दिया। हूल में शिरकत करने वाली महिलाओं के बारे में हम शायद ही कुछ सुनते हैं। लेकिन यह लड़ाई शायद संगठित ही नहीं हुई होती, यदि महिलाओं की उत्साहजनक भागीदारी नहीं हुई होती। सच यह है कि संतालों व मेहनतकश लोगों के संघर्ष, जिसने बाद में हूल को जन्म दिया, नहीं हुए होते, इनमें महिलाओं की सक्रिय भागीदारी पर ही इनकी सफलता निर्भर थी। उनके बारे में चर्चा तक नहीं होती, उनका वो सम्मान तो दूर की बात है, जो उन्हें मिलना चाहिए।

ऐसी स्थिति लिखे गए इतिहास के नजरिए के कारण है।

इतिहासकारों, सभी तो गैर आदिवासी ही थे, ने हूल के बारे में कुछ ज्यादा व अच्छा नहीं लिखा, लेकिन उन्होंने वही निरूपित किया, जिस नजरिए से वे दुनिया देखते थे। यह संतालों का मौखिक इतिहास

है, जहाँ हम फूलो-झानो के ऋणी हैं। शायद किसी दिन संताल या दूसरे आदिवासी अपना इतिहास खुद लिखेंगे और पुराने इतिहास का पुनर्लेखन करेंगे, मैं इस तरफ आशावान हूँ। यही वह सबक है, जो मैंने हूल से सीखा है। हूल ने भारतीय समाज और उसके इतिहास में आदिवासियों को जगह दिलायी है, भले ही वह बहुत थोड़ी हो। यह हूल ही है, जिसने जंगल, जमीन आदि के लिए आदिवासी आंदोलन को जन्म दिया है। यह अलग बात है कि आदिवासी नेताओं ने, अधिकतर मामलों में, दिकू विशेषताओं को अपनाकर अपनी विश्वसनीयता खो दी है, यह हूल की गलती नहीं है। गलती हममें ही है। एक राज्य और समाज, जो अपने नजरिए और क्रिया-कलापों से आदिवासियों का शत्रु साबित हुआ है, ने आदिवासियों को गुलाम बनाए रखने के लिए अनवरत दबाव पैदा किए हैं, वहीं हमारे अपने भाई आदिवासी नेता, राजनीतिज्ञ व समाजसेवी, अपने संकीर्ण व निहित स्वार्थों के लिए आदिवासी हितों के साथ सौदा कर रहे हैं। बावजूद इसके, जनता बेजुबान है। संक्षेप में, यह हूलपूर्व स्थिति से कहीं ज्यादा जटिल समय है। उस समय तो इतने धोखेबाज नहीं थे, जितने आज हैं और बहुत हैं।

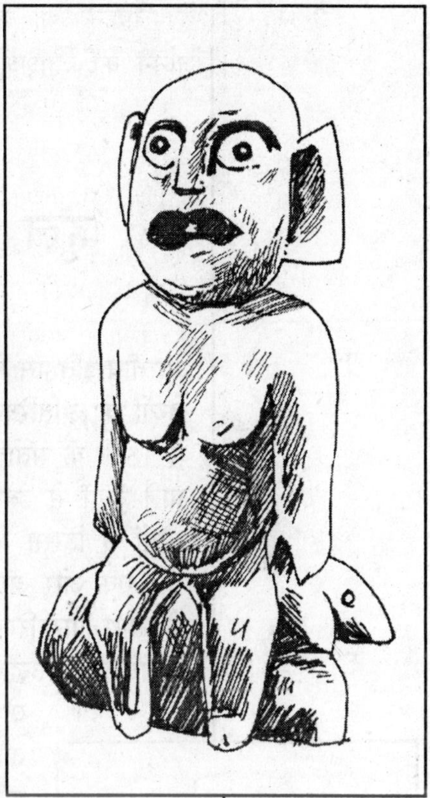

तब क्या यह स्थिति नहीं बदलेगी? आदियासियों को इसी तरह मृतप्राय रहना चाहिए? निस्संदेह इसका उत्तर 'एकदम नहीं' है। आदिवासियों को संगठित हो जाना चाहिए। औरतों व मर्दों, दोनों, खासकर महिलाओं को बड़ी संख्या में आगे आकर नेतृत्व सँभालना चाहिए, ताकि उन नेताओं के प्रति झुकाव से बचा जा सके, जो पैसे और अन्य भौतिक लाभों के लालच में रहते हैं। हूल के डेढ़ सौ सालों के बाद, मेरा मानना है, हमें यह सबक सीखना चाहिए कि मूर्ति पूजा से मुक्त हो हम आदिवासियों का एक सामूहिक नेतृत्व विकसित करें। ऐसे नेतृत्व की आज आदिवासी समाज में फौरी जरूरत है। और जरूरत इस बात की भी है कि इसे राजनीतिक क्षितिज पर पूरी प्रतिबद्धता के साथ फैलाया जाए।

हूल : अधिकारों की पहली लड़ाई

□ रमेश हेंब्रम

भारतीय इतिहास में संभवतः जन-संघर्ष की पहली लड़ाई संतालों ने लड़ी थी। ऐतिहासिक तथ्यों के अतिरिक्त साम्यवादी लेखक कार्ल मार्क्स ने अपनी भारत संबंधी टिप्पणियों में 1855 के संताल विद्रोह की चर्चा करते हुए लिखा है कि सत्ता-शासन के लिए होने वाले युद्धों से इतर यह पहला संगठित जनयुद्ध था, जिसमें सिपाहियों के बदले आम लोगों ने हिस्सा लिया। यह लड़ाई अमर शहीद सिद्धो-कान्हू के नेतृत्व में लड़ी गई थी। एक ओर अंगरेज सैनिकों की बंदूकें व छोटी तोपें थीं, तो दूसरी ओर बुलंद हौसले के साथ पारंपरिक हथियार लिए संताल लोग थे। भारतवर्ष के इतिहास में ब्रिटिश शासन के विरुद्ध 1855 की लड़ाई कई मायनों में अहम रही थी। अपने अधिकारों के लिए लड़े गए संघर्ष की मूल भावना को ब्रिटिश शासन ने समझा और तब जाकर इन्हें अपने गाँव व सीमा क्षेत्र के अंदर अपने परंपरागत तरीके से रहने का अधिकार देते हुए इस क्षेत्र के लिए विशेष कानून बना।

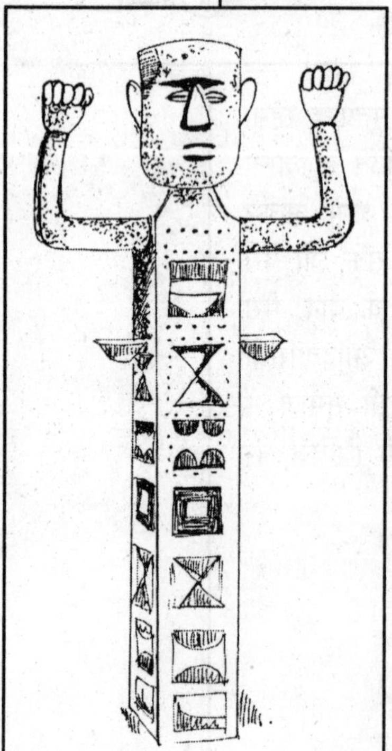

संताल परगना के राजमहल पहाड़ी क्षेत्रों में 1790 से 1810 के बीच बंगाल के वीरभूम जिले से उत्तर की ओर संताल लोग आए। अंगरेज विद्वान बुखनन हेमिल्टन की अप्रकाशित पांडुलिपि के अनुसार, बड़ी संख्या में संताल दुमका सबडिवीजन की ओर आए थे। 1818 तक ये लोग सबडिवीजन के पहाड़ी इलाकों तक में जंगल साफ कर गाँव बसा चुके थे। 1836 में भागलपुर जिले के तत्कालीन कलेक्टर डूनबर की एक रिपोर्ट के अनुसार इस क्षेत्र में 427 गाँव स्थापित हो चुके थे। तब इस क्षेत्र के प्रशासनिक अधिकारी 'पोनेट' थे। शुरू में उन्होंने संतालों को जंगल साफ करने में काफी प्रोत्साहित किया, लेकिन धीरे-धीरे उन्होंने इन लोगों पर अंकुश लगाना शुरू कर दिया, जिसका प्रतिरोध बढ़ते-बढ़ते उग्र हो गया। इसी बीच आमड़ापाड़ा के निकट पाडेर कोला गाँव में बोलोराम टुडू के घर शाम बुडू का जन्म हो गया था। संताल परगना की सबसे पुरानी बेनागड़िया संताल प्रेम द्वारा प्रकाशित पुस्तक 'हापड़ाम कुआक् पुथी' के अनुसार शाम बुडू अपने पिता की मृत्यु के बाद काफी

कम उम्र में माँझी बन गए। पुस्तक के अनुसार वे काफी समझदार व सुलझे हुए व्यक्ति थे। इसके साथ वे बहुत ही मृदुभाषी और विनोदी स्वभाव वाले भी थे। लेकिन वे गलत बातों का कड़ाई से विरोध करते थे, जो कि ग्रामीण विरोध में उनके फैसलों से झलकता था। उस समय बाँसलई नदी की उत्तर के ओर के गाँवों का कोई परगना नहीं था। सो लोगों ने उसे अपना नया परगना मान लिया। यही शाम परगना वो व्यक्ति है, जिसे 1855 के संताल विद्रोह का सूत्रधार कहा जा सकता है। उस समय तक अंग्रेजों के चाटुकार महाजनों द्वारा किया जाने वाला शोषण चरम पर पहुँच गया था।

पेशे से मुख्यतः व्यवसाय करने वाले लोग अंगरेजों की जी हुजूरी किया करते थे। इसमें से कई जमींदार भी थे। यह जमींदार ब्रिटिश सरकार के एजेंट के रूप में संताल किसानों से उपज व पशुधन का लगान वसूल करने लगे। अपनी मेहनत से बनाई जमीन पर उगाई गई फसल का हिस्सा माँगे जाने से संताल काफी परेशान थे। उनकी ये परेशानी धीरे-धीरे आक्रोश में बदल गई। शोषण की प्रक्रिया चरम पर पहुँच गई थी। त्रस्त लोग अपनी व्यथा लेकर शाम परगना के पास पहुँचे और वस्तुस्थिति से उन्हें अवगत कराया तब शाम परगना ने लोगों को आश्वासन दिया—'ठीक है, ये महाजन हमसे ऊपर हैं, लेकिन इनसे भी ऊपर सरकार है, हम उन्हीं के पास जाएँगे' फिर शाम परगना उन किसानों के साथ अंगरेज हाकिम से मिलने गए।

उस समय वहाँ एशले इडेन अंगरेजों के प्रतिनिधि थे। शाम परगना ने उनसे मिल कर महाजनों के शोषण और अत्याचार के बारे में जानकारी देते हुए कहा कि हमारे लोग अपने सीमित साधनों के बावजूद लगान देते हैं, किंतु महाजनों की माँग दिन-प्रतिदिन बढ़ती जा रही है। वे लोग अब हमारे पशु तक खींच कर ले जाते हैं। इसलिए हम आपसे आग्रह करते हैं कि कृपया इस पर रोक लगाई जाए। इडेन साहब ने तब उन्हें आश्वासन दिया कि ठीक है, वे इसे नियंत्रित करेंगे।

इधर, जब महाजनों को पता चला कि संताल उनके विरुद्ध शिकायत लेकर साहब से मिले थे, तो वे क्रोधित हो उठे और सबक सिखाने के लिए दमनात्मक प्रक्रिया तेज कर दी। इसकी वजह यह थी कि उन्हें अंदर से अंगरेजों का समर्थन हासिल था। कुछ महीनों बाद जब स्थिति और बिगड़ने लगी, तो शाम परगना ने पाडेर कोला में संतालों की एक उच्चस्तरीय बैठक बुलाई। इस बैठक में माँझी देश माँझी तथा कई

अन्य परगनाओं ने शिरकत किया। इनमें बाँसलाई नदी के पश्चिमी किनारे पर बसे गाँव सिलींग के हाड़मादेश माँझी, इनके पुत्र चांपाय जो पिपर के माँझी थे, शामिल हुए।

हड़मा माँझी के बालसखा व प्रमुख सहयोगी लोखोन, आमगाछी गाँव के गारभू माँझी तथा बरहेट के निकट स्थित भोगनाडीह गाँव के चुनू मुर्मू के चार युवा पुत्र सिद्धो (30 वर्ष), कान्हू (27 वर्ष), चाँद (24 वर्ष) तथा भैरव (20 वर्ष) भी शामिल थे। बैठक में शाम परगना ने अपने संबोधन में कहा कि हम अपनी महिलाओं और बच्चों व समाज को जान से ज्यादा प्यार करते हैं। उन्हीं के लिए हम इस धरती पर मेहनत करते हैं और पसीने से उगाई गई फसल खाते हैं। हम किसी को सताना या परेशान करना नहीं जानते, लेकिन किसी की गुलामी नहीं सहन करेंगे, हमें मृत्यु या पराजय का भय नहीं है। यदि कोई हमसे जबरन लड़ना चाहे तो हम लड़ेंगे। हम जानते हैं कि धरती पर युद्ध मनुष्य की बर्बादी लाता है, लेकिन सच्चाई के लिए लड़ने के बजाए मुँह मोड़ लेना और बुरी बात है। यह बात सिद्धो, कान्हू, चाँद व भैरव के मन में गहराई तक बैठ गई। इस बैठक की खबर दलाल महाजनों ने अंगरेजों तक पहुँचा दी।

उन्हें यह समझाया गया कि संताल लोग अब सरकार से विद्रोह करने पर उतारू हैं। यह घटना 1855 अप्रैल-मई के आस-पास की बताई जाती है। थोड़े दिनों बाद ही उस इलाके के दारोगा महेश लाल दत्ता ने आमगाछी गाँव से बगैर किसी अपराध के गरमू माँझी, हड़मा माँझी, चांपाय माँझी व लोखोन को गिरफ्तार कर लिया। इसकी खबर मिलते ही शाम परगना ने दारोगा महेश लाल से मिलकर मिन्नत की, ताकि गरमू माँझी व हड़मा माँझी से थोड़ी बात कर लें, पर दारोगा ने इसकी इजाजत बिल्कुल नहीं दी और चारों को हथकड़ियों में जकड़कर भागलपुर ले जाने लगे।

शाम परगना उम्रदराज व्यक्ति थे। सो उन्होंने गाँव के कुछ युवकों को बुलाया और कहा कि तुम लोग दारोगा और उनके प्यादों का पीछा करो और इस टोह में रहो कि वे रात कहाँ गुजारते हैं। यदि वे लोग बरहेट में ठहरते हैं, तो वहाँ से कितने सिपाही लौट जाते हैं, यह खबर रखना। इसकी सूचना देने तुममें से एक युवक गाँव लौट आना, दो युवक दारोगा पर नजर रखना और तीन युवक पास के भोगनाडीह में सिद्धो-कान्हू तक संदेश पहुँचा देना कि सब कुछ इतना अचानक हुआ कि मुझे मौका नहीं मिला कि लोगों को जुटा सकूँ। मुझे तुम चारों भाइयों पर भरोसा है। दारोगा हमारे बीच से बेकसूर होड़होपोन (संताल) को पकड़ कर भागलपुर जेल ले जा रहा है, उसे रोक लो।

खबर मिलते ही चारों भाई अपने साथियों के साथ निकल पड़े। रास्ते में पंचकठिया के पास उन्होंने दारोगा को रोक कर

कैदियों को छुड़ा लिया तथा दारोगा व एक महाजन केनाराम को कुल्हाड़ी से काट डाला। इस घटना से ब्रिटिश प्रशासन हिल गया और इन चारों भाइयों को गिरफ्तार करने के लिए बंदिश दी जाने लगी। थोड़े दिनों तक वे लोग छिपे रहे, फिर 30 जून 1855 को सिद्धो-कान्हू ने गाँव के चार युवकों को चार दिशाओं में सारजोम दरूआक (साल पत्ता उड़ाकर) लोगों से जमा होने को कहा। आधी रात वहाँ तकरीबन दस हजार संताल पारंपरिक हथियारों के साथ इकट्ठे हो गए। इसी भोगनाडीह के मैदान में सिद्धो-कान्हू ने हूल की घोषणा की। इसके साथ ही संतालों का सामूहिक विद्रोह शुरू हो गया।

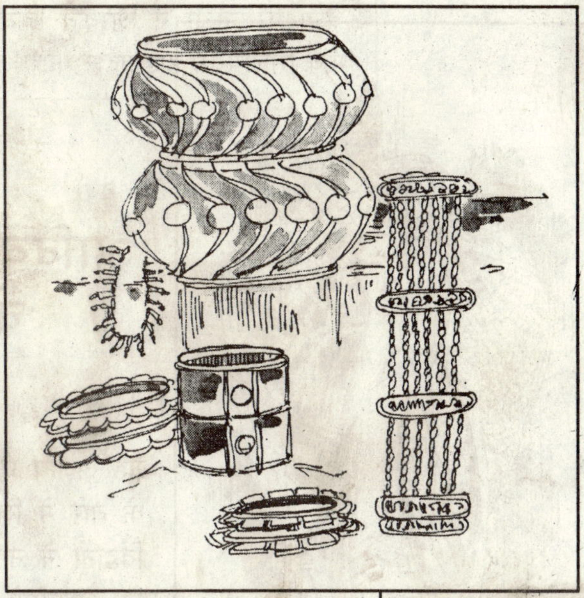

इस विद्रोह की शुरुआत महेशपुर राज में लूट के साथ होते हुए प्यालापुर की लड़ाई तक पहुँची। ईस्ट इंडिया कंपनी के सैनिकों के साथ संतालों का जबरदस्त संघर्ष हुआ तथा अंगरेज सैनिकों को मात खनी पड़ी। यह विद्रोह तब जन-विद्रोह में बदल चुका था। इसके बाद मुर्शिदाबाद व भागलपुर से विशेष सैन्य टुकड़ियाँ पहुँचीं। इस सेना से सिद्धो-कान्हू की भिड़ंत पाकुड़ में तोड़ाम के पास हुई। इस बीच काफी संताल योद्धा वीरगति प्राप्त कर चुके थे। विद्रोही दल कमजोर पड़ता जा रहा था। वे लोग पीछे हटने लगे। फिर 24 जुलाई 1855 को बरहड़वा-बरहेट के मध्य रघुनाथपुर के पास सिद्धो को गिरफ्तार कर भागलपुर सैन्य टुकड़ी के हवाले कर दिया गया। जहाँ उन्हें फाँसी दे दी गई। हालाँकि इस घटना की वास्तविक तिथि व समय पर विद्वानों के मत भिन्न हैं।

बावजूद इसके शाम परगना, गरमू माँझी, तड़मा माँझी, चांपाय माँझी तथा चांदराय के पूर्ण सहयोग तथा गाँवों की घेराबंदी करने की मिलीजुली योजना से अंगरेज शासन की चूलें हिल गई थीं। इस विद्रोह ने अंगरेज शासकों को यह सिखा दिया कि जनता, शासन समर्थित शोषण को कभी बर्दाशत नहीं करेगी। आज भी इन महान वीरों को स्मरण किया जाता है। अमर नायक सिद्धो-कान्हू की मूर्तियाँ चौक-चौराहों पर लगाई गई हैं। इनके पैतृक गाँव भोगनाडीह में भ[illegible] सरका[illegible] गैर सरकारी आयोजन होते हैं और नेतागण यहाँ से आंदोलन व परिवर्त[illegible] बिगुल फूँक कर वीर योद्धा की साख पर बट्टा लगा रहे हैं। आंदोलनकारी [illegible]न्हू के संताल समाज का चेहरा आज बदल चुका है। निरंतर उपेक्षा और गरीबी [illegible]ंतहीन दर्द झेलते इस समाज के लोग राजनीतिक प्रपंचों का तमाशबीन बने यह [illegible] लगाए बैठे हैं कि फिर से सिद्धो-कान्हू जन्म लें और फिर से बहरे हो गए कानो [illegible]ल की गूँज सुनाई दें।

आदिवासी इतिहास को खँगालने के संभावित उपकरण

□ महादेव टोप्पो

यह अजीब एवं हैरान कर देने वाली स्थिति है कि आदिवासियों के बारे में जितना पश्चिमी विद्वानों ने लिखा है उतना भारतीय विद्वानों ने नहीं। यह स्थिति ही स्पष्ट करने के लिए पर्याप्त है कि भारतीयों ने आदिवासियों में कोई रुचि नहीं दिखाई या आदिवासियों के प्रति उनका नजरिया क्या था। इसे समझने के लिए विनयपत्रिका की पंक्ति 'कोल, खस, भील, जवनादि खल राम कहि नीच है ऊँच पद को न पायो' का सहारा लिया जा सकता है, जो हिंदी प्रदेशों में आज भी पढ़े-लिखे तबके के लोगों द्वारा एक लोकोक्ति के रूप में प्रयुक्त की जाती है। स्वाभाविक है एक खास वर्ग के लिए बना दी गई यह छवि अब तक समाज में बरकरार है। कुछ उसी तरह जैसा कि तुलसी की ये पंक्तियाँ 'ढोल, गँवार, शूद्र पशु नारी, सकल ताड़ना के अधिकारी'। ऐसे में इसकी आशा करना या रखना अर्थहीन है कि इस मानसिकता से प्रभावित एवं ग्रसित समाज का अधिकांश वर्ग आदिवासी या दलित समाज के लिए सहानुभूति के कोई शब्द बोलता या लिखता।

वैसे यूरोपियनों ने भी आदिवासियों को आदमी ही समझा, ऐसी बात नहीं है, सिवाय कुछ संवेदनशील अधिकारीनुमा विद्वानों एवं मिशनरी पादरियों के।

लेकिन बदलते सामाजिक हालातों में सभ्य माने जानेवाले कुछ प्रतिशत लोग ही अब तक उच्चता बोध के इस प्रभामंडल से मुक्त हो पाए हैं। परिणामतः उनकी मानसिकता एवं व्यवहार में कुछ परिवर्तन अवश्य आता दिखता है। लेकिन, वे अभी अल्पसंख्यक की ही श्रेणी में कतारबद्ध हैं। वैसे इसे पश्चिमी विद्वानों की सनक कहें या उनकी समृद्ध शोधवृत्ति के परिणाम या प्रजातंत्र में कोई कुछ तो बोल लेता है या कोई दो-चार पन्ने लिख लेता है या कोई किताब लिख डालता है। वरना वह तो आदमी था ही नहीं।

वैसे यह परिवर्तन तो आना ही है। लेकिन इसमें अब भी काफी देर है। कारण है, साक्षरता की कमी। साथ में असली शिक्षा का भारत में अब तक अभाव है। शिक्षा का अर्थ यहाँ मात्र डिग्री से नहीं लिया गया है, बल्कि अर्थ यह लिया गया है कि जब तक हम भाषा, संस्कृति, धर्म, जाति, रंग, लिंग, लिबास आदि के आधार पर एक-दूसरे से घृणा करेंगे, शिक्षित नागरिक कहलाने के अधिकारी कदापि नहीं हैं। इसलिए ऐसे लोगों के बारे में जो समाज में वंचित, शोषित, तिरस्कृत, उपेक्षित एवं प्रताड़ित हैं, इनके बारे में मात्र हमदर्दी न दिखाते हुए सम्मान से जीने के लिए ईमानदार प्रयास नहीं किए जाते, संपूर्ण भारतीय समाज शिक्षित, विकसित एवं परिपक्व नहीं कहा जा सकता और यह स्थिति जब तक नहीं आती तब तक इतिहास में मनुष्य की खोजबीन, मानवीय सोच का खंडन-मंडन चलता रहेगा।

बार-बार समाज में बदलते मूल्यों के हिसाब से इतिहास को पलटते रहने, धोने, माँजने एवं खंगालने का कार्य चलता रहेगा। जहाँ यथास्थितिवादी-पुरातनपंथियों तानाशाही एवं समतामूलक प्रगतिकामी-परिवर्तन शक्तियाँ बराबर टकराती रहेंगी। आज भी देश में, दुनिया में यही हो रहा है।

भारत के सबसे वंचित माने जानेवाले आदिवासी समाज की इच्छा है कि वह अपने इतिहास को जाने। लेकिन उनके इतिहास को विस्मृत एवं लोप कर दिए जाने के कुप्रयास होते रहते हैं। शायद इसीलिए डॉ. कुमार सुरेश सिंह की किताब 'बिरसा मुंडा एवं उनका आंदोलन' की भूमिका में 'क्रिस्टार फ़ोन फ्यरेर हैंमेसडोर्फ' को लिखना पड़ा कि 'सरकारी रिपोर्टों में सामाजिक अभिप्रायों पर ब्योरेवार विवरण कम मिलते हैं जो किसी स्थापित शासन के विरुद्ध जनजातियों के विद्रोह, शासकों और शासितों के बीच अत्यधिक कष्ट और त्रासदी से पूर्ण गाथा प्रस्तुत करते हैं'।

वैसे तिलका माँझी के सर्वप्रथम विद्रोह

के बाद भारतवर्ष में आदिवासियों, दलितों के विद्रोह बढ़ते गए। लेकिन, इतिहास में होने का श्रेय उन्हें हाल-फिलहाल मिल रहे हैं और कई मामलों में तो अब तक नहीं मिले हैं। इसलिए इतिहास में आदिवासियों के होने का संघर्ष अब तक चला आ रहा है। संभवतः इस कमी को पूरा करने के उद्देश्य से 1986 के आस-पास प्रगतिशील इतिहासकारों द्वारा इतिहास कांग्रेस में यह प्रस्ताव लाया गया कि 'स्वतंत्रता आंदोलन 1857' के मंगल पांडे के विद्रोह से पहले सिद्धो-कान्हू के संताल विद्रोह 1855 से भारतीय स्वतंत्रता आंदोलन का आरंभ माना जाए, लेकिन यह प्रस्ताव स्वीकृत नहीं किया जा सका। जाहिर है इतिहास कांग्रेस में कब्जा जमाए सवर्ण मानसिकता के विद्वानों को यह कैसे सहन होता कि भारत के स्वतंत्रता संग्राम का आरंभ कोई आदिवासी या दलित करे। इसी प्रकार गुजरात के पालचितरिया गाँव में 7 मार्च 1922 की दोपहर को करीब 1200 आदिवासियों को मौत के घाट उतार दिया गया, जो वहाँ एक सभा में उपस्थित थे। इस नरसंहार के प्रत्यक्षदर्शी स्वतंत्रता सेनानी बलवंत सिंह का मानना है कि 'चूँकि जालियाँवाला कांड के विपरीत यहाँ मारे गए लोग अनपढ़ और गरीब आदिवासी थे इसीलिए इस नरसंहार को भुला दिया गया'। इस आशय की रिपोर्ट इंडिया टुडे के 3-09-1977 के अंक में छपी थी।

ये मात्र दो उदाहरण भर हैं यह दर्शाने के लिए कि इतिहास में कैसे दलित, आदिवासी या अन्य कमजोर या अनपढ़ लोगों के योगदान को हाशिए में डाल दिया जाता है। लेकिन, जैसा कि ऊपर कहा गया है बुद्धिजीवियों का एक ऐसा अल्पसंख्यक वर्ग है जो समाज के वंचित, उपेक्षित लोगों की चिंता करता रहता है। ऐसे लोग इतिहास से सिकुड़े न रहते हुए भी आदिवासियों के इतिहास निर्माण में सहायक भूमिका निभाते रहते हैं, उनमें नई चेतना लाने का प्रयास करते रहते हैं।

इनके लेखन को यदि विस्तार दिया जाए और इतिहास में आदिवासियों की भूमिका

की बात की जाए तो देश में प्रजातांत्रिक जड़ों को पुख्ता करने में सहायता मिलेगी। ऐसे लोग सामाजिक कार्यकर्त्ता, राजनीतिक, पत्रकार, पर्यावरणविद्, समाज वैज्ञानिक, समाजवादी चिंतक, मानवशास्त्री, इतिहासकार, फिल्मकार, प्रशासनिक अधिकारी, शोधकर्त्ता, लेखक, संपादक आदि विभिन्न कार्यक्षेत्रों से जुड़े हैं। उनका उद्देश्य कहीं पर यह अवश्य है कि उनके कार्यों, चिंतन या लेखन-कार्य से समाज को, आदिवासी या उपेक्षित लोगों के बीच पारंपरिक विचारधारा में विकसित, प्रगतिशील विचार को स्थान दिलाया जा सके या समाज के विरोधाभासों को समझा जाए। इसलिए यहाँ वेश्यिर एल्विन, डॉ. कुमार सुरेश सिंह, महाश्वेता देवी जैसी हस्तियों के अलावा भी अनेक ऐसे लोग हैं जिन्होंने प्रत्यक्ष या अप्रत्यक्ष रूप से आदिवासी समाज के पारंपरिक चिंतन को तोड़ने और उनकी एक नई छवि उभारने में अपना महत्त्वपूर्ण योगदान दिया है।

(संभव है अपनी अल्पज्ञता के कारण कई नाम छूट सकते हैं) फिर भी कुछ प्रमुख नाम हैं—राहुल सांकृत्यायन, जगदीश झा, श्यामाचरण दुबे, किशन पटनायक, के. बी. सक्सेना, सच्चिदानंद सिन्हा, सीताकांत महापात्र, ब्रह्मदेव शर्मा, रोमिला थापर, डी. कौसांबी, अयोध्या सिंह, पुरुषोत्तम कुमार, ऋत्विक घटक, एस. सी. रायवर्मन, आंद्रे बेत्ते, ए. आर. देसाई, रामशरण जोशी, वीर भारत तलवार, पुरुषोत्तम अग्रवाल, राजेंद्र यादव, लाल बहादुर वर्मा, मुद्राराक्षस, रमणिका गुप्ता, गणेश एन. देवी, मेधा पाटकर, वीरेंद्र यादव, संजीव, ज्ञानेंद्र पांडे, शहीद अमीन, सुमन डी. विल, बर्नाड एसकॉन सी., जो फ्यूलर, ओमप्रकाश वाल्मीकि, शरण कुमार लिंबाले, लक्ष्मण गायकवाड़, वाहरू सोनवणे, हरिराम मीणा, सुभाष गाताडे, प्रकाश लुईस, विरजीनियुस खाखा, अलेक्स एक्का, उत्तम सेनगुप्ता, पी. साईनाथ, अरूंधती राय, अभय कुमार दुबे, निर्मल मिंज, रोज केरकेट्टा, इग्नाशिया टोपे, परिमल हेंब्रम, बासुदेव बेसरा, महादेव हांसदा, संजय बसु मल्लिक,

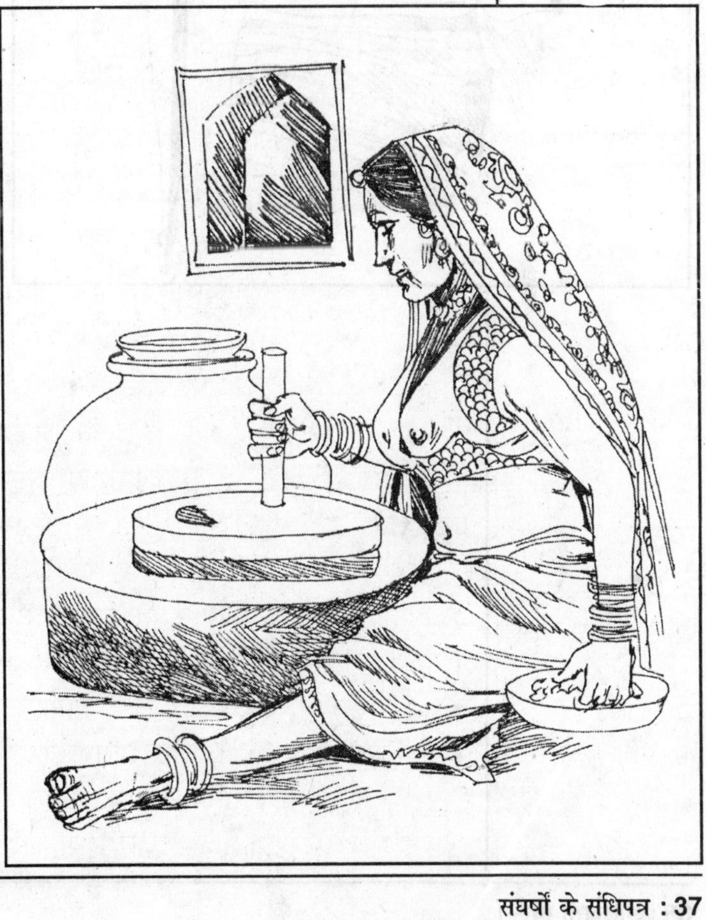

वासवी, हेरॉल्ड सैमसन टोपनो, राकेश दीवान, श्रीप्रकाश आदि।

इन सभी ने अपने कार्यों से समाज को कुछ न कुछ ऐसा दिया है जिसके आधार पर आजादी के बाद न केवल आदिवासियों की स्थिति के बारे में, बल्कि इस बहाने हम समग्र भारतीय समाज के आर्थिक, राजनीतिक, सांस्कृतिक, सामाजिक, भाषिक पर्यावरण का जायजा ले सकते हैं। बावजूद इसके आदिवासी समाज के इतिहास को निरंतर खँगालते रहने की जरूरत है और आपसी संवाद बनाए रखने की जरूरत है।

पचवाड़ा : संघर्ष पुरखों की जमीन देने से इंकार

▢ स्टेन गोस्वामी

वर्तमान झारखंड सरकार और पूँजीपति औद्योगिक वर्ग के लोग यह दावा करते हैं कि झारखंड का विकास उत्खनन के द्वारा ही होने जा रहा है। राष्ट्रीय और बहुराष्ट्रीय उत्खनन कंपनियाँ आमंत्रित की जा रही हैं कि वे आएँ और राज्य में निवेश करें, इस विश्वास के साथ कि उत्खनन कंपनियाँ जितनी जमीन चाहती हैं, सरकार उन्हें प्रदान करेगी। जितने कम समय में संभव हो सके, मौलिक सुविधाएँ प्रदान करेगी। अखबार की रिपोर्टें बताती हैं कि 20 उत्खनन कंपनियाँ फिलहाल यह जानने के लिए कि कौन से खनिज पदार्थ कहाँ और कितनी मात्रा में उपलब्ध हैं, झारखंड की लंबाई-चौड़ाई का सर्वेक्षण कर रही हैं। लेकिन यह दुखद सचाई है कि ये ज्यादातर खनिज पदार्थ आदिवासियों की जमीनों में हैं, जिनके लिए जमीन बस केवल आर्थिक उपयोगिता ही नहीं, बल्कि आध्यात्मिक पुष्टि का भी साधन है। उनकी पहचान उनकी जमीन पर ही निर्भर है।

पूँजीपति यह नहीं समझ सकते। सरकार इसकी प्रशंसा नहीं कर सकती। अतः सभी उत्खनन के लिए जमीन हासिल

करने की बात कह रहे हैं, लेकिन कोई भी निर्वासित रोगों को हुए नुकसान और मानवीय और सही तरीके से पुनर्वास की जरूरत की बात नहीं कर रहा। रक्षात्मक कानून जैसे, 1908 का छोटानागपुर काश्तकारी अधिनियम, 1949 का संथाल परगना काश्तकारी अधिनियम, 1949 का पंचायत (अनुसूचित क्षेत्रों में विस्तार) अधिनियम की जानबूझकर अवहेलना की जा रही है।

यह इस संदर्भ में है कि पचवाड़ा के आदिवासी लोग और पाकुड़ जिला के अन्य आठ गाँव ने साहसपूर्ण पहल की है। उन्होंने सरकार को अपनी जमीन लेने की इजाजत नहीं दी है। पिछले तीन सालों से उन्होंने निजी उत्खनन कंपनियों (पानेम) को अपने गाँव में प्रवेश करने की इजाजत नहीं दी है। कंपनी स्थानीय शासक और पुलिस की मौन सहमति से उन लोगों का नेतृत्व कर रहे मार्गदर्शकों के खिलाफ जितना ज्यादा हो सके, 30 क्रिमिनल केस फाइल करके लोगों को विभाजित और उन्हें हतोत्साहित करने की कोशिश कर रही है। अंततः संघर्ष कर रहे लोगों ने इस आशा में कि भूमि कानून उनके संघर्ष को पैतृक जमीन पर उनके अधिकार को बल प्रदान करेगा, झारखंड उच्च न्यायालय का सहारा लिया है।

केस की सच्चाई इस प्रकार है—

भारत के भूगर्भिक सर्वेक्षण के द्वारा 1988 में पचवाड़ा इलाके के गाँवों के चारों ओर कोयले के लिए क्रमबद्ध सर्वेक्षण किया गया। सूचनाबद्ध रूप से पचवाड़ा जिले की लगभग 1300 हेक्टर जमीन में 562 टन कोयला वर्तमान है। यह नौ राजस्ववाले गाँवों को समाविष्ट करता है और इसके निवासी अवश्यंभावी आदिवासी हैं। सरकार की भूमि अधिग्रहण सूचना के अनुसार पानेम कोल्स माइंस लिमिटेड को कोयला विकास परियोजना के लिए 1704.69 एकड़ जमीन के अधिग्रहण की सूचना दी गई है।

	गाँव	एकड़
1.	अलूबेरा	807.98

2.	चिलगो	101.66
3.	काटालडीह	194.58
4.	तालझारी	321.11
5.	अमझारी	80.39
6.	बिशुनपुर	10.64
7.	डांगापारा	43.94
8.	पचवाड़ा	11.68
9.	सिंहदाहारी	132.71

उपर्युक्त के अलावा दूसरी जमीन जैसे, बसौरी की बेकार पड़ी जमीन पर गाँव के आम अधिकार, पेड़ों और जंगलों व जंगल विकास पर अधिकार, पानी और चराई जमीन पर रैयत के अधिकारों का अधिग्रहण भी प्रस्तावित किया गया है।

1. रैयती जमीन	640 हेक्टेयर
2. जंगल	360 हेक्टेयर
3. वासभूमि	2 हेक्टेयर
4. बेकार पड़ी जमीन	15 हेक्टेयर
5. नाला, नदी	34 हेक्टेयर
6. सड़क	28 हेक्टेयर
7. चराई जमीन	22 हेक्टेयर

यद्यपि अनुसूचितों के इलाकों की रक्षा का प्रावधान संविधान की पाँचवीं अनुसूची, राज्य के काश्तकारी कानून में वर्तमान है। कोयला उत्खनन क्षेत्र (अधिग्रहण और विकास) अधिनियम, यहाँ तक कि पीसा के बाध्यकारी प्रावधान और झारखंड पंचायत राज अधिनियम, 2001 (जेपीआरए), से जुड़ी कोशिशें 1998 में अधिकारियों द्वारा अनुसूचित जनजातियों के जमीनों को उनके कल्याण से पृथक किसी कार्य के लिए ले लिए जाने के लिए की गई। उदाहरण के लिए, 1998 में बारोमासिया के मुखिया से कागजात

पर हस्ताक्षर के लिए जबरदस्ती की गई, जो सरकार को कोयला और उत्खनन विभाग से जुड़े अफसरों के लिए काटरों के निर्माण के लिए उन्हें पाँच एकड़ जमीन दे सकते थे। इसका बारोमासिया के ग्रामसभा के स्थानीय गाँववासियों द्वारा कड़ा विरोध किया गया। 10.12.1999 को बारोमासिया की ग्रामसभा ने अपनी परंपरा के अनुरूप इस मुद्दे पर चर्चा की, जो स्पष्ट रूप से समाविष्ट संविधान के पीसा में देखा जा सकता है और राज्य कानून भी जेपीआरए की धारा 10 की उपधारा 5 (1) में देखा जा सकता है और कोयला और उत्खनन विभाग को प्रस्तावित आवास निर्माण के लिए मंजूरी नहीं दिए जाने का निर्णय लिया। बदले में 1.2.2000 में बारोमासिया के मुखिया श्री गणेश मरांडी को बीडीओ की ओर से कारण बताओ

नोटिस मिला कि उन्होंने काम क्यों बंद कर दिया।

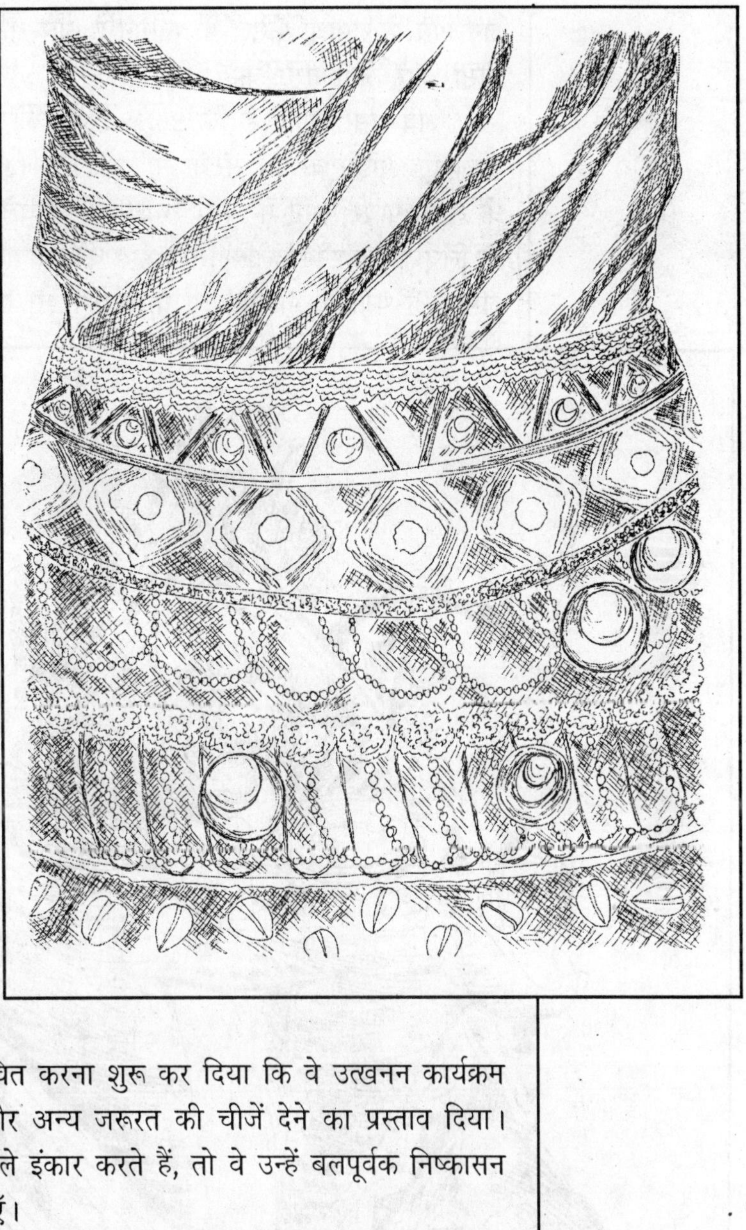

1999 की शुरुआत में गाँववासी पचवाड़ा परियोजना के बारे में जान गए, जिसके तहत यह प्रस्तावित किया गया था कि कोयला उत्खनन के कार्यकलाप पचवाड़ा केंद्रीय प्रखंड, नौ राजस्व गाँवों को मिला कर जिसमें प्रार्थी कई पीढ़ियों से रह रहे हैं और कृषि को मिलाकर अपने आजीविका के साधन जुटा रहे हैं, में प्रारंभ किया जा सकता है। गाँववासियों ने बैठक व विचारविमर्श का आयोजन किया और संबंधित अधिकारियों को प्रस्ताव दिया कि पीसा के अतिक्रमण में उनकी जमीनों को न लिया जाए।

2001 की शुरुआत में पानेम कोल माइन्स लिमिटेड, जो ईस्टर्न मिनिरल्स और ट्रेडिंग एजेंसी के साथ पंजाब इलेक्ट्रिसिटी बोर्ड द्वारा बनाई गई ज्वाइंट वेंचर कंपनी है, के प्रतिनिधि अमरापाड़ा ब्लॉक प्रखंड आए और स्थानीय युवाओं को प्रभावित करना शुरू कर दिया कि वे उत्खनन कार्यक्रम में उनका साथ दें और उन्हें पैसा और अन्य जरूरत की चीजें देने का प्रस्ताव दिया। युवाओं से कहा गया कि यदि गाँववाले इंकार करते हैं, तो वे उन्हें बलपूर्वक निष्कासन और आपराधिक मामलों द्वारा डराएँ।

2001 में झारखंड राज्य औद्योगिक नीति प्रकाशित की गई, जो पूरी तरह से झारखंड राज्य के औद्योगिक कार्यकलापों को लागू करने के उद्देश्य को इंगित करता है। यह नीति इस तथ्य का भी उल्लेख नहीं करती कि राज्य में अनुसूचित क्षेत्र हैं। इस तरह यह प्राकृतिक, यहाँ तक कि कानूनी और संवैधानिक अधिकारों की अवहेलना करती है और न्यायिक फैसले का भी इस संदर्भ में जो स्थानीय जनसंख्या खासकर अनुसूचित

जनजाति के समाथा फैसले में वर्तमान है और संविधान के बाध्यकारी कानूनी प्रावधानों, पीसा और जेपीआरए का भी।

अब ऐसा लगता है कि 26.12.2001 को, यूनियन ऑफ इंडिया, मिनिस्ट्री ऑफ कोल एंड माइंस के पत्र संख्या नं 47011/1 (4)/2000—सीपीएएम द्वारा पंजाब राज्य के थर्मल पावर प्लांट में अन्य आधार पर कोयले की आपूर्ति के लिए कैपटिव माइनिंग के लिए पंजाब स्टेट इलेक्ट्रिसिटी बोर्ड को पचवाड़ा केंद्रीय प्रखंड में 13 वर्ग किलोमीटर जमीन दी गयी है। कंपनी, जो वास्तव में इस कार्य को करने वाली थी, वह है पानेम

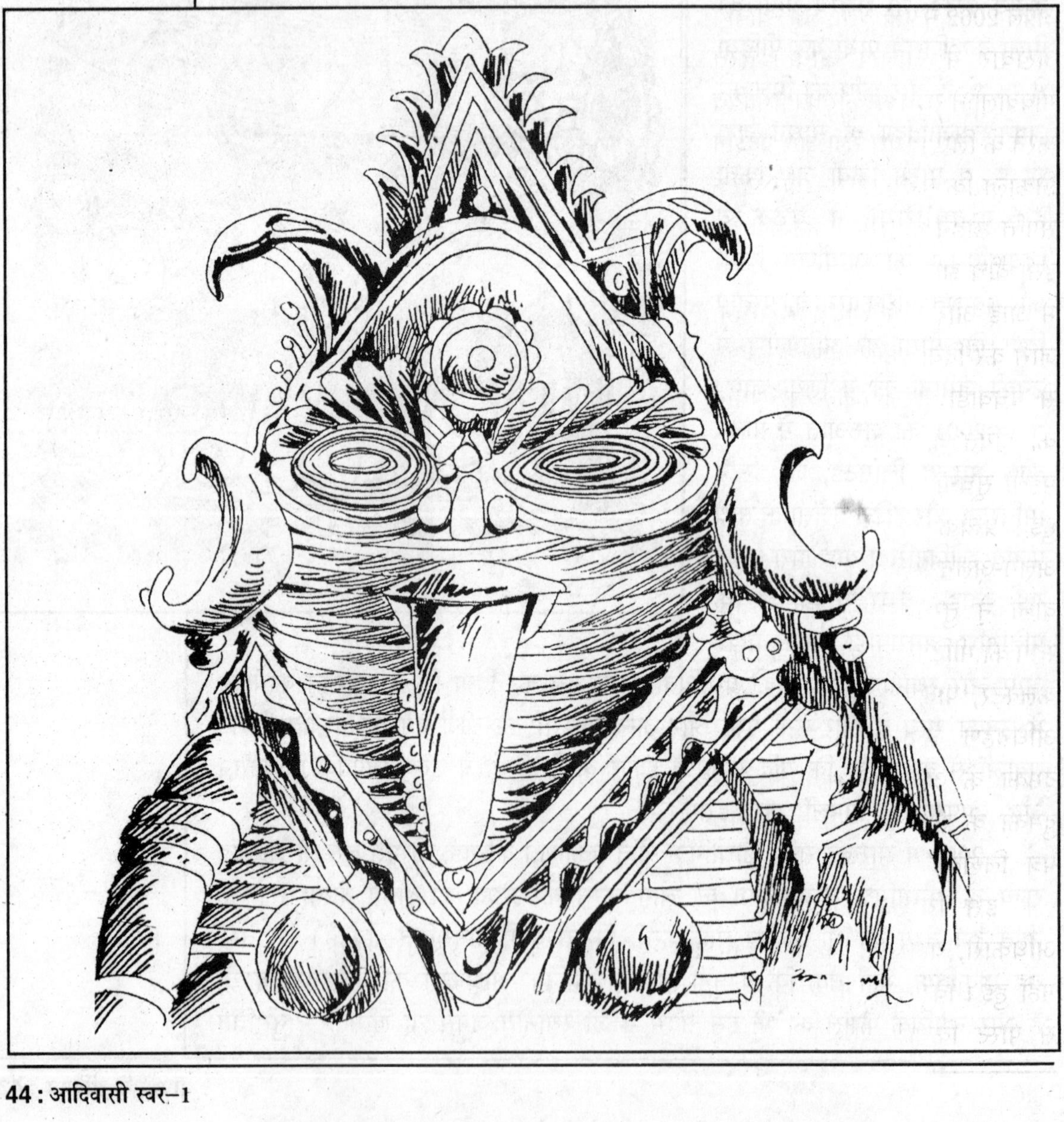

कोल माइंस लिमिटेड।

22.02.2002 को यह निर्दिष्ट करते हुए सूचना जारी की कि पानेम कोल माइंस के द्वारा पंजाब स्टेट इलेक्ट्रिसिटी बोर्ड के थर्मल पावर प्लांट के लिए कोयला की सप्लाई बंद है। गाँव वालों को यह लगभग अप्रैल 2002 में पता चला, जब स्थानीय अखबार में आलेख आया। तुरंत गाँववालों ने राज्य सरकार को प्रभावित करने के लिए विरोध रैली और प्रदर्शन निकाला कि वे अपना घर और पैतृक संपत्ति छोड़ने के लिए तैयार नहीं हैं। इसी बीच झारखंड सरकार भी हरकत में आई और भूमि अधिग्रहण सूचना जारी कर दिया। अधिग्रहण के उद्देश्य से पचवाड़ा सेंट्रल ब्लॉक के जमीन को इंगित करते हुए इस तरह की पहली सूचना 14.11.2002 को जारी हुई। प्रत्येक गाँव के लिए सूचना अलग-अलग प्रकाशित की गई। गाँव वालों ने तुरंत इसका विरोध ग्राम सभा की मीटिंग बुला कर और डिस्ट्रिक कलक्टर, पाकुड़ और राँची में भूमि अधिग्रहण अफसर, संताल परगना दुमका के आयुक्त, मुख्यमंत्री और दुमका के संसद सदस्यों को विरोध पत्र लिखकर किया।

इस विरोध का किसी भी अधिकारी, यहाँ तक कि भूमि अधिग्रहण अधिकारी के द्वारा भी कोई प्रतिक्रिया प्राप्त नहीं हुई। विरोधपत्र ग्रामसभा के सदस्यों द्वारा हस्ताक्षरित किया हुआ था और रजिस्ट्री से पोस्ट किया गया था।

विरोध के बावजूद, सरकार के साथ-साथ कंपनीवालों ने भी गाँव के लीडरों को अपहरण, जोर-जबरदस्ती और हत्या की कोशिश में गलत तरीके से फँसा कर जमीन खाली कराना जारी रखा है।

सच्चाई यह है कि प्रभावित क्षेत्र में पूरे आदिवासी समुदाय के कोयला उत्खनन को परियोजना से संबंधित पूरी जानकारी प्राप्त करने से पहले अपनी जमीन नहीं देने के फैसले के विरुद्ध कुछ आदिवासियों को खरीदने में पानेम कंपनी के साथ स्थानीय पुलिस भी जुड़ी हुई है। खरीदे जाने वालों में से एक है रघु हेंब्रम, जिसे आदिवासियों के मुखिया ने अपने न्यायालय में समन जारी किया, जवाब-तलब किया, पूरे समुदाय की इच्छा के विरुद्ध जाने के लिए उसे दोषी पाया और उस पर जुर्माना लगाया, ऐसा उन्होंने परिक्षेपी न्याय के पारंपरिक तरीके से किया, जो 'पंचायत के प्रावधान (जनजातीय क्षेत्र को मिला कर) अधिनियम, 1996', में स्वीकार किया गया है। धारा 4 (डी) यह कहता है 'हर ग्रामसभा अपने लोगों की परंपरा और संस्कृति, उनकी सांस्कृतिक पहचान, झगड़ों के निपटारे के लिए समुदाय के स्रोतों और सास्कृतिक बेहतरी की रक्षा और सुरक्षित करने में समर्थ है।' अतः यह अनुचित कार्य स्थानीय पुलिस के ऊपर है कि वह इसे अपहरण, जोर-जबरदस्ती आदि का नाम दे और संदर्भ आदिवासी प्रधानों के विरुद्ध चार्जशीट जारी कर उन्हें गिरफ्तार करे। जेपीआरए, पीसा और संविधान के छठे भाग की पूरी तरह से अवहेलना करते हुए झारखंड सरकार ने भूमि अधिग्रहण अधिनियम की धारा 6 के तहत सूचना जारी की। अतः धारा 6 के तहत जारी सूचना

के बाद भूमि अधिग्रहण अधिनियम की धारा 5-ए का अधिदेश-प्राप्त प्रावधान खुद ही उपेक्षित हो जाता है। जो इसका समर्थन करता है कि धारा 4 की जारी सूचना के बाद प्रभावित लोगों के पास संभावनाएँ होनी चाहिए और अधिग्रहण की ओर बढ़ने का निर्णय धारा 6 के तहत अधिसूचित किया गया। यह पीसा के तहत भूमि अधिग्रहण से संबधित संवैधानिक अधिदेश-प्राप्ति की भी अवहेलना करता है। यह फिर से गाँववालों के विरोध से मिल जाता है।

क्षेत्र के भुक्तभोगी लोगों ने सरकार द्वारा उनके जमीन के अधिग्रहण के खिलाफ आवाज उठाई है। 11.7.2003 को श्री शिबू सोरेन के प्रतिनिधित्व में एमएलए की एक टीम, दुमका से संसद के सदस्य झारखंड के राज्यपाल से मिले और निवेदन किया कि वे हस्तक्षेप करें और आदिवासियों की रक्षा करें, जिनका जीवन और जीविका खतरे में पड़ गई है।

पुनः यह 21.8.2003 को भारत के महामहिम राष्ट्रपति से मिलकर यही निवेदन दुहराया गया। बीच में कंपनी के किराए के लोगों ने अपने जीवन की सुरक्षा को लेकर भयभीत गाँववालों को परेशान करना और डराना जारी रखा।

इसके बाद, इस गंभीर स्थिति की उपर्युक्त रिपोर्ट पर विचार करने पर, जैसाकि अखबारों से पता चलता है, नेशनल लेवल ह्यूमन राइट्स ऑर्गनाइजेशन के लोग यूनियन फॉर सिविल लिबर्टीज (पीयूसीएल) ने स्वतंत्र रूप से सर्वेक्षण किया। रिपोर्ट सरकार, पुलिस और कंपनी की आपत्तिजनक भूमिका

को स्पष्ट करती है।

न्यायिक हस्तक्षेप की तलाश करते लोग उनके लिए कोई और प्रभावी उपचार नहीं होने की वजह से लोगों ने भारतीय संविधान के अनुच्छेद 226 के तहत झारखंड उच्च न्यायालय में प्रस्ताव दिया है। एक पब्लिक इंटरेस्ट लिटिगेशन पेटिशन (2003 का डब्लूपी-पीआइएल नं. 6349) फाइल किया गया। मुख्य प्रार्थी लोगों की अपनी संस्था 'राजमहल पहाड़ बचाओ आंदोलन' की है और उप-प्रार्थी स्थानीय, क्षेत्रीय और राष्ट्रीय ह्यूमन राइट्स ऑर्गनाइजेशन, 'झारखंड जस्टिस फोरम', 'माइंस मिनिरल्स एंड पीपल' और 'भारत जन आंदोलन' के हैं। केस जनवरी 2005 में प्रस्तुत किया गया और दो बार सुनवाई हुई, एक मार्च में और दूसरी मई में। आखिरी सुनवाई जुलाई की शुरुआत में रखी गई है, जब, संभव है, निर्णय भी दे दिया जाएगा।

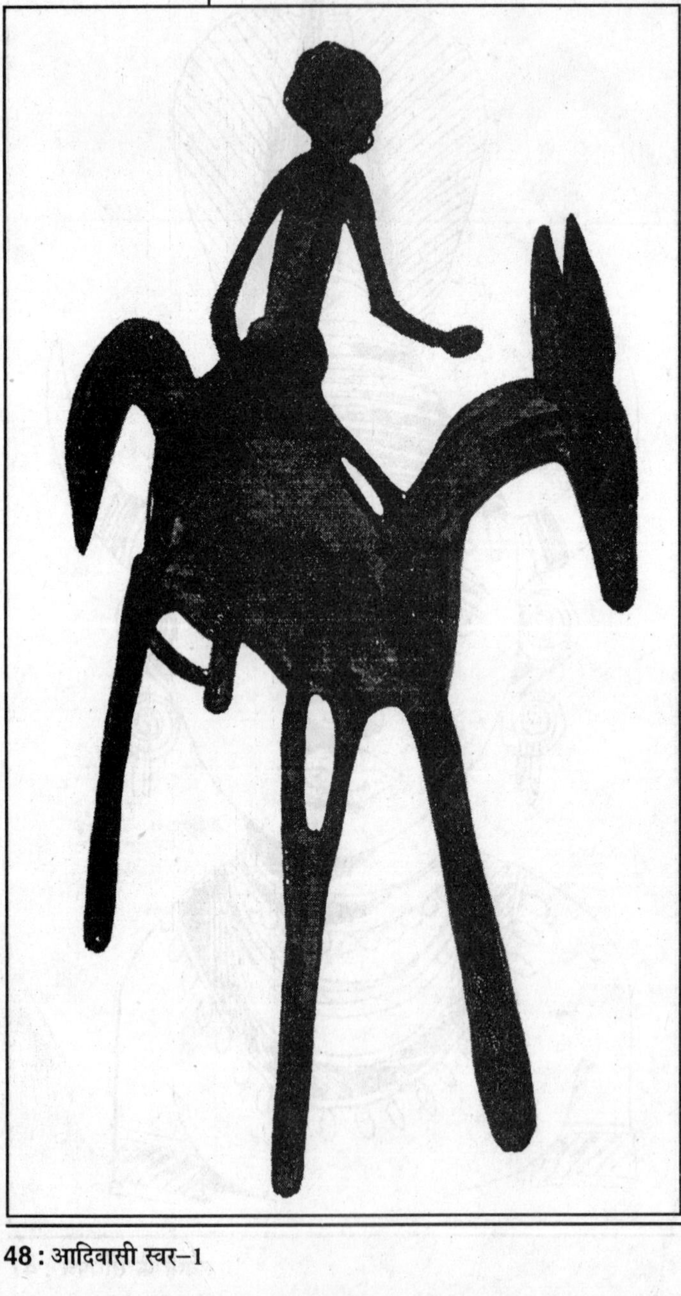

कोर्ट में प्रार्थियों की प्रार्थना

1. कोल एंड माइन (कोयला विभाग) की मिनिस्ट्री में यूनियन ऑफ इंडिया द्वारा दिनांक 26.12.2002 को पास किया गया पत्र वापस ले लिया जाए और समाप्त कर दिया जाए, जिसके तहत पचवाड़ा केंद्रीय ब्लॉक की 13 वर्ग कि.मी. भूमि सम्मिलित की गई थी, पंजाब स्टेट इलेक्ट्रिसिटी बोर्ड को उनके थर्मल पावर प्लांट को अन्य आधार पर कोयला सप्लाई के लिए कैपटिव माइनिंग के लिए पाकुड़ जिला सौंप दिया था।

2. यूनियन ऑफ इंडिया, मिनिस्ट्री ऑफ कोल एंड माइन द्वारा 22.02.2002 को पास की गई सूचना वापस ले ली जाए और समाप्त कर दी जाए, जिसमें यह

निर्दिष्ट किया गया था कि पानेम कोल माइंस लिमिटेड द्वारा पचहुरा केंद्रीय ब्लॉक से कोयले की सप्लाई बंद हो गई है।

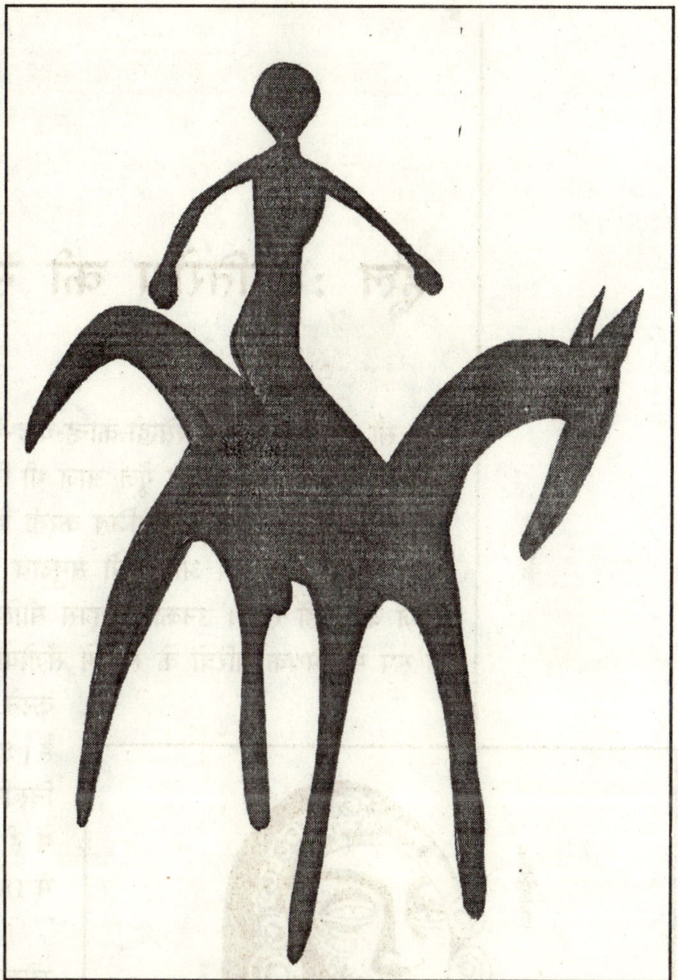

3. झारखंड सरकार (भूमि अधिग्रहण विभाग) द्वारा दिनांक 14.11.2002, नं. 21/02/393 और दिनांक 24.04.2003 को पास की गई सूचना नष्ट कर दी गई और पंचायत के मैनडेटरी प्रोविजन (जनजातीय क्षेत्र तक विस्तार) अधिनियम, 1996 (पीसा) को जारी करने के लिए सरकार को निर्देश दे और भारतीय सरकार आदिवासियों के विकास के लिए दिशा निर्देश दे।

4. झारखंड सरकार और पानेम कोल माइन्स और उनके कामगारों व एजेंटों पर प्रार्थियों और उनके परिवारों के साथ जबरदस्ती व परेशान करने पर रोक लगे और झारखंड सरकार को प्रार्थियों के परिवारों और प्रार्थियों की सुरक्षा को निश्चित करने का निर्देश दिया जाए और आदिवासियों के प्रमुख के खिलाफ केस (एफआइआर नं. 03/2003 पीएस अमरापारा, पाकुड़ जिला, दिनांक 8/1/2003) को समाप्त कर दिया जाए।

पचवाड़ा के लोगों में न्यायिक तंत्र को लेकर कोई संशय नहीं है। वे जानते हैं कि गरीबों और हाशिए में पड़े लोगों को कोर्ट ऑफ लॉ से कोई न्याय नहीं मिलेगा। यदि वे अपने संघर्ष में सफल हो जाते हैं, तो यह उन लोगों के अपने आंदोलन और संस्था की वजह से होगा। बहरहाल, आंदोलन को उस ताकत से जो हमारे समाज की हो सकती है, बचाने के लिए कभी-कभी न्यायिक तंत्र का सहारा लेना पड़ेगा। संघर्ष करना लोगों का अधिकार है और अपने संघर्ष द्वारा ही वे अपने मानवाधिकार वापस पा सकेंगे।

हूल : प्रतिरोध की सांस्कृतिक अवधारणा

□ नीलकंठ मिश्र

एक सौ पचास वर्ष पूर्व सिद्धो-कान्हू-चाँद-भैरव ने अस्तित्व की रक्षा के लिए चेतना का बिगुल फूँका था। उसकी गूँज आज भी विद्यमान है। अगर यूनिवर्सिटी ऑफ ससेक्स, संताल हूल पर कार्यक्रम आयोजित करती है तो इसका अर्थ यह है कि हूल का दर्शन आज भी प्रासंगिक है। आदिवासी समुदाय ने कभी भी अपने इतिहास को कागज पर सहेज कर नहीं रखा। उनका इतिहास मौखिक रूप में गीत-नृत्य के रूप में, चित्रकारी के रूप में, मिथक चरित्रों के रूप में सँजोया हुआ है, जिसे समझने के लिए, विश्लेषण करने के लिए पुरातनपंथी इतिहासकार असमर्थ हैं। शायद इसी कारण आदिवासी समाज के द्वारा निरूपित किए गए संघर्ष के चिह्नों को अन्य रूपों में ही देखा जाता रहा है। भारतीय इतिहास खंड में 1855 को संताल विद्रोह के लिए जाना जाता है।

'संताल विद्रोह' कहते ही इसकी परिभाषा खोखली हो जाती है। क्योंकि वास्तव में यह विद्रोह सिर्फ अंग्रेजों के विरुद्ध नहीं था। अपितु सार्वभौमिकता एवं अपने अस्तित्व को बचाने के लिए अधिकारपूर्ण संघर्ष था। वर्ग संघर्ष का जीवंत रूप...जिसके कारण संताल क्षेत्र को राजनीतिक एवं सामाजिक अधिकार मिले। इस पूरे संघर्ष को संताल विद्रोह न कहकर सिर्फ 'हूल' ही कहना चाहिए।

हूल...क्रांति की स्पष्ट अवधारणा...हूल...जाग्रत चेतना का उच्चतर स्वरूप...हूल...संस्कृति की रक्षा के लिए स्पष्ट दृष्टिकोण...सरकारी कागजात

के अनुसार संताल विद्रोह धार्मिक उन्माद के कारण फलीभूत हुआ। यह दृष्टिकोण वास्तव में 'दीकूपना' या दर्शन को समझने की कमजोरी से उपजी मानसिकता का प्रतीक भर है। अगर ऐसा होता तो इसमें शामिल होने के लिए दूसरे क्षेत्रों से और अन्य संप्रदायों के लोग भी शामिल नहीं होते। दूसरी बात, प्रकृति पूजक समाज उन्मादी नहीं होता है। सैकड़ों वर्षों से विभिन्न आदिवासी समुदाय के लोग आपस में सामंजस्य एवं समरसता का श्रृंगार करते हुए रह रहे हैं। कुछ अर्थों में अगर पहाड़िया और संतालों के बीच तालमेल की कमी हुई है तो वह भी ब्रिटिश हुक्मरानों की फूट डालो नीति के कारण हुई।

'मुक्ति के लिए संघर्ष...' सिद्धो-कान्हू का आह्वान था। बाद के दिनों में इसी के आधार पर रूस, चीन और क्यूबा में भी मुक्ति की सांस्कृतिक कार्रवाई पर पहल हुई। दामिन के इलाके में 1837 से लेकर 1855 के तकरीबन 20 वर्षों के काल में सरकारी वसूली 6682 रुपए से बढ़कर 58033 रुपए की हो गई थी। यह आँकड़ा शोषक और शोषित वर्ग के बीच का संबंध निरूपित करता है। बंगाली जमींदार, सूदखोर महाजन, निलहे और प्रकृतिसाध्य आदिवासियों को कुचलते गोरे लोगों से त्रस्त संताल समुदाय ने अपनी गुहार कई बार सत्ता पक्ष से की। कोई भी सुनवाई न होने पर सांस्कृतिक अस्तित्व की प्रतिरक्षा के लिए लामबद्ध होकर उन्होंने भीषण शंखनाद किया। वास्तव में यह विरोध सिर्फ महाजन और अंग्रेजों की प्रति नहीं था। विस्तृत रूप में देखा जाए तो यह सामाजिक रूप से चेतन समाज का विरोध साम्राज्यवाद के प्रति था।

आदिवासी चेतना में सामाजिक एवं सांस्कृतिक सरोकार प्रकृति के साथ सामंजस्य करते हुए निहित है। यह स्वयं में ही वर्ग विहीन समाज है। जबकि प्रगतिशील मानस समूह का ध्येय वर्ग विहीन समाज की स्थापना है। प्राचीन काल में सामाजिक स्वतंत्रता

के जो आंदोलन समय-समय पर होते रहे हैं, उनकी पताका पर यही आदर्श वाक्य अंकित रहे हैं। यूरोप की काया पलट करने वाली महान राज्यक्रांति—फ्रांसीसी राज्यक्रांति का मूल मंत्र स्वतंत्रता, समता, भ्रातृत्व भाव ही था लेकिन हम आज देखते हैं कि फ्रांसीसी राज्यक्रांति के आदर्शों की सिद्धि होने के बाद भी विषमता दूर नहीं हुई है। इसके मूल में कारण यह है कि समाजवादी विचारों की स्थापना के लिए जो स्तम्भ चिह्नित किए गए, उनका सामंजस्य कहीं भी प्रकृति के साथ नहीं किया गया। यह संबंध आदिवासी चिंतन में है। यह 'इंडिजेनस सिविल सोसाइटी' का दर्शन है।

हालिया दिनों में 'इंडिजेनस' और 'देशज' को एक ही अर्थों में प्रयोग किया जाने लगा है। वास्तव में यह उन बुद्धिजीवी संस्कारों से उपजा भ्रम है जिसे हूल काल में 'दिकूपना' कहा गया था। यह किसी भी देश की भौगोलिक सीमा के अंदर बसने वाली तमाम जाति, समुदाय, संप्रदाय को एक साथ मुख्य धारा में शामिल कराने की सांप्रदायिक एवं साम्राज्यवादी शक्तियों की कोशिश है। 'इंडिजेनस सोसाइटी' चिंतन में, स्वभाव में, दर्शन में, व्यवहार में अथवा राजनीतिक शक्ति के रूप में मुख्य धारा की चिंतन व्यवस्था से भिन्न है। 'इंडिजेनस सोसाइटी' सार्वभौमिक सत्ता, स्वतंत्रता

और समान अवसर के मौलिक दर्शन की संस्कृति से लैस है। इसे देशज जैसे कमतर शब्दों की सीमा में नहीं बाँधा जा सकता है।

सामाजिक विश्लेषक जब वर्गों का उल्लेख करता है तो वह समाज में प्रचलित उन उत्पादन संबंधों को ध्यान में रखता है, जिन पर समाज की आर्थिक प्रणाली आश्रित होती है। वर्ग या सामाजिक वर्ग उन व्यक्तियों का समूह है जो सामाजिक उत्पादन में एक प्रकार का कार्य करते हैं और उत्पादन के क्रम में लगे हुए दूसरे व्यक्तियों के साथ उनका संबंध भी एक ही जैसा होता है। यह एक सा संबंध श्रम के साधनों के संबंध में भी लागू होता है। यद्यपि अब तक का समाज उत्पादक संबंधों के आधार पर कई वर्गों में बाँटा जा सकता है, किंतु आधारभूत रूप से हर समाज में दो वर्ग ही पाए जाते हैं। एक, जिनका उत्पादन के साधनों पर आधिपत्य होता है। दूसरा, जो पहले वर्ग के लिए दास बन कर काम करता है। ये दोनों वर्ग परस्पर एक-दूसरे के विरोधी होते हैं। दोनों आधारभूत वर्गों में सदा प्रत्यक्ष या परोक्ष रूप से वर्ग संघर्ष जारी रहता है।

इंडिजेनस समाज में वर्ग संघर्ष का यह रूप नहीं पाया जाता है। क्योंकि यहाँ प्रत्येक व्यक्ति का प्रत्यक्ष संबंध प्रकृति के साथ है। चाहे वो कृषि हो या वनोपज, सबके लिए जीवन जीने का समान अवसर प्रदान करने वाली, एक-दूसरे के प्रति कर्तव्यों

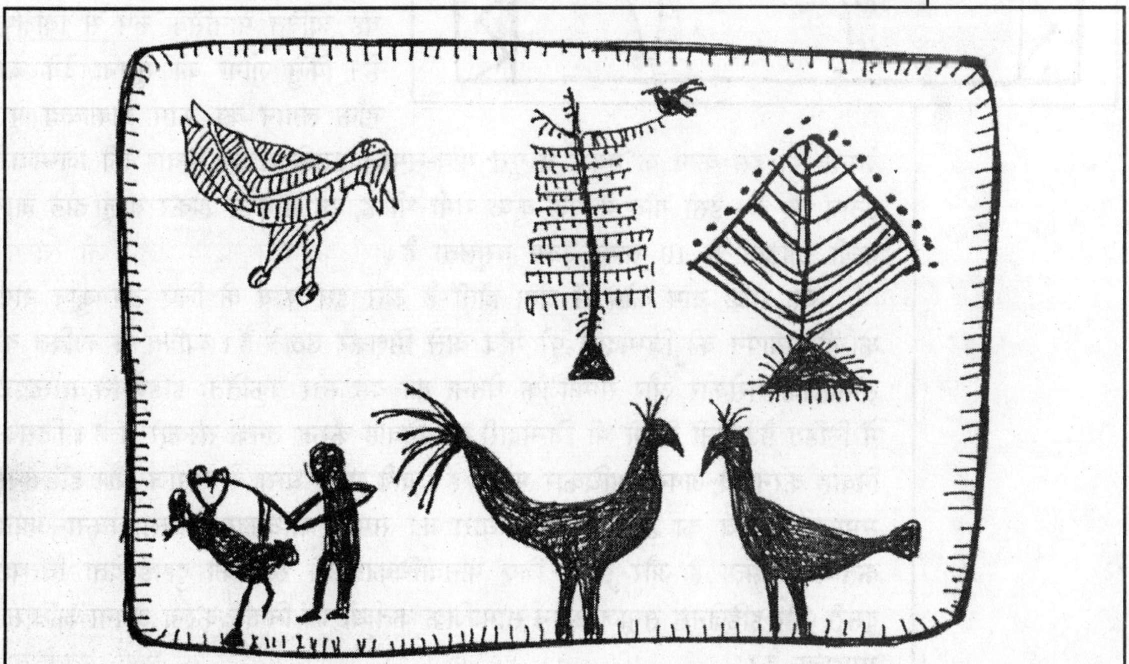

के उत्तरदायित्व का निर्वाह करना उनकी सांस्कृतिक विरासत है। जिसे सहेज कर रखने के लिए कालक्रम में अनेक संघर्ष हुए। चाहे वो हूल हो या उलगुलान।

चूँकि प्रकृति से तारतम्य और एक-दूसरे के प्रति कर्तव्य को अधिकार समझने की उन्नत चेतना सिर्फ इंडिजेनस समाज में ही है। इसलिए उनका संघर्ष कभी भी मनुवादी व्यवस्था में सामाजिक क्रांति के रूप में स्वीकार नहीं किया गया। इस व्याख्या के क्रम में मैं एक उदाहरण देना चाहूँगा—कुछ दिनों पूर्व मैं लोहरदगा जिले के सेरेंगहातू गाँव में गया था। ग्रामसभा की बैठक एवं अन्य जानकारी प्रेषित करने के लिए जिस व्यक्ति को जिम्मेदारी दी गई है वह व्यक्ति मानसिक रूप से विक्षिप्त है। किंतु लोगों को सूचना देने का, हाँक लगाने का काम बाकायदा पूरा करता है। इस काम के एवज में पूरा गाँव-समाज उसके जीवन निर्वाह की जिम्मेदारी उठाए हुए है। इसी गाँव में एक कुष्ठ रोगी भी है, जो गाँव से होकर बालू ढोने जाने वाली गाड़ियों से 10 रुपए टैक्स वसूलता है।

यह राशि ग्राम कोष में जमा होती है और इस कार्य के लिए उस कुष्ठ रोगी के जीवनयापन की जिम्मेदारी पूरे गाँव वाले मिलकर उठाते हैं। व्यक्ति से व्यक्ति का सामाजिक सरोकार और सामाजिक चेतना का यह स्तर प्रकृतितः इंडिजेनस सोसाइटी में निहित है। ऐसी किसी भी जिम्मेदारी का निर्वाह करना उनके संस्कार में है। जिसका निर्वाह करना वे अपना अधिकार मानते हैं। यही मुख्य धारा के समाज और इंडिजेनस समाज के बीच का द्वंद्व है। मुख्य धारा का समाज अधिकार हासिल करना अपना कर्तव्य समझता है और इसके लिए मानवाधिकार की रक्षा की दुहाई देता है, वहीं दूसरी ओर इंडिजेनस समाज अपने सामाजिक कर्तव्यों का निर्वाह करना अपना अधिकार समझता है।

समाज के वैज्ञानिक विश्लेषणकर्ता के शब्दों में वर्ग संघर्ष के द्वारा ही अब तक समाज तरक्की की एक मंजिल से दूसरी मंजिल पर जाता रहा है। आर्थिक उत्पादन की प्रणाली अपने विकास के क्रम में एक ऐसी अवस्था में पहुँच जाती है कि उस ढाँचे के मातहत रहकर उत्पादन की शक्तियाँ आगे उन्नति नहीं कर सकतीं। उनका विकास रुकने लगा है, फलस्वरूप समाज के ढाँचे में आधारभूत परिवर्तन की ऐतिहासिक आवश्यकता क्रांति के द्वारा ही पूर्ण होती है। इस थ्योरी से इतर 'हूल' उत्पादक और उत्पादन की शक्तियों को नियंत्रित करने का संघर्ष नहीं था। यह एक समुदाय का अपने अस्तित्व को प्रमाणित करने का प्रयास था। वह अलग बात है कि इसके बाद ही संताल परगना काश्तकारी अधिनियम के अंतर्गत अनेक प्रावधान किए गए। जब कोई भी व्यक्ति स्वविवेक की चेतना सें लैस हो जाता है तो वह सत्ता के लिए चुनौती बन जाता है।

सत्ता-तंत्र हमेशा उस चेतना को दबाने के लिए प्रयासरत रहती है। इंडिजेनस समाज हमेशा से ही अपनी विवेकशील चेतना से लैस रहा है। इसलिए सत्ता-तंत्र ने हमेशा से ही ऐसी व्यवस्था बनाई है कि वे अपने अस्तित्व बोध को नहीं पा सके। सिर्फ संताल क्षेत्र ही नहीं, विश्व के हर हिस्से में जहाँ कहीं भी इंडिजेनस समाज का अस्तित्व

है वहाँ शिक्षा, स्वास्थ्य, रोजगार के अवसर, प्राकृतिक संतुलन को बदहाल अवस्था में पहुँचाकर उनकी संस्कृति को छिन्न-भिन्न करने का प्रयास किया जाता रहा है। ब्रिटिश काल में इन क्षेत्रों में 'क्रिश्चनाइजेशन' की प्रक्रिया के द्वारा सांस्कृतिक प्रतिरोध की चेतना की धार को भोथरा बनाया गया और स्वतंत्र भारत में इन्हीं नक्शे कदम पर मनुवादियों द्वारा 'घर वापसी' जैसी प्रक्रिया का प्रयोग किया जा रहा है। मैकाले की शिक्षा प्रणाली का पालन करते हुए बेदम शिक्षित वर्ग का निर्माण किया गया, जो अपनी धारा बनाने में या मौलिक चिंतन करने में अक्षम हो। फलस्वरूप आदिवासी समुदाय को भी धर्म के संकीर्ण घेरे में देखने की कोशिश हो रही है।

'इंडिजेनस' शब्द धर्म-संप्रदाय से अलग है। यह एक 'आइडेंटिटी' है। इसे स्वीकार करने पर ही आदिवासी समुदाय की चेतना, सांस्कृतिक अस्मिता, सामूहिक उपक्रम, प्रकृति सामंजस्य जैसे व्यावहारिक चिंतन को समझा जा सकता है। देशज समाज में 'शास्त्रवाक्य प्रमाणम्' की प्रथा है, मनुवादियों द्वारा स्थापित शास्त्रों में 'इंडिजेनस' सोसायटी की कोई कल्पना भी नहीं है। अगर कुछ पात्र आए भी हैं तो उन्हें अमर्यादित रूप से एकलव्य या घटोत्कच के रूप में प्रस्तुत किया गया। ऐसे में आवश्यकता इस बात की है कि नए सिरे से इतिहासकार एवं दर्शन के व्याख्याकार नई परिभाषा गढ़ें और इंडिजेनस आइडेंटिटी को अक्षुण्ण रखने के लिए बौद्धिक जगत में एक नए हूल की शुरुआत करें। अन्यथा भविष्य में मुख्य धारा के दिग्गजों एवं सत्ता-तंत्र द्वारा इंडिजेनस, सांस्कृतिक पहचान बचाने के लिए म्यूजियम की व्यवस्था कर दी जाएगी।

द्वंद्वात्मक भौतिकवाद के अनुसार जगत का जो कुछ व्यापार हमें

दृष्टिगोचर होता है वह किसी ऐसे स्वतंत्र, निरंकुश और अलौकिक चेतन सत्ता की लीला नहीं है, जिसके सहारे प्रकृति अपनी सृष्टि रचती है। मार्क्सवाद के अनुसार, भौतिक पदार्थ ही वह आदम बीज सत्ता है, जिसका रूपांतरण द्रष्टजगत है। चेतना का जो स्वरूप हम देखते है वह भौतिक पदार्थ के रूपांतरण के क्रम में ही एक अवस्था विशेष में पैदा होती है। इसके अनुसार सारा जगत एक प्रक्रिया है और प्रतिक्षण उसमें रूपांतरण होता रहता है। विकास की प्रक्रिया में हर क्षण आंतरिक असंगतियाँ उत्पन्न होती रहती हैं। और इन्हीं असंगतियों के द्वारा ही नया रूपांतरण होता है। अगर हम पूँजीवाद से पूर्व प्रचलित सामंतवाद को लें, तो देखेंगे कि यही सामंतशाही प्रणाली काल क्रम में आंतरिक संघर्ष से पूँजीवाद में परिवर्तित हो गया। इन प्रक्रियाओं के बावजूद 'इंडिजेनस' समुदाय ने अपने मानकों में कोई परिवर्तन नहीं किया, न ही वे पूँजी की पाश्चात्य अवधारणा से प्रभावित हुए। आज भी प्राकृतिक संपत्तियों की रक्षा, संवर्द्धन और उनके उपयोग का सामुदायिक अधिकार जैसी परंपरा का निर्वाह इस समाज में सामुदायिक चेतना के रूप में मुखर है। काल क्रम में भी उनकी मान्यता, संप्रभुता, सहजता, समानता, स्वतंत्रता और अस्मिता की रक्षा के लिए सांस्कृतिक कार्रवाई के प्रति निष्ठा है, जो कि मूक होकर भी पूँजीवादी व्यवस्था का विरोध व्यावहारिक रूप में करती रही है।

(लंबे लेख का एक अंश)

'हूल' का सांस्कृतिक दर्शन समझने के लिए उस काल के घटनाक्रम को ध्यान में रखना जरूरी है। सिद्धो-कान्हू ने लोगों को एकत्र किया, क्रांति को सूत्रबद्ध किया, चेतना से लैस 30 हजार संतालों को अपनी अस्मिता के रक्षा के लिए, संताल चेतना

की पुनःस्थापना के लिए मर मिटने के लिए तैयार किया। यह कार्य कोई युगांतकारी ही कर सकता है। उस समय के वैश्विक परिदृश्य पर गौर करें, तो फ्रांस में माईकल बैकुनिन, इटली में गैरीबाल्डी और रूस में इवान तुर्गनेव नजर आते हैं, जो विभिन्न तरीकों से जनता को संघर्ष के लिए विवेक की चेतना से लैस कर रहे थे। इनका भी संकल्प यही था कि समानता और स्वतंत्रता की संस्कृति की पुनःस्थापना की जाए। इनकी बातों को साहित्य के योरोपियन विश्लेषकों ने अपने-अपने ढंग से राजनीतिशास्त्र और समाजशास्त्र में स्थापित किया। परंतु हूल को सिर्फ एक विद्रोह के रूप में दर्शाया गया। यह हमारे दर्शन की निर्धनता रही है जिसमें हूल की एथनिसिटी को सही अर्थों में प्रस्तुत नहीं गया। किंतु जब यूनिवर्सिटी ऑफ ससेक्स जैसे प्रतिष्ठित संस्थानों में संताल हूल की 150वीं वर्षगाँठ मनायी जा रही है, तो संभावना बनती है कि शायद अब सांस्कृतिक धरोहर के रूप में ही नहीं, अपितु प्रतिरोध की संस्कृति का विश्लेषण नए रूप में जन सामान्य तक पहुँच पाएगा।

हूल के बाद आदिवासी समाज को दिशा देने वाले नेतृत्व में अचानक एक शून्यता आ गई। हजारों लोगों की शहादत के बाद इतनी शक्ति नहीं बची कि प्रतिरोध की संस्कृति को गरिमा दी जा सके। अनाथ बच्चों और अशक्त वृद्ध, महिलाओं के पास विलाप करने और काश्तकारी अधिनियम के द्वारा प्रदत्त सीमित अधिकारों पर गर्व करने के अलावा कुछ भी नहीं बचा था। परंपरागत संताली गीत में महिलाएँ अपनी विरह-वेदना कुछ इस तरह से व्यक्त करती हैं—

सिद्धो-कान्हो खूड़-खूड़ी भितोरे,
चाँद-भैरो घोड़ा उपारो,
देखो सेरे चाँद रे-भाँयरो रे,
घोड़ा भायरो मुलिने मुलिने।

(सिद्धो-कान्हू पालकी पर हैं—चाँद और भैरो घोड़े पर हैं। ऐ चाँद! देखो, ऐ भैरो देखो—घोड़े अब मलिन हो रहे हैं।)

यह एक प्रतीकात्मक गीत है, जो हूल की गरिमा के साथ-ही-साथ उत्पन्न हो गए हैं। इस शून्य और रिक्तता का अनुभव विदारक है। परंपरागत शैली का

लोप, सामुदायिक नेतृत्व की टूटती परंपरा और सांस्कृतिक चेतना का ह्रास, 'इंडिजेनस आइडेंटिटी' पर ख़तरा बनकर मँडरा रहा है।

आजकल बाजारवाद से प्रभावित कुछ स्थानीय 'होर' भी 'दिकू' मानसिकता से लैस होकर बंगाली सूदखोर महाजन के रूप में नवसामंतवाद को पोषित कर रहे हैं। 'गोरो' का स्थान भ्रष्ट तंत्र ने ले लिया है। 'निलहे' की भूमिका बाजार तंत्र निभा रहा है और संघर्ष के प्रतीक सिद्धो-कान्हू की जन्मस्थली भोगनाडीह त्रासदी का केंद्र बिंदु बना हुआ है। वही भोगनाडीह जो कभी सांस्कृतिक साम्यवाद का प्रतीक था। जहाँ हिंदू-मुसलिम और संताल समभाव से रहते थे वहाँ मुसलिम समुदाय को जोलहा कह कर समाज को कई भागों में बाँट दिया गया है। दैनिक मजदूरी करके लोग अपना जीवन-यापन कर रहे हैं। आधारभूत संरचना की कमी तो है ही साथ ही सरकारी योजनाओं पर बिना कमीशन के कुछ भी संभव नहीं होता... सिद्धो-कान्हू की प्रतिमा अब युवाओं में उत्साह नहीं जगा पा रही हैं...घोड़ा भायरो मुलिने मुलिने...भोगनाडीह ही नहीं अपितु पूरे संताल क्षेत्र की कमोबेश यही स्थिति है।

संतालों की पारंपरिक स्वशासन व्यवस्था बहुत प्राचीन है। अपने सामाजिक जीवन को सुरक्षित तथा संगठित रूप से चलाने के लिए प्रत्येक गाँव में प्रशासकीय एवं धार्मिक प्रधान होते हैं। जैसे—माँझी, पाराणिक, जोगमाँझी, नायिकी, पर गणेत आदि। हूल के बाद ब्रिटिश हुक्मरान ने पारंपरिक शासन व्यवस्था को मान्यता प्रदान की। स्वतंत्रता पश्चात् भी कुछ वर्षों तक यही परंपरा कायम रही।

किंतु पंचायती राज व्यवस्था के आते ही टकराहट शुरू हो गई। ग्राम प्रधान एवं सरपंच के हाथों में विकास संबंधी निर्णय लेने का अधिकार सौंप दिया गया। इस तरह से प्रत्येक गाँव में कई धुरियों का निर्माण कर दिया गया। एक पारंपरिक व्यवस्था की धुरी, दूसरी ओर पंचायती राज व्यवस्था। छद्म रूप में इस नई व्यवस्था ने कमीशनखोरी और भ्रष्टाचार को बढ़ावा देते हुए युवा वर्ग को पारंपरिक व्यवस्था से विमुख कर दिया।

आज भी अगर किसी भी संताल गाँव में युवा वर्ग से पारंपरिक व्यवस्था के बारे में जानने की जिज्ञासा व्यक्त करें तो बहुत से प्रश्न अनुत्तरित ही रह जाएँगे। बाजारवाद और नवसाम्राज्यवाद ने उन्हें उनकी पारंपरिक चेतना से पूर्णतः विमुख कर दिया है। यहाँ तक कि माँझी की नियुक्ति के लिए सरकारी अधिकारी के पास आवेदन के साथ साहब को खुश करने की रस्म भी निभानी पड़ती है। फिर 1977 के बाद अविभाजित बिहार में पंचायती चुनाव भी नहीं हुआ। इससे पूरी तरह से शून्यता आ गई। ऐसी स्थिति में जिला एवं ब्लॉक स्तर के पदाधिकारी गण

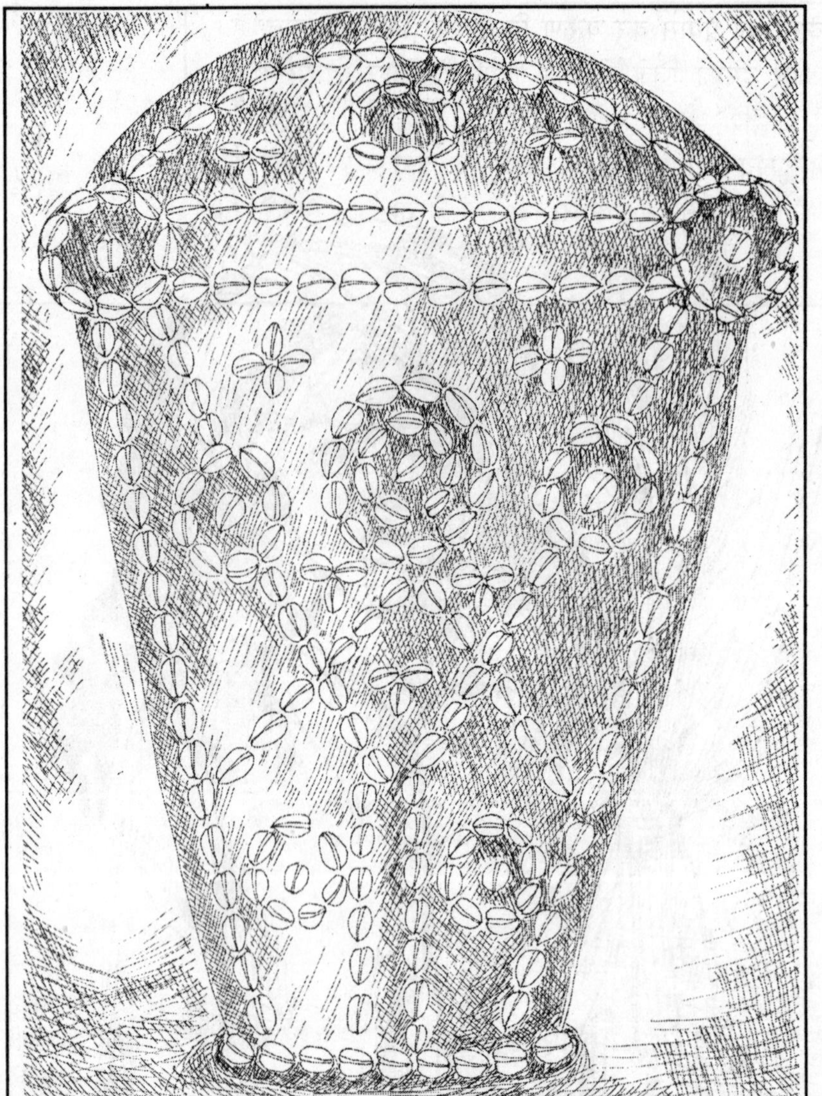

पूरी तरह से हावी हो गए। क्षेत्रीय भाषा एवं संस्कृति का ज्ञान नहीं रहने के कारण प्रशासन, पारंपरिक स्वशासन व्यवस्था के प्रति पूर्णतः असंवेदनशील हो गया। वर्तमान परिदृश्य में परगनेत अथवा दिशुम परगना को भी अपना परिचय देना पड़ता है। फिर भी वे अपने प्रदत्त अधिकारों का प्रयोग करने से वंचित रह जाते हैं...घोड़ा भायरो मुलिने मुलिने... प्रशासनिक तंत्र एवं नव ब्राह्मण वर्ग ने बौद्धिक विलासिता करते हुए इंडिजेनस समुदाय को बहुत हानि पहुँचाई है। आदिवासी धीरे-धीरे वनवासी कहलाने लगे। उसी तरह 'आतो बेसी' की व्याख्या बदलकर ग्रामसभा फिर कहीं आम सभा कहलाने लगी।

परंपरागत समाज में निर्णय लेने की प्रक्रिया को इतने भागों में विभक्त नहीं किया गया था। 'आतो बेसी' अपने आपमें संपूर्णता का भाव समेटे हुए हैं। किंतु वर्तमान व्यवस्था में आम सभा, ग्राम सभा, गाँव सभा, शिक्षा समिति, वन समिति...आदि भागों में बाँट कर गाँव की संपूर्णता को बाँटा जा रहा है। शिक्षा समिति का सदस्य शिक्षा के लिए उत्तरदायी होगा और वन समिति का सदस्य वन की सुरक्षा के लिए। दोनों ही समिति के सदस्य एक ही गाँव के निवासी हैं। अलग-अलग समिति में बँटते-बाँटते लोग गाँव से ही कटे जा रहे हैं। फूट डालो और राज करो की यह नई प्रवृत्ति है। ऐसी स्थिति में...घोड़ा भायरो मुलिने मुलिने...आज भी समाज की

नैसर्गिकता को छिन्न-भिन्न करने का प्रयास कर करुण विलाप को निरूपित करता है।

दो महीने पूर्व पाकुड़ और दुमका जिले के कुछ गाँवों में जाकर स्वशासन की पद्धति के बारे में जानने की कोशिश की थी। क्षेत्र अलग-अलग थे, पर अनुभव एक ही। युवाओं को पारंपरिक प्रशासकीय प्रधानों के बारे में काफी कम जानकारी है। महिलाएँ गाँव बैठकों में कभी-कभार ही भाग लेती हैं। अगर लेती भी हैं तो चुप्पी के साथ। शादी-ब्याह, धार्मिक अनुष्ठान के अलावा प्रधानों की भूमिका नगण्य हो चुकी है। क्षेत्र में सरकारी प्रशासकीय अधिकारी के प्रति आस्था बढ़ती जा रही है। ऐसी विकट परिस्थिति में भी श्री रूबिन सोरेन, हरला ग्राम के माँझी हड़ाम गर्वोन्नत होकर कहते हैं .... 75 वर्ष के वृद्ध रूबिन सोरेन के स्वर में दृढ़ता है, उत्साह है, जो आशा का संचार करती है। तने हुए कदमों से वे निकल पड़ते हैं। एक गिरजाघर को बचाने के लिए कजिस पर कुछ लोग भगवा फहराने की कोशिश कर रहे हैं।

आदिवासी क्षेत्र हमेशा से ही शोषकों

के लिए चरागाह रहा है। ब्रितानी हुकूमत के समय भी जंगल ठेकेदारों के लिए वरदान के रूप में था। देश की आजादी के बाद भी वन-कानूनों को ताक में रखकर भोले-भाले आदिवासियों के हाथों कुल्हाड़ी सौंप दी गई। आज संताल क्षेत्र उजाड़ हो गया है। अब शोषकों की निगाहें जमीन के नीचे लगी हुई हैं। विकास के नाम पर रोजगार मुहैया कराने की कवायदें तेज हैं। शर्त यह है कि जमीन के नीचे की संपत्ति खोदकर बाजार को उपलब्ध कराई जाए। ऐसे में पाकुड़ के पचुआरोत्र के ग्रामीणों द्वारा पनेम परियोजना का पुरजोर विरोध...प्रशासन, बाजार, बिचौलियों की आपाधापी, इन सबसे परे स्वशासन की परिकल्पना से लैस पचवाड़ा के ग्रामीण विरोध की कटार हाथ में लेकर हूल की चेतना को जीवित रखने का प्रयास कर रहे हैं सिर्फ पचवाड़ा ही नहीं पूरे झारखंड में ऐसी अनेक मिसालें हैं। आवश्यकता है उन सबको एकजुट करने की। आदिवासी युवा नेतृत्व को प्रतिरोध की सांस्कृतिक विरासत के प्रति जाग्रत कर परंपरा का निर्वाह करने के लिए तैयार करना वर्तमान परिदृश्य में अति आवश्यक है। पूरे विश्व में इंडिजेनस आइडेंटिटी की रक्षा के लिए सांस्कृतिक अधिकारों की पुरजोर वकालत की जा रही है और झारखंड में समाज को अन्य मुद्दों पर भटकाया जा रहा है। किसी भी समाज की पहचान उसके अवयवों के अस्तित्व के आधार पर होती है। और

उसके लिए आवश्यक है सांस्कृतिक चेतना का जाग्रत होना। बदलते राजनीतिक-सामाजिक परिदृश्य में आवश्यकता है कि परंपरागत स्वशासन की पद्धति को वैज्ञानिक दृष्टिकोण देते हुए परिभाषित किया जाए, इसी में निहित है हूल की सार्थकता। और यह तभी संभव है जब हम वैकल्पिक को सिर्फ 'वैकल्पिक' न मानें, इसे ही ध्रुव सत्य मानकर सांस्कृतिक चेतना के साथ प्रतिरोध का स्वर मुखर करें। हूल मात्र एक विद्रोह नहीं, दर्शन है, यह सिर्फ सिद्धांत नहीं, अस्तित्व की प्रामाणिकता के लिए व्यावहारिकता है।

संताल हूल पुरखों की जबानी

□ हेंब्रम आर कुमार

हूल माहा माने क्रांति का महीना इस वर्ष अपनी 150वीं सालगिरह पूरा कर रहा है। भारतीय इतिहास के साथ-साथ विश्व इतिहास में संताल हूल का जन आंदोलन के रूप में खास स्थान है। इसे सत्ता समर्थित शोषण व अत्याचार के विरुद्ध सामूहिक प्रतिरोध के रूप में जाना जाता है। आज सरकारी व गैरसरकारी कार्यक्रमों में हूल के शहीदों को लोग याद करते हैं, किंतु इन सारे समारोहों का आयोजन निहित स्वार्थ के चलते होता है। इस भीड़ जुटाऊ अभियान के तहत मेले भी लगाए जाते हैं। भीड़ के मनोरंजन के लिए सारे इंतजाम यहाँ होते हैं, नहीं होता है तो सिर्फ शहीदों के सपने और उनका संकल्प। आदिवासी संताल समाज में आज भी 'हापडाम कथा' यानी पुरखों की जुबानी की खास मान्यता है।

'पितासु हाड़ाम व पिलयु बूढ़ी' (आदि पुरुष व स्त्री) से

चली आ रही संताल समाज के शुरुआत से लेकर सामाजिक परंपरा, रीति-रिवाज, धार्मिक अनुष्ठान व प्रचलित मान्यताएँ पीढ़ी-दर-पीढ़ी हस्तांतरित होती आई हैं। इसकी खासियत ये है कि हजारों वर्ष बाद भी ये सामाजिक व परंपरागत मूल्य अक्षुण्ण हैं। साथ ही दिलचस्प पहलू ये है कि आधुनिक तरीके से लिपिबद्ध मान्यताओं से इतर संताल पुरखों ने सामाजिक परंपरा को व्यवहार में जीवित रखा है। अनपढ़ व ठेठ गँवई पुरखों ने जिस तरह इन मान्यताओं को सुरक्षित रखा, यह उदाहरण बेमिसाल है।

आज जब संताल हूल की हक और वर्षगाँठ मनाई जा रही है तो सिद्धो-कान्हू सहित अन्य शहीदों की याद बरबस ही चली आई। हर वर्ष इस मौके पर विभिन्न पत्र-पत्रिकाओं में आलेख छपते हैं। ये आलेख ज्यादातर शोधकर्त्ता के लेखों व सरकारी दस्तावेजों के आधार पर तैयार किए जाते हैं। किंतु संताल समाज में आज भी एक कथ्य प्रचलन में है कि 'हाड़ड़ामको दो पुथी खोन युतीगे सोरोसाक्को मेतावादा' यानी हमारे पुरखों ने किताबों से मौखिक उद्धरणों को बेहतर बताया है। इस कारण इस लेखक को अपना शोध तैयार करते समय ये खयाल हुआ कि आज संताल समाज में कई ऐसे बुजुर्ग हैं, जिन्हें हूल की घटनाओं की जानकारी विरासत में मिली है। अपने इन विचारों के साथ लेखक पाकुड़ जिला के महेशपुर

प्रखंड स्थित शिवरामपुर गाँव पहुँचा। वहाँ लेखक की मुलाकात लगभग 80 वर्षीय जॉन विलविधा हाँसदा के साथ हुई। श्री हाँसदा सेवानिवृत्त ग्राम सेवक हैं। चार पुत्रियों, एक पुत्र व नाती-पोतों से भरे-पूर परिवार के साथ वे आनंद से रह रहे हैं। इस मुलाकात में लेखक ने उनसे संताल हूल के बारे में जानना चाहा। जिसके जवाब में उन्होंने मौखिक रूप से प्रचलित मान्यताओं की जानकारी दी। यहाँ पेश हैं उनके साथ बातचीत के अंश। मौखिक कथा का जिक्र करते हुए जॉन हाँसदा ने कहा कि काराम बिनती की तरह संताल वीरों की गाथा हमारे होठों पर आज भी है। संताल विद्रोह की पहली कड़ी उन्होंने बाबा तिलका मुर्मू को बताया। श्री हाँसदा के अनुसार संतालों पर अत्याचार और शोषण का दौर अठारहवीं शताब्दी से जारी था। उस समय इस क्षेत्र में बनने वाले रेल लाइन निर्माण कार्य में संताल मजदूरी किया करते थे। मुगलसराय से हावड़ा तक बनने वाली रेल लाइन निर्माण कार्य में हजारों संताल काम किया करते थे। ब्रिटिश कंपनी उनसे गुलामों की तरह काम लेती थी। लगभग सत्तर वर्ष बाद स्थिति और गंभीर हो गई थी। बंगाल के सिउड़ी थाना से भागलपुर परिवैती के पहाड़ी इलाकों के नीचे बसे संताल गाँवों में ब्रिटिश शासकों ने जमींदारों और साहूकारों की मदद से कर वसूली के नाम पर जोर-जबरदस्ती जारी रखा। उस समय दुमका, गोड्डा व साहिबगंज सब-डिविजन

में सैकड़ों संताल गाँव बस चुके थे। आमतौर पर शांतिपूर्ण तरीके से जीवन व्यतीत करने वाले संतालों का जीना दूभर हो गया था। शोषण की पराकाष्ठा से विद्रोह के स्वर फूटने लगे थे। अपने पारंपरिक स्वशासन व्यवस्था की अनदेखी और महाजनों के हस्तक्षेप से भड़के क्रोध का ज्वालामुखी फूट पड़ा। आमगाछी के पास से पुलिस हड़मा माँझी और उसके पुत्र चांपाय को गिरफ्तार कर ले जा रही थी। भोगनाडीह में सिद्धो-कान्हू को इसके बारे में जानकारी मिली तो उन्होंने अपने साथियों को एकत्रित किया और कहा–'लाड़ावाक् ओंक्ते दो सेटेर कान ताकेना, (अब लड़ाई का वक्त आ गया है)। सिद्धो-कान्हू के साथियों ने चारों ओर गाँव-गाँव में दौड़कर खबर दी कि होंड दो कापी तारवाड़े, आक् सार मुताकाते ताला भिंदा मितरीते पाँचकाठिया रेको जारवाक् वोनाक् (सभी लोग तलवार और तीर-धनुष लेकर आधी रात के पहले पंचकठिया में जमा हों) यह खबर मिलते ही हजारों लोगों ने पंचकठिया में पहुँच कर दारोगा महेशलाल व सिपाहियों को घेर लिया। तब दारोगा ने उन लोगों को धमकाते हुए पूछा–किसके हुकुम से तुम लोग यहाँ जमा हुए हो। इस पर सिद्धो ने जवाब दिया इन दोन सिद्धो-कान्हू आर नेवा दो इआक दिशोम काना, इआक बेगोर हुकूमते इआक दिशोम खोनमितटेन होड़ हो वाम साप् इदि दाड़ेया कोवा (मैं सिद्धू हूँ और ये मेरा देश है, बगैर मेरी इजाजत के इस धरती से एक भी आदमी को पकड़कर नहीं ले जा सकते) इसके साथ ही भीड़ ने बंधकों को छुड़ा लिया और दारोगा तथा एक महाजन केनाराम को काट डाला। इस तरह 1855 में संतालों ने अंग्रेजों के विरुद्ध खुला विद्रोह शुरू कर दिया। विद्रोह

की यह लहर इतनी तेजी से फैली कि संतालों ने अंग्रेजों के पिट्ठू साहूकार व महाजनों पर हमला शुरू कर दिया। इस विद्रोह ने अंग्रेजी हुकूमत की नींद हराम कर दी। ब्रिटिश फौज ने संतालों को खदेड़ना शुरू किया। लेकिन विद्रोह का स्वरूप काफी व्यापक हो चुका था। क्या स्त्री क्या पुरुष सभी इस जंग में शामिल थे। इस कथासार की अगली

कड़ी जानने के लिए लेखक तालकारी (साहिबगंज) स्थित हरिण कोल की एक 92 वर्षीया महिला डेबोरा टुडू से मिला। यह महिला झारखंड आंदोलन में अग्रणी रहे महानायक जयपाल सिंह मुंडा की सहयोगी रह चुकी हैं। कृशकाय हो चुकी इस वृद्धा की आँखों की चमक तीरों की कथा सुनाते समय चमचमा उठी। डेबोरा टुडू ने कुछ प्रचलित गीतों को कुछ यू सुनाया–

एरा होपान को सांता वेतले सिदो कान्हू जुमी-जामगा को लिला मेत् कान आखे में सिदो कान्हू घोड़ोम घोड़ोम बेन विचार काताले (यानी शोषित लोग सिद्धो-कान्हू से गुहार लगाते हैं कि हमारे बेटे बहुओं को सताया जा रहा है हमारी जमीन नीलाम की जा रही है। अब तुम्हीं धर्म और सच्चाई से इसका विचार करो) इस पर सिद्धो-कान्हू जवाब देते हैं–

आलो मानवापे
हो मारे मानेवा
आलो मानवापे
हो मारे मानेवा
आलिमगे सिदो
कान्हू
धोरोम धोरोम
विचार कानालापे।
(अपनी सिसकियाँ और रोने की आवाज रोक लीजिए, हम आपका विचार करेंगे)।

डेबोरा टुडू संतालों के गाए जाने वाले लोकगीतों का सोहराय राग में बने एक गीत याद कर भाव विह्वल हो जाती हैं। गीत के बोल हैं–

तोकोय हुकूमते बाजाल तोकोय बोलेते रूपु सिंह ताम्बोली दोम माक् केदेया सिदो हुकूमते नायगो कान्हू बोलेते रूपु सिंह ताम्बोली दोम माक् केदेया/तेरेताम हाड़ी बाजाल जागातेराम बाड़ी

आमदोम चालाकूकान बाजाल सिउड़ी थानाते/तिरेतिन तिरिके नायगो जांगारे तिन लोपुरे

इन दोन चालाकूकान नायको सिउड़ी मेला मेल

इस गीत का भावार्थ यह है कि 1855 के विद्रोह के थोड़े दिनों बाद गोड्डा

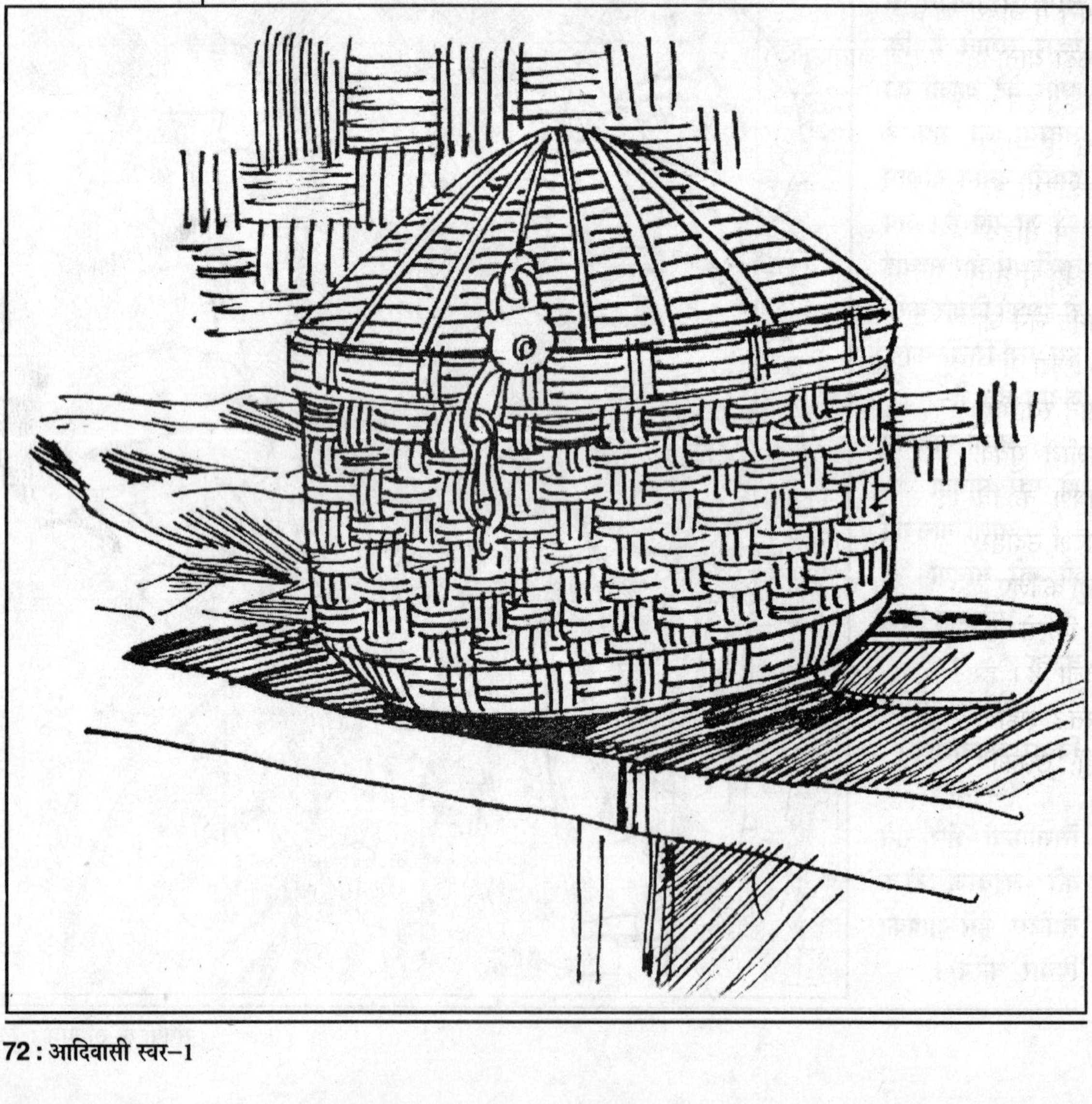

सब-डिविजन के सुंदर पहाड़ी प्रखंड अंतर्गत बारिखटांड गाँव का एक युवक बाजाल को भी जब विद्रोह के आरोप में गिरफ्तार कर पुलिस ले जाती है तो रास्ते में स्त्रियाँ उससे पूछती हैं कि बताओ बाजाल रूप सिंह तम्बोली की हत्या तुमने किसके कहने पर की? सिद्धो या कान्हू के? तुम्हारे हाथों में हथकड़ी व पैरों में बेड़ियाँ लगी हैं और तुम्हें सिउड़ी थाना कैद कर ले जाया जा रहा है। इस पर बाजाल यह जवाब देता है—'देखो मेरे हाथों में हथकड़ियाँ नहीं बाँसुरी है और मेरे पैरों में बेड़ियाँ नहीं, बल्कि घुँघरू बँधे हैं, मैं तो सिउड़ी के मेला का आनंद लेने जा रहा हूँ। डेबोरा टुडू के शब्दों में अपनी आजादी और अपने स्वाभिमान की रक्षा के लिए जोशीले युवकों की ये दीवानगी शोषण के विरुद्ध संघर्ष में एक आदर्श उदाहरण है। अपने जातीय हितों के लिए जाँबाजी और बलिदान के किस्से सुनाते वह क़हीं नहीं बदला है। हँसते-हँसते शहीद हो जाने वाले वीर सपूत आज नहीं हैं, कैसे बदलेगी सूरत? शहीद सिद्धो व बाजाल के सपनों के देश की रक्षा कौन करेगा। शायद कोई नहीं; उसकी खामोशी इस बात को जानती है।

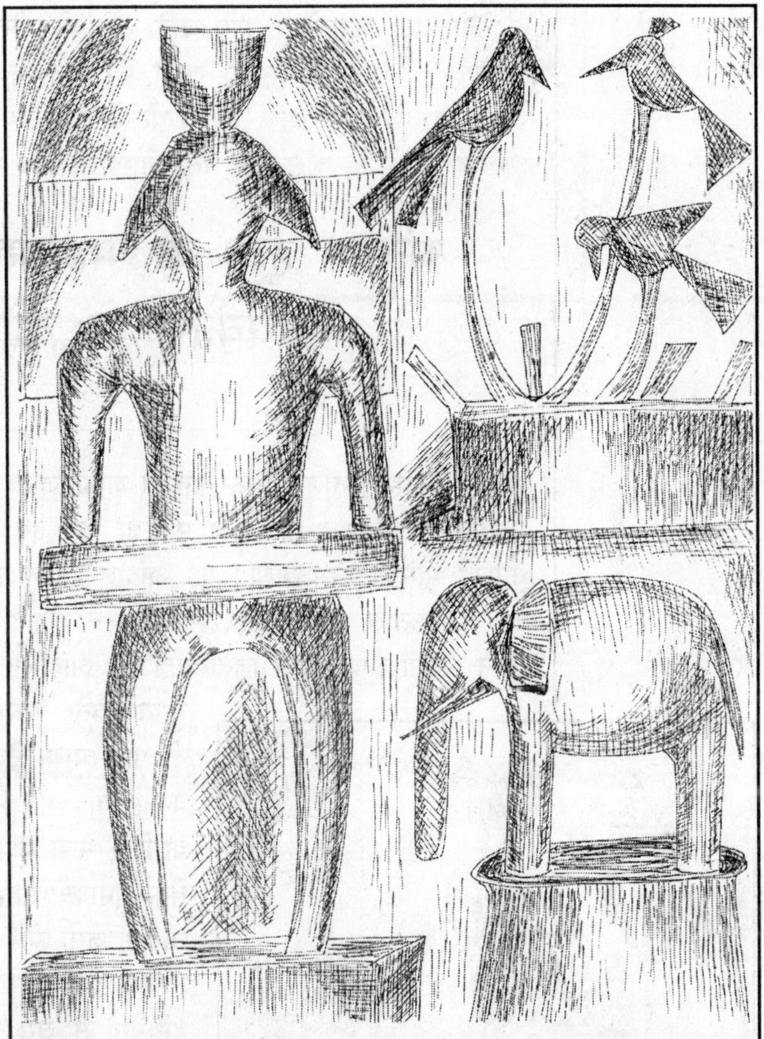

संताल हूल के महानायकों का गाँव विकास से कोसों दूर

❑ ग्लैडसन डुंगडुंग

संताल विद्रोह 'संताल हू' के नाम से जाना जाता है। यह सन् 1855 में अंगरेजों के खिलाफ सिद्धो-कान्हू के नेतृत्व में हुआ था। इस आंदोलन में चाँद और भैरव ने भी अग्रणी भूमिका निभाई थी। यह आंदोलन राजमहल के पहाड़ी क्षेत्रों में प्रारंभ हुआ था तथा संताल परगना तक ही सीमित न होकर हजारीबाग, वीरभूम, बाँकुड़ा को भी इसने अपनी चपेट में ले लिया था। इस आंदोलन के नेतृत्वकर्ता सिद्धो ने संतालों के मुख्य देवता 'मरांगबुरू' और मुख्य देवी 'जाहेर एरा' के पास माथा टेक कर अपने तीनों भाइयों क्रमशः कान्हू, चाँद और भैरव को पूरे संताल परगना में संपर्क के लिए भेजा था। इन्होंने साल वृक्ष की टहनी दूर-दूर तक घुमाकर संताल आदिवासियों ने को भोगनाडीह गाँव में जमा होने का संदेश दिया। 30 जून 1855 को लगभग दस हजार संताल आदिवासियों अपने पारंपरिक हथियार से लैस होकर भोगनाडीह गाँव में एकत्रित होकर अंगरेजों, जमींदारों, महाजनों, साहूकारों, पुलिस एवं सरकारी कर्मचारियों के द्वारा उन पर किए जा रहे अन्याय, अत्याचार, जुल्म और शोषण के खिलाफ क्रांति का बिगुल फूँका था।

यह आंदोलन संताल आदिवासियों का सबसे सफल आंदोलन माना जाता है। यह तो तय है कि संताल हूल के शुभ अवसर पर संताल हूल के वीर शहीदों की प्रतिमाओं पर फूल-माला चढ़ायी जाएँगी, उन्हें

श्रद्धांजलि दी जाएगी। लेखकों की कलमें चलेंगी अखबारों के पन्ने रँगेंगे। लेकिन इस अवसर पर याद करने लायक एक और महत्त्वपूर्ण बात यह है कि झारखंड के साहेबगंज जिलांतर्गत बरहेट प्रखंड का 'भोगनाडीह' गाँव आज भी विकास के लिए तरस रहा है। यह वही संताल हूल के वीर शहीद सिद्धो-कान्हू और चाँद-भैरव का गाँव है। उनका पवित्र जन्म स्थल है। यह वही गाँव है जहाँ पर 30 जून, 1855 को लगभग दस हजार संताल आदिवासियों ने अंगरेजों, जमींदारों, महाजनों, साहूकारों व पुलिस के अन्याय, अत्याचार, जुल्म और शोषण के खिलाफ मोर्चा खोला था।

वह यही जगह है जहाँ 'जमींदार, महाजोर, पुलिस आर राजरेन आमलो की गुजुकमा'—जमींदार, महाजन, पुलिस और सरकारी कर्मचारियों का नाश हो का नारा दिया गया था एवं संताल राज्य की स्थापना की घोषणा की गई थी। लेकिन आज कौन पूछता

है इस गाँव को? हद यह है कि सिद्धो-कान्हू के पाँचवीं पीढ़ी के लोग भी आज मजदूरी कर के जीवनयापन करते हैं। गाँव में स्थित उनकी प्रतिमा की रखवाली करनेवाला भी कोई नहीं है। सिद्धो-कान्हू के नाम से एक ट्रस्ट बनाकर इस ऐतिहासिक धरोहर की रक्षा हेतु उन्हें मदद करे—लोग सरकार से माँग करते हैं। लेकिन क्या सरकार उनकी यह माँग पूरी कर पाएगी? आज भोगनाडीह में कुल 70 संताल आदिवासी परिवार रहते हैं। इनमें से कुछ गिने चुने लोगों की छोड़कर बहुसंख्यक आदिवासियों को इंदिरा आवास योजना के तहत कॉलोनी तक नसीब नहीं हुई है।

ये आदिवासी लोग आज भी झोपड़ी एवं खपड़ा व मिट्टी के घरों में रहते हैं। इनकी जीविका का मुख्य आधार खेती है। इनके पास थोड़ी-बहुत जमीन है, जिस पर वे खेती करते हैं। लेकिन खेती से सिर्फ 6 माह तक का ही खर्च चलता है। बाकी समय वे मजदूरी कर अपने परिवार का भरण-पोषण करते हैं। इसके बावजूद गरीबी रेखा से नीचे जीवनयापन करने वालों को दिया जाने वाला बीपीएल कार्ड लगभग 20 परिवारों के पास नहीं हैं। इनमें से जिन लोगों के पास बीपीएल और राशन कार्ड है, उन्हें भी माह में सिर्फ 2 लीटर किरोसिन तेल दिया जाता है। राशन

नहीं मिलता है। इन आदिवासियों को मालूम है कि इनके लिए राशन दुकान में अनाज भी आता है, लेकिन काला बाजारी के कारण राशन का बंदर-बाँट हो जाता है। गाँव में प्राथमिक विद्यालय है, लेकिन वहाँ के बच्चों को सरकार द्वारा चलाया जा रहा मध्याह्न भोजन एक दिन भी नहीं मिला। मध्याह्न भोजन के नाम पर कभी सूखा गेहूँ ही परोस दिया गया। पिछले तीन वर्षों से गाँव में जिला स्कूल भी है, लेकिन अभी तक शुरू नहीं हुआ। यहाँ बिजली के नाम पर खंभे जरूर दिखाई देंगे। पक्की सड़क इस गाँव के लिए आज भी एक सपना जैसा है। स्वास्थ्य सेवा उपलब्ध नहीं है। यहाँ काली खाँसी, डायरिया और कुपोषण जैसी खतरनाक बीमारियों की भरमार है। शुद्ध पेयजल की व्यवस्था न के बराबर है।

भोगनाडीह गाँव के आदिवासियों की भयावह स्थिति को देखकर दुख होता है कि गाँव में कोई मैट्रिक पास व्यक्ति मिल जाए, वही बहुत है। इस गाँव में बड़े-बड़े नेताओं का आना-जाना तो चलता ही रहता है। अपने मुख्यमंत्रित्व काल में लालू प्रसाद यादव एवं बाबू लाल मरांडी ने भी इस गाँव का मुआयना किया एवं इसे मॉडल गाँव बनाने का वादा भी किया था, जो आज तक पूरा नहीं हुआ। गाँव के लोगों का सरकार

पर से भरोसा टूट चुका है। आजकल तो वे अपने बच्चों को भी विद्यालय नहीं भेजते हैं। उनका कहना है कि सरकारी विद्यालय की पढ़ाई से उनके बच्चों को नौकरी नहीं मिलने वाली है, तो क्यों पढ़ाएँगे? अगर गाँव का विकास करना है तो खुद को ही मेहनत करनी पड़ेगी। लेकिन दो वक्त की रोटी तो पहले चाहिए? आज ये लोग किसी तरह के आंदोलन से जुड़ना नहीं चाहते। वे कहते हैं कि सिद्धो-कान्हू ने देश के लिए अपने प्राणों की आहुति दे दी। लेकिन इसके बदले में उन्हें क्या मिला? लोगों की यह प्रतिक्रिया निश्चित रूप से गंभीर चिंतनीय विषय है।

संताल हूल के 150 वर्ष तथा आजादी के 58 वर्ष बाद भी अगर सरकार सिर्फ एक गाँव, वह भी 'भोगनाडीह' जैसे वीर शहीदों के गाँव का विकास नहीं कर सकती है, ग्रामीणों को मूलभूत सुविधा उपलब्ध नहीं करा सकती है तथा उन्हें सामाजिक न्याय नहीं मिल सकता है, तो निश्चित रूप से यह हमारे लिए एक गंभीर समस्या

है। यह ऐसे समय में, खासकर जब लाखों आदिवासियों को विकास के नाम पर विस्थापित किया जा चुका है। पूरे देश में विकास ही सरकार का प्रमुख एजेंडा है और देश के चारों ओर सामाजिक न्याय का ढोल पीटा जा रहा है।

आज 'भोगनाडीह' जैसा गाँव, जो देश और दुनिया के लिए प्रेरणा का स्रोत होना चाहिए था अपने अस्तित्व की रक्षा के लिए संघर्ष कर रहा है। इससे यह साबित होता है कि सरकार निकम्मी है और राजनेता लोगों को जाति, धर्म और संप्रदाय के नाम पर लड़ा कर सत्ता का सुख भोग रहे हैं। अब समय आ गया है कि लोग गाँव का विकास कार्य अपने हाथ में ले लें। सरकार के भरोसे अब कुछ भी नहीं छोड़ा जा सकता है। साथ ही साथ आज सत्ता को नियंत्रित करना जरूरी हो गया है। जनता यह तय कर ले कि राजनेताओं और सत्ता में बैठे लोगों से पाँच वर्षों में एक बार हिसाब लेने के बजाय हर

वक्त ले। जनता जिस तरह एक नेता को सत्ता पर बैठाने में मेहनत करती है, उसी तरह उन्हें सत्ता से हटाने की ताकत जुटाए। संताल हूल की वर्षगाँठ के अवसर पर सदियों से मानवाधिकार व सामाजिक न्याय से वंचित आदिवासी समुदाय पर हो रहे अन्याय, अत्याचार, जुल्म और शोषण के खिलाफ खड़ा होना ही संताल हूल के महानायकों को सच्ची श्रद्धांजलि होगी।

संताल आदिवासियों का इतिहास और अस्मिता के सवाल

❑ निर्मला पुतुल

संताल आदिवासियों के नायक सिद्धो-कान्हू महानं क्रांतिकारी योद्धा थे। उनका जन्म साहेबगंज के भोगनाडीह गाँव में हुआ था। बचपन से ही वे बहुत साहसी थे। जहाँ एक तरफ उन्होंने आदिवासी समाज को सूदखोर महाजनों के चंगुल से बचाया, वहीं दूसरी तरफ अंग्रेजों के शोषण, अत्याचार से मुक्त किया। कहा जाता है कि जब सन् 54-5 में रेल लाइनें बिछाई जा रही थीं तो वहाँ भारी संख्या में आदिवासी मजदूर काम करते थे। ऐसी स्थिति में जहाँ एक तरफ आदिवासी मजदूरों के साथ दुर्व्यवहार होता था वहीं दूसरी तरफ कम मजदूरी पर अधिक काम भी लिया जाता था। उन दिनों सूदखोर महाजनों का भी बोलबाला था जो आदिवासी समाज का कई स्तरों पर शोषण करते थे। अंग्रेजों से साँठगाँठ करके वे आदिवसियों का शोषण किया करते थे।

जिनके आतंक से पूरा आदिवासी समाज आक्रांत था ऐसे में सिद्धो-कान्हू नामक दो आदिवासी युवकों ने शोषण और अत्याचार के विरुद्ध संघर्ष शुरू कर दिया, जिसके परिणामस्वरूप सन् 1855 में 'संताल हूल' नामक संताल विद्रोह हुआ जिसमें पूरा आदिवासी समाज सामूहिक रूप से अपने शोषण और अत्याचार के खिलाफ मोर्चाबंदी कर पूरी हिम्मत

और बहादुरी से लड़ा। जिसके परिणामस्वरूप अंग्रेज शासकों में खलबली मच गई और उन्होंने इस विद्रोह के दमन हेतु सिद्धो-कान्हू को गिरफ्तार करने का अभियान चलाया, क्योंकि अंग्रेज सरकार उनके जननायक को खत्म करना चाहती थी। इस तरह लंबे संघर्ष के बाद अंग्रेजों के इस व्यापक अभियान में सिद्धो को पकड़कर सरेआम फाँसी दे दी। संताल विद्रोह का इतिहास बताता है कि सिद्धो-कान्हू के अलावे इस संताल हूल में चाँद-भैरव जैसे योद्धाओं ने भी शोषण व अत्याचार के खिलाफ हथियार उठाए, वहीं दूसरी तरफ फूलो-झानो जैसी आदिवासी महिलाओं ने भी अपनी वीरता का परिचय दिया। कुल मिलाकर सिद्धो-कान्हू के नेतृत्व में लड़ा गया संताल हूल नामक आंदोलन पूरे संताल समुदाय की वीरता और साहस का परिचय बन गया, जिस पर आज भी आदिवासी समुदाय गर्व करता है, जिसके फलस्वरूप हर वर्ष 30 जून को हूल दिवस के रूप में मनाया जाता है, जिसमें आदिवासी समुदाय अपने शोषण और अत्याचार के खिलाफ सामूहिक लड़ाई लड़ने का संकल्प लेते हैं।

अब जहाँ तक आधुनिक जन आंदोलन की बात है तो आज आदिवासी समाज के सामने कई तरह के सामाजिक, आर्थिक एवं राजनीतिक संकट हैं, जिनके चक्रव्यूह में फँसकर आदिवासी समाज

दिग्भ्रमित हो गया है। जिसके परिणामस्वरूप आजादी के इतने वर्षों बाद भी इस समाज का अपेक्षित विकास नहीं हो पाया है। सामाजिक स्तर पर जहाँ आज इसके सामने नई तरह की समस्या मौजूद है वहीं दूसरी तरफ राजनीतिक स्तर पर आज यह समुदाय अपने ही राजनीतिज्ञों के हाथों बार-बार छला जा रहा है। संताल हूल के समय जो आदिवासी एकजुटता सिद्धो-कान्हू के नेतृत्व में दिखी थी, आज उसका घोर अभाव है जिसका मुख्य कारण है कि सिद्धो-कान्हू की तरह आज कोई नेतृत्व राजनीतिक स्तर पर नहीं दिखता है। एक बहुत बड़ा राजनीतिक संकट यह है कि आज विभिन्न राजनीतिक पार्टियों ने आदिवासी एकता और शक्ति को खंड-खंड में बाँट दिया है जिसके कारण आदिवासी

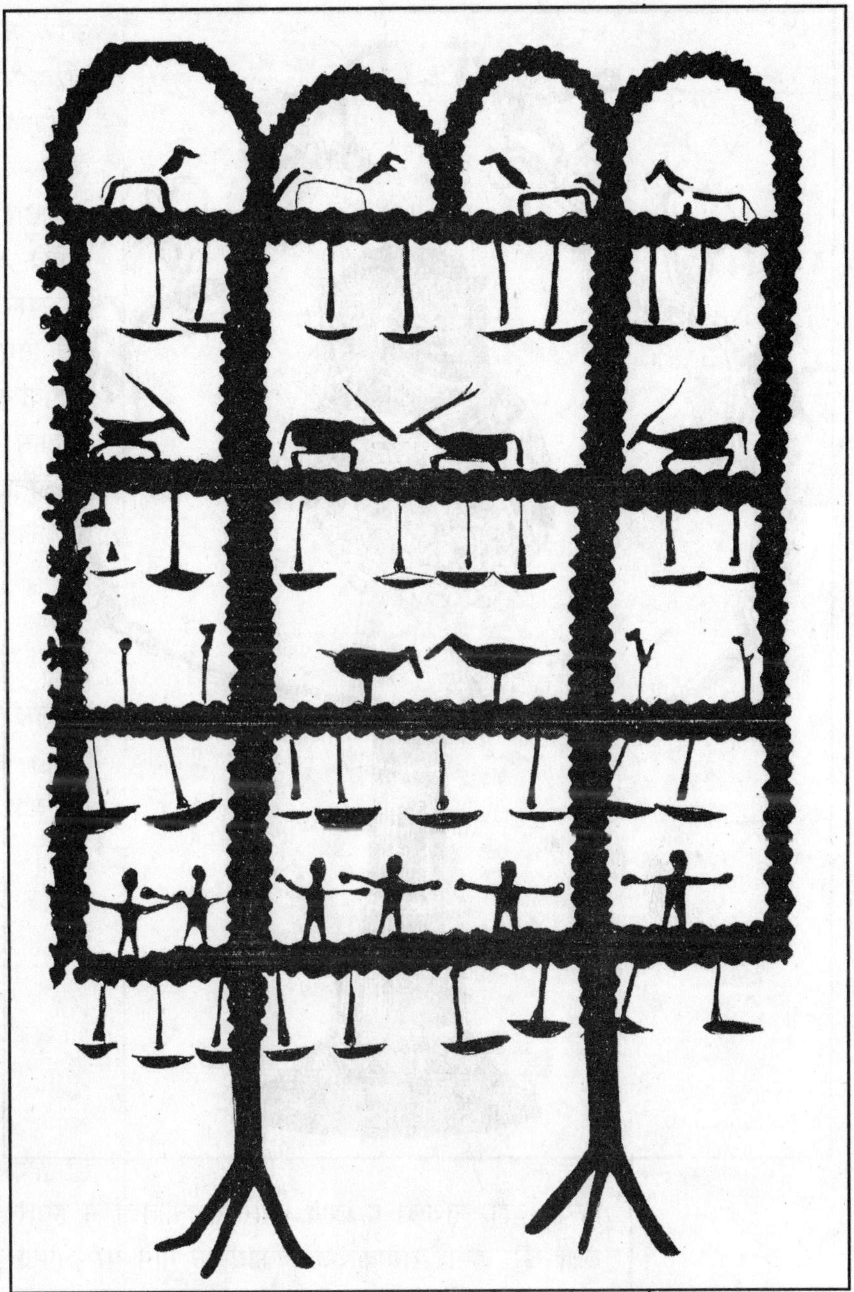

समाज की समस्याओं की आवाज विभिन्न राजनीतिक पार्टियों के बैनर पर उठती तो है लेकिन वैचारिक स्तर पर कई तरह के विरोधाभास भी दिखते हैं, यही वजह है कि आदिवासी समाज की समस्याओं को लेकर जो छोटे-छोटे जन आंदोलन विभिन्न

क्षेत्रों में उठते हैं, उन्हें सफलता नहीं मिलती और वह आंदोलन क्षेत्रीय स्तर पर ही बिना निर्णायक मोड़ पर पहुँचे बिना दम तोड़ देता है। यही कारण है कि आज जनहित में चलाए जा रहे सभी जन आंदोलनों से कोई ऐसा राष्ट्रीय मुद्दा उभरकर नहीं आ पाता है जो समस्त आदिवासी समुदाय की दशा और दिशा को प्रभावित कर सके।

'हूल' आंदोलन का इतिहास बताता है कि आदिवासी समाज जहाँ एक ओर अपने शोषण और अत्याचार के विरुद्ध न सिर्फ आवाज उठा सकता है बल्कि मोर्चाबंदी कर लड़ भी सकता है, वहीं दूसरी तरफ इनमें सामूहिकता की प्रवृत्ति भी दिखती है। आजादी से पहले जहाँ आदिवासियों पर अंग्रेजों ने अत्याचार और शोषण किया, वहीं आजादी के बाद हमारे राजनीतिज्ञों ने हमारे ही विकास के नाम पर हमें छला और हमारे तथाकथित विकास के नाम पर अपना विकास किया। ऐसे में जब हमारे समाज ने क्षेत्रीयता के स्तर पर लड़कर बिहार से अलग स्वतंत्र झारखंड राज्य लिया तो उस वक्त उसकी आँखों में अपने समाज के सुनहरे भविष्य को लेकर कई तरह के सपने थे लेकिन आज उनके सपने कहीं से भी किसी तरह पूरे होते हुए नहीं दिखते, बल्कि उन सपनों को भुनाने वाले लोग आज हमारा नेतृत्व कर रहे हैं, जिनके

प्रति आदिवासी समुदाय की कहीं कोई आस्था नहीं दिखती। ऐसे में जहाँ एक ओर हम अपने ही लोगों के हाथों षड्यंत्र का शिकार हो रहे हैं, वहीं दूसरी तरफ बाजारवाद और भूमंडलीकरण के इस दौर में हमारी संस्कृति पर चौतरफा हमले हो रहे हैं जिससे आज हम आदिवसियों का अस्तित्व खतरे में पड़ गया है।

कहा जाता है कि किसी भी समाज को अगर तोड़ना हो तो सबसे पहले उसकी भाषा, संस्कृति पर हमला करो। आज यही सिद्धांत हमारे बीच के लोग हम पर आजमा रहे हैं। बारीकी से देखा जाए तो आज हमारे ही बीच एक ऐसा तथाकथित बुद्धिजीवी और संभ्रांत लोगों का एक वर्ग है जो हमें हमारे ही वर्ग से अलग करने में जुटा हुआ है तो दूसरी तरफ कुछ लोग हमारी संस्कृति को तोड़-मरोड़ कर हमें दिग्भ्रमित कर रहे हैं। जिसके दुष्परिणाम से आज हमारी संस्कृति में कई तरह के विरोधाभास मौजूद हो गए हैं। जिसको लेकर आपसी वैचारिक मतभेद बना हुआ है और कोई एक स्पष्ट समझ नहीं बन रही है। जिसको लेकर आज हम अपनी ही पहचान के संकट से घिरे हैं। आज हमारी अस्मिता खतरे में है, आज हम अपनी भाषा और संस्कृति से अलग होते जा रहे हैं। हमारे समाज का स्वरूप बिगड़ता जा रहा है। आज हमारी परंपराएँ आधुनिकता के कुठाराघात से टूटकर बिखर रही हैं। पश्चिमी सभ्यता- संस्कृति हम

पर हावी होती जा रही है। हम आधुनिकता के रंग में रंग कर अपनी भाषा, संस्कृति से कटते जा रहे हैं। हमारी एकता खंडित होती जा रही है। हम छोटे-छोटे समूहों में बँटकर अपनी सामूहिकता खत्म कर रहे हैं और ऐसे में वह वर्ग जो हमें तोड़ने की साजिश कर रहा है, उसकी योजना सफल होती दिख रही है। ऐसे में वह दिन दूर नहीं कि आनेवाले दस-बीस वर्षों में हमारी अस्मिता खत्म हो जाएगी और हमारी आदिवासीयत का मुद्दा आधुनिकता की होड़ में कुचल दिया जाएगा।

आज जब हम अपनी अस्मिता के सवाल उठाते हैं और उससे जुड़े सवालों को लेकर संघर्ष करते हैं तो हमें विकास विरोधी कहा जाता है लेकिन हम उन तथाकथित सभ्य और संभ्रांत लोगों से पूछना चाहते हैं जो हमारी अस्मिता के सवालों को विकास विरोधी बताकर हमें हाशिए पर ठेलने की कोशिश करते हैं कि वह हमारा कैसा विकास चाहते हैं? क्या हमारी भाषा-संस्कृति को खत्म कर एक नई भाषा-संस्कृति की रक्षा करते हुए हमारे द्वारा हमारे बीच बनाए विकास के मॉडल पर।

जाहिर है, हमारी तरफ से हमारे विकास करने के पक्ष में वो नहीं हैं। तभी तो हमारी अस्मिता के सवालों और संघर्षों को दबाने की कोशिश करते रहते हैं और विडंबना है कि हम राजनीतिक स्तर पर इतने बिखरे हुए हैं कि उनका दमन सफल हो जाता है और हमारे सवाल गुम हो

जाते हैं।

ऐसे में आज यह जरूरी हो गया है कि हम राजनीतिक स्तर पर बिखरे लोग अपनी ऐतिहासिक, सामूहिक एकता का परिचय देते हुए वैचारिक स्तर पर एकजुट हों और अपने सामाजिक, आर्थिक, राजनीतिक एवं संस्कृति से जुड़े सवालों को एक साथ मोर्चाबंदी कर संघर्ष करें, तभी हमारी अस्मिता बची रह सकती है और हम विकास की मुख्यधारा में शामिल होकर अपने द्वारा बनाए गए विकास-मॉडल के अनुरूप विकसित हो सकते हैं।

कहाँ गए वे क्रांतिवीर?

□ भुवनेश्वर सवैयाँ

भारत के इतिहास में पहली एवं अंतिम बार ऐसा हुआ है कि ब्रिटिश शासन ने संताल हूल को दबाने के लिए नवंबर 1855 से जनवरी 1856 तक मार्शल लॉ लागू किया था। 1857 के सिपाही विद्रोह में या फिर उसके बाद भी भारत में कभी मार्शल लॉ लागू नहीं हुआ। संताल हूल भारत की पहली जनक्रांति थी। ब्रिटिशों ने संतालों को मार्शल लॉ के दौरान बेरहमी से गोलियों से भून डाला था। सिद्धो और कान्हू संताल हूल (विद्रोह) के प्रसिद्ध नेता थे। बरहेट से कोई आधे मील दूर पर उनका भोगनाडीह गाँव गैर-आदिवासी महाजन व जमींदारों द्वारा अत्यधिक शोषित था। संताली समुदाय पर लगातार बढ़ रहे अत्याचार से दोनों भाई बेहद चिंतित थे। वे उन्हीं परिस्थितियों में अपने संताली भाइयों के साथ संघर्ष कर रहे थे जहाँ एक गैर-जिम्मेदार सुपरिंटेंडेंट

पोनेट, भ्रष्ट अंग्रेज अधिकारी, नायेब तहसीलदार, महाजनों का वर्ग, थाने के घूसखोर पुलिस दारोगा, भ्रष्ट मालगुजारी अदायगी करने वालों का एक नेक्सस (लोलुप अंतःसंबंध) फल-फूल रहा था।

संताल परगना का यह क्षेत्र मुगलों के समय दामिन-ई-कोह के नाम से विख्यात था। बीहड़ व सघनतम वन क्षेत्र। कदाचित खैरागढ़, इलाहाबाद के जुड़े हुए जिलों में से किन्हीं परगना विशेष से विस्थापन व प्रव्रजन के बाद कालक्रम में 1790 और 1810 के बीच सर्वप्रथम इस क्षेत्र में चारों ओर से आकर स्थायी समाज के रूप में निडर हो उन्होंने जंगली जानवरों को खदेड़ व जंगल साफ कर बसाए।

श्री डांबर की रिपोर्ट के अनुसार सन् 1836 तक कम से कम 427 गाँव दामिन-ई-कोह में स्थापित हो चुके थे। संक्रमणकाल के उस दौर में संतालों को जमीन को खेती लायक बनाने के एवज में तीन साल तक सरकार द्वारा मालगुजारी नहीं वसूले जाने के वादे तथा तीन साल बाद नाममात्र एवं पाँच सालों बाद माझियों की पंचायत गाँव की सालाना मालगुजारी की मात्रा तय करने की बातें सम्मिलित थीं। एक रिपोर्ट के अनुसार 1837-38 में कुल दामिन-ई-कोह की जो मालगुजारी रु. 6,682 थी, 1854-55 में वह बढ़कर रु. 58,033 हो गई। सिद्धो यह अत्याचार देख कर बर्दाश्त नहीं कर पा रहा था।

सिद्धो ने शोषित संतालों को महाजनों के अत्याचार से बचाने के अनुरोध संबंधी कोई 48 चिट्ठियाँ भेजीं

जो सिद्धो के घर के टीन के बक्से से प्राप्त हुईं। वे लोगों को एकजुट कर उस अन्यायी व्यवस्था से टकराने की तरकीबें निकालने के लिए अपने भाइयों व संघर्ष के मित्रों से चर्चा करते रहते थे। सर्वसहमति हुई कि सखुए के पत्ते वाली टहनी को एक संदेशवाहक की सहायता से गाँव-गाँव घुमाकर लोगों से 30 जून 1855 को भोगनाडीह गाँव में एकत्र हो अत्याचारी महाजनों, जमींदारों व अंग्रेजों के विरुद्ध मिलकर लड़ने का संकल्प लिया जाए। उन अत्याचारों के खिलाफ आवाज बुलंद करने के लिए 10,000 से भी अधिक संताल भोगनाडीह में पहुँचे और आदिवासी एकता व सामुदायिकता का परिचय दिया था।

संताल हूल आदिवासियों के संघर्ष की एक सच्चाई है। विद्रोह की गूँज वाकई सर्वव्यापक थी। कार्ल मार्क्स जैसे समकालीन सामाजिक चिंतक ने भी हूल के कारणों का अध्ययन-विश्लेषण करने का प्रयत्न किया था। हूल ने संक्रमणकालीन आदिवासी सामाजिक परिवर्तनों के कई पहलुओं को उजागर किया। एक अहम सवाल यह था कि—क्योंकर बाहरी लोग इस क्षेत्र का नियंत्रण करें, जबकि यहाँ के प्राकृतिक संसाधनों के हम सहजीवी धरती-पुत्र प्रकृति के अभिरक्षक (कस्टोडियन) रहे हैं।

आदिवासी बिल्कुल ही एक भिन्न समाज है, इसकी तह तक जाने की किसी ने जरूरत नहीं समझी। उनके जीवनदर्शन (फिलॉसफी), सामाजिक, आर्थिक, नैतिक, मानवीय मूल्यों आदि पर झाँकने का कभी प्रयत्न ही नहीं किया गया। नतीजतन उन्हें

ठेले-ढकेले जाने पर बाध्य होना पड़ा। कुछ सामाजिक चिंतक कभी-कभी यह भी कहते हैं कि आदिवासी जन्मजात कम्युनिस्ट हैं। डॉ. रामदयाल मुंडा का मानना है कि आदिवासियों को बिल्कुल करीब से समझने की आवश्यकता है। उनकी फिलॉसफी में सामुदायिकता है, तो वैयक्तिकता भी है जिसे पहचानने की जरूरत है। व्यक्ति है, तो एक ही समुदाय में उसमें वेरायटी अर्थात् भूमिका की विविधता भी है। इन सबों के होते वे एकरूपता (यूनिफॉर्मिटी) का भी पालन करते हैं। प्रश्न यह उठता है कि उस व्यक्ति को किस प्रकार तुष्ट किया जाए।

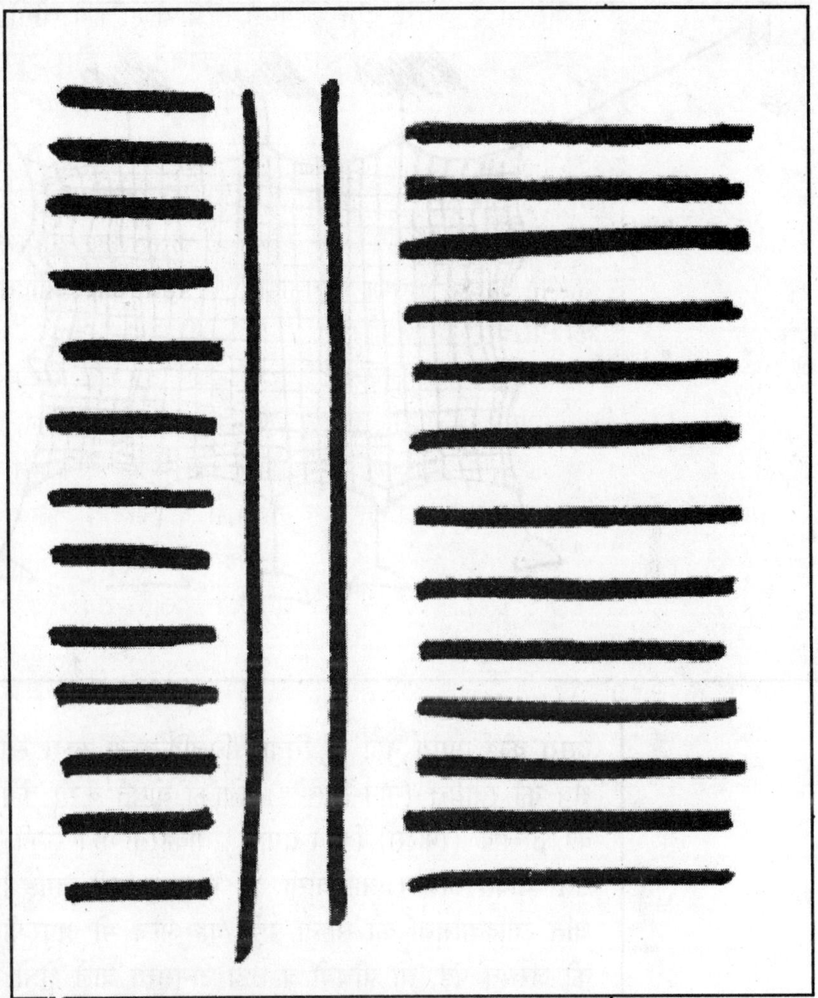

हूल मात्र संताली समाज की तत्कालीन अवधारणा या समसामयिक प्रतिक्रिया नहीं है। यह एक सर्वव्यापी आदिवासी अवधारणा है। आधुनिक भारत के इतिहास के लेखकों ने 1857 के सिपाही विद्रोह को मॉडर्न इतिहास का शुभारंभ मान कर कलम की स्याही खर्च करने में कोताही बरती। साम्राज्यवादी अंग्रेजों को तो सैद्धांतिक तौर पर 1832 ही से आदिवासी अपना लोहा मनवाते रहे। लेकिन इतिहासकारों ने आदिवासियों को उपेक्षित व सम्मिलित न करने के बिंदु ही से उन्हें इतिहास में उनके योगदान से बेदखल कर दिया। क्या आदिवासियों को अभिजात वर्ग की यह नव-उपनिवेशवादी चिंता व मानसिकता कचोटती भी है?

हूल ने अंग्रेजों को ही नहीं, अपितु विश्व समाज को भी सजग किया है। संताल परगना टेनेंसी एक्ट की भाँति देश में इससे पूर्व अंग्रेजों को जब कोल्हान (सिंहभूम) के हो लोगों से मुँह की खानी पड़ी थी, तो उन्हें अपने वश में करने के लिए और

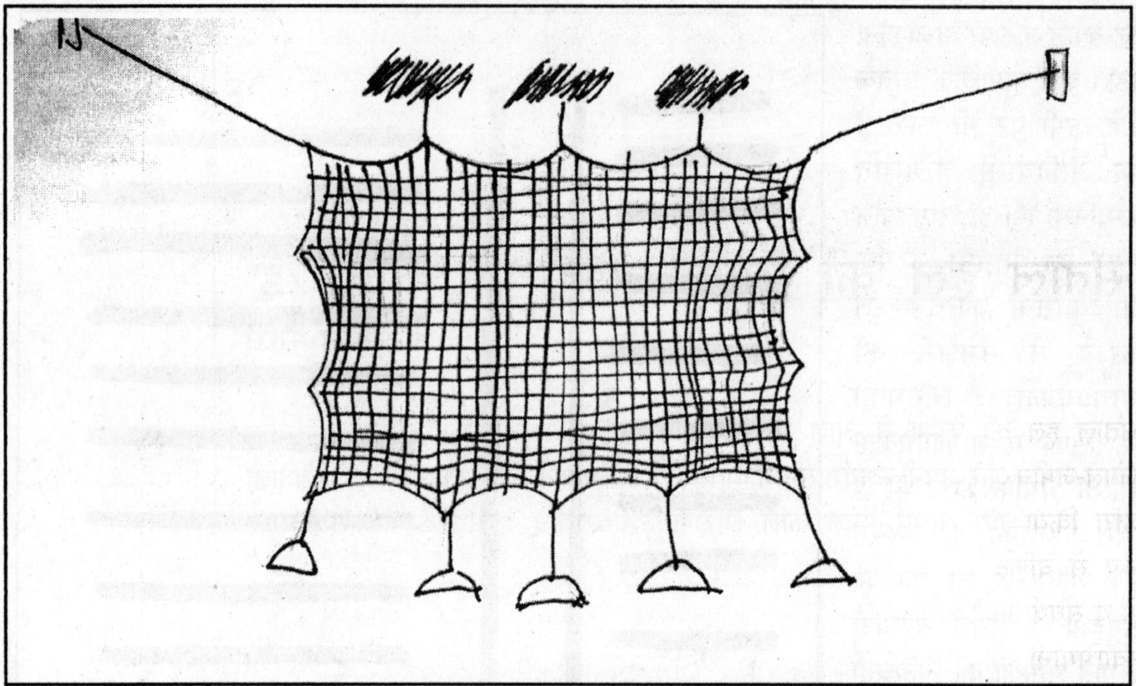

दूसरा कोई उपाय नहीं था सिवाय विलकिन्सन्स रूल्स स्थापित करने के और फिर उस क्षेत्र को स्वायत्त (नॉन-रेगुलेटेड) इलाका घोषत करने के। इन सभी समझौतों (ट्रीटिज) का उल्लेख (रेफरेंस) विश्व-समाज स्वीकारता है। उन्हीं बिंदुओं के मद्देनजर उपर्युक्त उस व्यक्ति अर्थात् आदिवासी को भी एक सही जगह दिए जाने की जरूरत है। जो क्षति आदिवासियों को सहनी पड़ी, वह आज भी अपूरणीय है। उस चर्चा को हिमायत की जरूरत पड़े, तो पाँचवीं व छठी अनुसूची वाले क्षेत्रों में गाँव स्तर से लेकर जिला, फिर राज्य, देश और फिर अंतर्राष्ट्रीय स्तर पर करने की जिम्मेदारी वर्तमान पीढ़ी की है।

संताल हूल की प्रेरणा आज भी जीवित है

□ स्टीफन मरांडी

संताल हूल की प्रेरणा से आज भी संताल परगना में संघर्ष-चेतना जीवित है। जल, जंगल-जमीन और अपनी स्वायत्त समाज व्यवस्था के अस्तित्व के लिए संताल परगना में संतालों द्वारा किया गया संघर्ष मुगल काल और ब्रिटिश कालीन इतिहासकारों द्वारा विस्तृत रूप से वर्णित है। वर्तमान में ये संघर्ष आदिवासियों की स्वाभिमानी और संघर्षशील मानसिकता का परिचय देते हैं। इन संघर्षों ने अपनी एकजुट शक्ति, कड़ी मेहनत और अपनी समर्पण-भावना से पहाड़ों और जंगलों को आजाद कर मानव उपभोग के लायक बनाया। प्रकृति में विद्यमान संसाधनों को अपने अर्थतंत्र का हिस्सा बनाया और अपने अस्तित्व और पहचान कायम करने के लिए एक स्वायत्त समाज की नींव डाली।

इतना ही नहीं उस सामाजिक अस्तित्व की रक्षा के लिए शोषणकारी शासन व्यवस्था के खिलाफ अनवरत

संघर्ष भी करते रहे। परंतु हमेशा आदिवासी अस्तित्व पर हमला होता रहा और संघर्ष के इतिहास की पुनरावृत्ति होती रही। संताल हूल के पूर्व भी बाबा तिलका मांझी ने ब्रिटिश शोषण और साम्राज्यवाद के खिलाफ विद्रोह का बिगुल फूँक दिया था। उससे प्रेरणा पाकर सिद्धो-कान्हू, चाँद-भैरव के नेतृत्व में संताल हूल की शुरुआत हुई। संताल हूल के अतीत में भी संताल परगना का इतिहास अत्यंत रोचक है। मुगल काल में इसका इतिहास अति महत्त्वपूर्ण है। यह क्षेत्र पहाड़ियों से घिरा क्षेत्र है और इसकी मुख्य पहाड़ी शृंखला है राजमहल की पहाड़ियाँ। इसके उत्तर में गंगा नदी है।

राजमहल की पहाड़ियों और गंगा नदी के बीच एक सँकरा मार्ग तेलर पहाड़ी मार्ग के नाम से मशहूर है। मुगल काल में यह मार्ग व्यापारिक और सामाजिक दृष्टिकोण से अति महत्त्वपूर्ण था। राजमहल की पहाड़ियों का सामाजिक महत्त्व भी अत्यधिक था। राजमहल से बंगाल तक सड़क मार्ग के रूप में तिलईगढ़ी सँकरा का इस्तेमाल होता था। इसी महत्त्व के कारण मुगलकाल में राजमहल बंगाल की राजधानी बनी। ब्रिटिशकाल में भी राजमहल व्यापार का महत्त्वपूर्ण केंद्र था। इन्हीं व्यापारिक गतिविधियों के कारण राजमहल की पहाड़ियों में पूर्व से बसे पहाड़िया लोगों से अंग्रेजों की काफी लड़ाइयाँ हुआ करती थीं। अंग्रेजों ने पहाड़िया लोगों को शांत करने के लिए कई प्रकार के नियम बनाए। उन्हें पहाड़ की तराइयों में खेती करने की छूट दी गई। उन्हें कर मुक्त रखा गया, परंतु पहाड़िया इसके लिए राजी नहीं हुए। इन्हीं पहाड़ की तराइयों में संताल

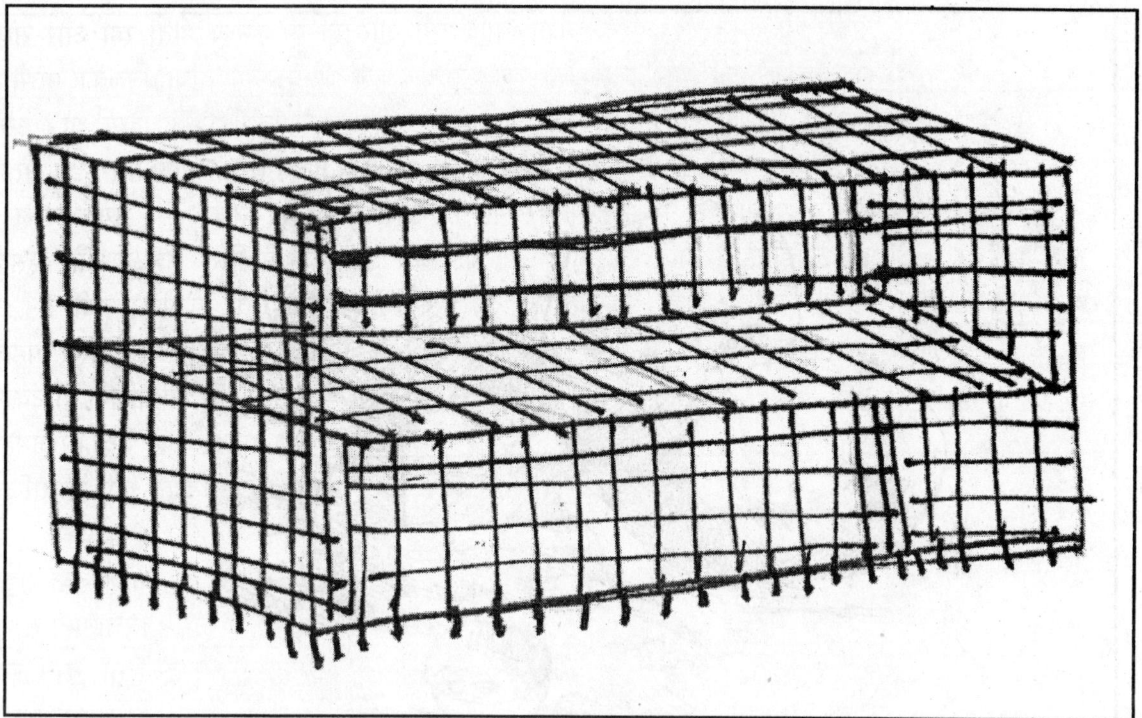

आदिवासियों ने जंगलों को साफ कर उसे खेती के लायक बनाया। वहाँ गाँव बसाए गए। पहाड़िया क्षेत्रों और संताल गाँवों के शासन-प्रशासन के लिए दामिन-ई-कोह प्रशासनिक व्यवस्था लागू हुई। परंतु संताल गाँवों में जोतों के हिसाब से लगान भी निर्धारित किए गए। यह लगान व्यवस्था संतालों के लिए शोषणकारी व्यवस्था साबित हुई, इसके कारण महाजनों और साहूकारों का प्रभाव बढ़ गया। वे ऋण के माध्यम से आदिवासियों को अपना गुलाम बनाते थे और उनके क्षेत्रों में घुसकर उनकी भूमि पर अपना नियंत्रण कायम कर लेते थे। जैसे-जैसे अंग्रेजों द्वारा भूमि पर लगान की राशि भी बढ़ती गई, संतालों पर ऋण का दबाव भी बढ़ता गया और साहूकारों, महाजनों तथा पुलिस का शोषण और जुल्म भी बढ़ता गया। यही शोषण और जुल्म अंततः संताल हूल का कारण बना। इस संपूर्ण आंदोलन में कई हजार लोगों ने जानें गँवाईं, परंतु शोषण के खिलाफ इस आंदोलन ने यह इतिहास रच दिया कि शोषण के खिलाफ आदिवासी कभी झुकने वाले नहीं।

इस आंदोलन के फलस्वरूप 1855 ई. में संताल परगना जिला अस्तित्व में आया तथा अधिनियम (37) 1855 के तहत वीरभूम और भागलपुर क्षेत्र को काटकर संताल परगना जिला बना। इस कानून के अंतर्गत संताल परगना को नॉन-रेगुलेटेड क्षेत्र के रूप में चिन्हित करते हुए स्वायत्त पारंपरिक समाज व्यवस्था के विकास का अवसर

प्रदान किया गया। यद्यपि इस कानून में भूमि के लगान संबंधी कोई रियायत नहीं दी गई। बाद में गवर्नमेंट ऑफ इंडिया एक्ट 1935 के माध्यम से संताल परगना को आंशिक रूप से अलग क्षेत्र के रूप में चिह्नित किया गया। तत्पश्चात भारत सरकार द्वारा 11 फरवरी 1950 को गोड्डा और देवघर जिलों को छोड़कर शेष संताल परगना को अनुसूचित क्षेत्र घोषित कर दिया गया।

इसी तरह संताल हूल के बाद आदिवासियों की सामाजिक-सांस्कृतिक परंपरा और उनकी भूमि की रक्षा के लिए संताल परगना टेनेंसी (सप्लीमेंट्री प्रोविजन) 1949 भी अस्तित्व में आया। परंतु स्वतंत्रता प्राप्ति के बाद विकास की प्रक्रिया में संताल परगना अत्यंत पिछड़ा रह गया। सरकार द्वारा आदिवासियों के लिए सशक्त संवैधानिक प्रावधानों के बावजूद इसका अनुपालन नहीं होने से आदिवासियों की जमीनें अवैध रूप से हस्तांतरित होती रहीं। संताल आदिवासियों की जीविका का मुख्य साधन कृषि होने के बावजूद कृषि विकास की ठोस नीतियाँ नहीं बनीं। फलतः रोजी-रोटी की तलाश में लाखों लोगों का पलायन अन्य राज्यों में अनवरत जारी है।

झारखंड अलग राज्य के आंदोलन में संताल परगना सबसे अग्रणी भूमिका में

था परंतु राज्य बनने के बाद भी संताल परगना की उपेक्षा बदस्तूर जारी है। सरकार ने दुमका को उपराजधानी बनाने, दुमका में शाखा सचिवालय की स्थापना करने, उच्च न्यायालय की बेंच खोलने, राजभवन बनाने इत्यादि की घोषणा कर रखी थी। परंतु इनमें से किसी काम का क्रियान्वयन सरकार ने आज तक नहीं किया। इसी तरह दुमका में मेडिकल कॉलेज, इंजीनियरिंग कॉलेज एवं विधि कॉलेजों की स्थापना, बाँसी रामपुर हाट भाया दुमका, देवघर से दुमका रेल सेवा प्रारंभ करने की माँग हमेशा होती रही है, परंतु सरकार की उदासीनता दुर्भाग्यपूर्ण है। संताल परगना में आदिवासियों की पारंपरिक समाज व्यवस्था काफी सशक्त रही है।

आज भी समाज के विधि-विधान और सामाजिक कार्यों का संचालन पारंपरिक समाज-व्यवस्था के अनुरूप होता है। ग्राम प्रधान माँझी हड़ाम आज भी अपने अधिकारों का प्रयोग करते हैं। पंचायतें पूर्ण रूप से अपने अधिकारों के अनुसार गाँव के मामलों का निपटारा करती हैं। ग्राम प्रधान माँझी हड़ाम इत्यादि को मासिक भत्ता दिए जाने की माँग भी उठती रही है। बावजूद सरकार ने इस दिशा में कोई कदम आज तक नहीं उठाया है। पंचायत अधिनियम (अनुसूचित क्षेत्रों में विस्तार) 41/1996 अनुसूचित क्षेत्रों के अनुपालन के प्रति राज्य सरकार गंभीर नहीं है। इसी कारण से आज अमड़ापारा (पाकुड़) में खनिज संसाधनों पर ग्रामीणों के अधिकार को लेकर सरकार एवं निजी कंपनियों के बीच टकराव की स्थिति उत्पन्न हो गई है।

इसी प्रकार पंचायतों के केंद्रीय कानून 41/1996 के अनुसार स्थानीय संसाधनों

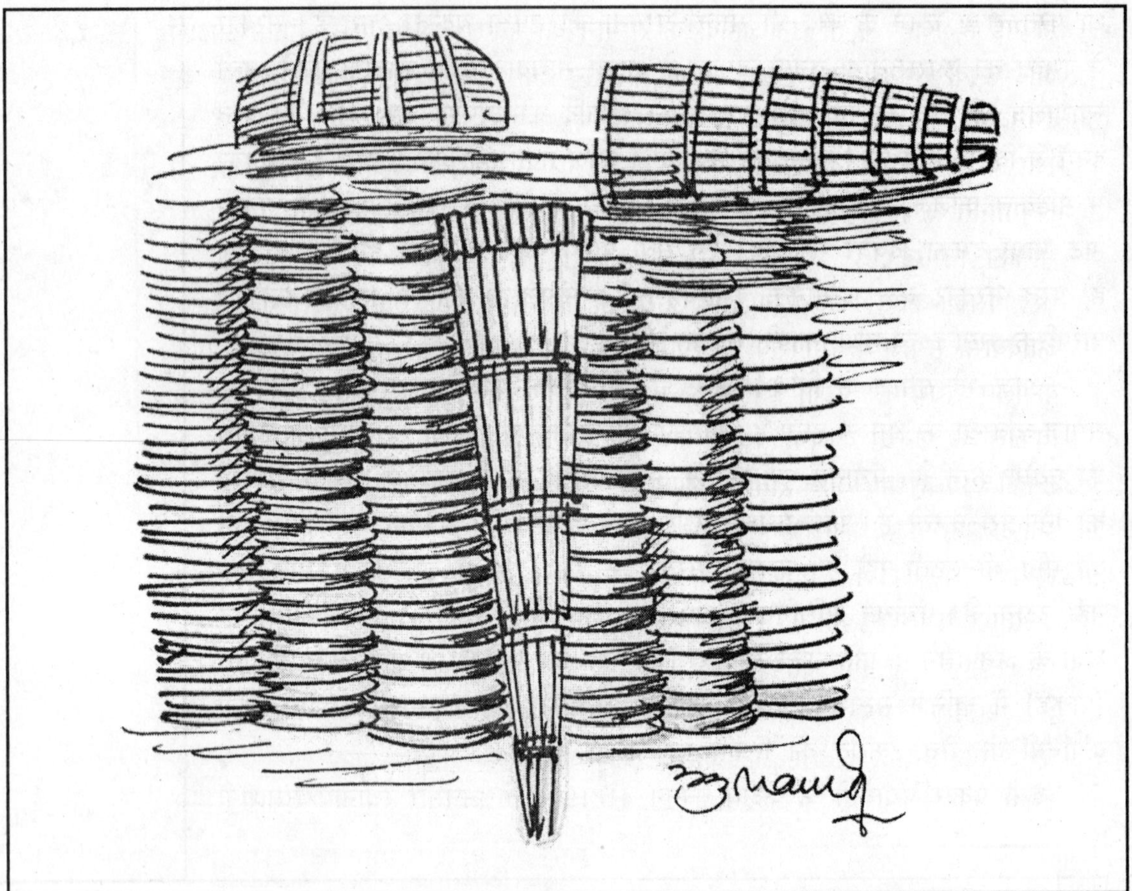

तथा लघु खनिजों के मालिकाना हक के बारे में भी राज्य सरकार विवाद उत्पन्न करने की कोशिश करती रही है तथा स्थानीय निवासियों की उपेक्षा करते हुए बाहरी लोगों को अंधाधुंध खनन पट्टे दे दिए गए। जिसके कारण भी स्थानीय लोगों में काफी आक्रोश है।

सरकार की उपेक्षापूर्ण नीतियाँ क्या आज की परिस्थिति में भी फिर एक बार संताल हूल की पृष्ठभूमि तैयार नहीं कर रही हैं? इन्हीं परिस्थितियों में आज यदि संताल हूल की पुनरावृत्ति होती है तो आश्चर्य नहीं होगा।

हम अभी संताल हूल की 150वीं वर्षगाँठ मना रहे हैं। आखिर क्या औचित्य है इस तरह के आयोजनों का। क्यों हम अपने पूर्वजों के संघर्ष को याद करते हैं? निश्चय ही अधिकार के लिए पूर्वजों द्वारा किए गए संघर्ष से हमें प्रेरणा मिलती है, शोषण और जुल्म के खिलाफ संघर्ष की। परंतु यह झारखंड राज्य का दुर्भाग्य है और हमारी बदकिस्मती, कि यहाँ ब्रिटिश शासन से भी बदतर शासन व्यवस्था आज कायम

हो गई है, जिन्हें न तो उन शहीदों के सम्मान का ख्याल है और न ही उनके आदर्शों और उनके सपनों का जिन्होंने अपना बलिदान देकर ब्रिटिश साम्राज्यवादी शासन की दमनकारी नीतियों के खिलाफ समझौताविहीन संघर्ष किया और हमारे अस्तित्व की रक्षा के लिए शहीद हुए। झारखंड सरकार तो उन हजारों आंदोलनकारियों को भी अपमानित करने से चूकती नहीं, जिन्होंने अलग राज्य के आंदोलन में अपनी महत्त्वपूर्ण भूमिका निभाई।

सिद्धो-कान्हू, चाँद-भैरव और अन्य कई क्रांतिवीर सिर्फ एक व्यक्ति नहीं बल्कि आदिवासी समाज के युगपुरुष हैं। सामाजिक अस्तित्व की रक्षा तथा विकासशील समाज के लिए संघर्ष की प्रेरणा हैं। उनके संघर्ष, उनके विचार, उनके जीवन दर्शन, समाज विकास की उनकी कल्पना तथा क्षेत्रीय एवं राष्ट्रीय संदर्भों में साम्राज्यवाद के खिलाफ उनकी अवधारणाएँ आज संताल परगना की धरती पर अपना इतिहास तलाश रही हैं। इन अवधारणाओं को जमीन पर स्थापित करना ही उनकी श्रद्धांजलि होगी। अब यह राज्य सरकार की जिम्मेवारी है कि वह सिद्धो-कान्हू क्रांति दिवस के नाम पर सिर्फ माल्यार्पण कर खानापूर्ति का रस्म निभाती है अथवा सिद्धो-कान्हू की स्मृतियों को जीवित रखने के लिए उनकी आकांक्षाओं को अमली जामा पहनाया जाता है।

संताल परगना के विकास के लिए आज भी संताल परगना के लोग इंतजार कर रहे हैं कि सरकार संताल आदिवासियों को विकास का अवसर प्रदान करे। पंचायत चुनाव अविलंब कराए जाएँ, पंचायत विस्तार अधिनियम 41/1996 को यथाशीघ्र लागू

किया जाए। संताल परगना में शिक्षा के विकास के लिए इंजीनियरिंग, मेडिकल कालेज की स्थापना, किसानों द्वारा लिए गए ऋण को माफ कराना, ग्रामीण विद्युतीकरण के माध्यम से प्रत्येक गाँव में बिजली की व्यवस्था करना, सिंचाई की समुचित व्यवस्था करना, पलायन रोकने के लिए रोजगार की गारंटी, आदिम जनजातियों को विलुप्त होने से बचाना, संताल परगना क्षेत्रीय विकास प्राधिकार की स्थापना करना, मसानजोर डैम से विस्थापितों को मुआवजा एवं पुनर्वास करवाना, रेडियो स्टेशन की स्थापना, दूरदर्शन केंद्र की स्थापना इत्यादि मुद्दों को हल किया जाना ग्रामीणों की आकांक्षा है। लेकिन यहाँ तो राज्य सरकार द्वारा सिद्धो-कान्हू एवं अन्य शहीदों के नाम स्मृति भवन भी आज तक नहीं बनाया गया, जहाँ उनके इतिहास को सुरक्षित रखा जा सके।

यह स्मरण रखना अति आवश्यक है कि जब-जब आदिवासी अर्थव्यवस्था, उनके

संसाधनों और उनकी समाज व्यवस्था पर कुठाराघात हुआ है, उन पर शोषण और दमन की नीति अख्तियार की गई है, उनका प्रतिकार विद्रोह के रूप में सामने आया है। राज्य सरकार आदिवासियों, शोषितों और दलितों के जनाधिकार को गंभीरता से सोचे और उसके अनुरूप विकास की अवधारणा निर्धारित करे। सिद्धो-कान्हू का संताल विद्रोह न सिर्फ आदिवासी समाज की अस्तित्व भावना से किया गया, बल्कि इन विद्रोहों में सामाजिक चेतना छिपी है। मनुष्य, जीव-जंतु और प्रकृति के बीच समन्वय की चिंता आज के संदर्भ में अति महत्त्वपूर्ण है। आज इसकी प्रासंगिकता बढ़ गई है।

जब हम पर्यावरण असंतुलन की गंभीर समस्याओं से जूझ रहे हैं तब ये बातें अति स्मरणीय हो जाती हैं। आदिवासी जंगलों पहाड़ों में अपना जीवन-अस्तित्व स्थापित करते हुए प्रकृति के साथ समन्वय के लिए तत्पर रहे हैं, इसलिए उसी जीवन शैली की रक्षा के लिए संघर्षरत भी हैं। अतः यह कहना अनुचित नहीं होगा कि आदिवासी विद्रोह मनुष्य और प्रकृति के समन्वय से बनी समाज-व्यवस्था के विघटन के खिलाफ हमेशा चेतनशील रहा है। इतिहास में शोषण और दमन के खिलाफ संघर्ष होते रहे हैं, जो अंततः जनहित में हैं।

मूल्यांकन अभी शेष है

□ पृथ्वी माँझी

तीस जून : यह संतालों और संघर्षरत लोगों के लिए अविस्मरणीय दिन है। तीर-कमान, टाँगी, तलवार, बाँसुरी, मादल और धमसा के साथ शांतिप्रिय और सीधे-सादे संतालों ने शक्तिशाली ब्रिटिश साम्राज्य, जिसका सूरज कभी अस्त नहीं होता था, के खिलाफ हूल का नाद किया था। खून के बहाव ने उन्हें उत्तेजित कर डाला था। 30 जून 1855 को गुरुवार के दिन संताल परगना के भोगनाडीह गाँव में करीब दस हजार संताल इकट्ठा हुए थे। इस पर मैकफेल लिखते हैं–'सिद्धो-कान्हू के साथ न सिर्फ दामिन-ए-कोह से, बल्कि बीरभूम, भागलपुर, हजारीबाग और मानभूम से हजारों-हजार की संख्या में संतालों ने हूल में शिरकत की।' उस दिन भोगनाडीह में एक विशाल सभा हुई थी। बैठक की कार्यवाही शुरू हुई। चारों ओर चुप्पी का माहौल था। सिद्धो व कान्हू ने संतालों के यशस्वी इतिहास के बारे में बताया कि उन्होंने हिहिरि-पिपिरि, चाइ चंपा, सत भूईं, शिकारभूईं आदि जगहों पर राज किया था।

उनके शासन में चारों ओर शांति

व्याप्त थी। हजारीबाग पार करने के बाद उनके पूर्वजों ने दामिन-ए-कोह में प्रवेश किया और यहीं रहकर पत्थरों को तोड़कर, जंगलों को साफ करते हुए खेती की शुरुआत की। उन्होंने हाड़-तोड़ परिश्रम किया, लेकिन जमींदारों और सूदखोर महाजनों ने उनकी जमीनें गिरवी रख लीं। पैसे की लालच में जमींदारों ने संतालों पर अमानवीय अत्याचार किए। उन्हें गुलाम बना दिया गया। ब्रिटिश सरकार के पुलिस अधिकारियों ने भी उन पर अत्याचार किए। ग्राम प्रमुख माँझी बिना किसी कारण के मारे-पीटे जाते थे। यहाँ तक कि संताली औरतें अंगरेज अफसरों की वासना की शिकार हुईं।

यह वह समय था, जब दमन के खिलाफ क्रोध धीरे-धीरे सुलग रहा था। अब लोग चुप नहीं रहने वाले थे। उन्होंने उत्तेजना में चिल्लाना शुरू कर दिया। अत्याचारियों के खिलाफ आरोप दर आरोप इतने लगे कि कोई अब इंतजार करने को तैयार न था।

उनके लिए हर कोई वहाँ भुक्तभोगी था। तब सिद्धो व कान्हू ने लोगों से शांत रहने की अपील की और कहा कि 'ईश्वर ने संतालों को आदेश दिया है कि अत्याचारियों का अंत करते हुए वे अपना एक स्वतंत्र राज्य स्थापित करें। हम लोग उन सबको नष्ट कर डालेंगे। ब्रिटिश पुलिस और थाने जमींदारों के घूस खा कर उनके वफादार कुत्ते बन चुके हैं। हम उन्हें नहीं छोड़ेंगे, हमने बहुत बर्दाश्त कर लिया, अब और बर्दाश्त नहीं करेंगे।' इतना सब सुनने के बाद लोगों ने चिल्लाना शुरू कर दिया—देला विरित पे, डिलेयटिंगून पे' (जागो, उठो, हम एक संताल देश बनाएँगे)। हंटर कहते हैं—'30 जून को जमा हुए लोगों ने एक प्रदर्शन के जरिए कलकत्ता की ओर प्रस्थान किया।'

मेकफेल बताते हैं—तब मार्च शुरू हुआ। अगर इसका कोई उद्देश्य था भी तो पहली नजर में यह अस्पष्ट था। लेकिन बाद में नेताओं ने स्पष्ट किया कि उनके कलकत्ता मार्च का एकमात्र उद्देश्य गवर्नर जनरल के साथ बातचीत करना था, ताकि उन्हें इन अत्याचारों से मुक्ति व राहत मिले, जिसके लिए अब तक के प्रयास बेकार सिद्ध हुए थे। यह निश्चित है कि संताल अपने बीवी-बच्चों के साथ वहाँ पधारे थे और पहली नजर में इस जमावड़े का निहितार्थ एक उत्सव सरीखा माहौल था, न कि किसी तरह की युद्ध करने की मंशा।

इस नजरिए से एक व्यापक क्षेत्र में संतालों का विद्रोह 1855-56 में ही शुरू हुआ। इस विद्रोह के बारे में कुछ और बताने के लिए हमें थोड़ा अतीत में लौटना होगा।

प्लासी की लड़ाई में बंगाल के नवाब सिराजुद्दौला की हार ने पूरे भारत को दासता के काले बादलों से ढँक दिया। ईस्ट इंडिया कंपनी ने बिहार व बंगाल पर कब्जा जमा लिया। राजस्व उगाहने के चक्कर में कंपनी के नौकरों-अफसरों ने क्षेत्र में लूटपाट और

संपत्ति की बंदरबाँट शुरू कर दी। भागीरथी के पश्चिम में राजमहल से लेकर हजारीबाग व मुंगेर की सीमा पर एक घना जंगल था। यह जंगल उत्तरी भागलपुर और दक्षिणी बीरभूम के बर्दमान, बाँकुरा, पश्चिमी मिदनापुर, और ओडिसा के मयूरभंज तक फैला था। इस क्षेत्र में पहाड़ियों और जंगलों की बहुलता थी। इस इलाके में पूरी आजादी के साथ संताल सदियों से रह रहे थे। ये लोग बाघ, हाथी, भालू, शेर आदि जंगली जानवरों के साथ रहते थे। एकदम पुराने जमाने से ये लोग आदिम तकनीक के साथ शिकार और खेती करते आ रहे थे। हालाँकि पठानों और मुगलों ने बंगाल पर कई बार धावा बोला था, लेकिन वे लोग इन जंगलों में प्रवेश नहीं कर सके थे। संताल लोग सीधे-सादे लेकिन जीवट और दक्ष लड़ाके भी थे। उन्होंने किसी के आगे हार नहीं मानी थी। इन लोगों ने किसी बाहरी व्यक्ति को जंगल के भीतर प्रवेश भी नहीं करने दिया था। जब ईस्ट इंडिया कंपनी को राजमहल के इलाकों में दीवानी का अधिकार मिला तो उन्होंने आदिवासियों, खासकर पहाड़ी आदिवासियों, को गुलाम बनाने की कोशिशें कीं। जवाबी कार्रवाई में संतालों ने हिंसक और क्रूर रवैया अख्तियार किया और वे लोग कंपनी के पोस्टल बैग भी लूटने लगे।

जाड़े के पहले ये आदिवासी मैदानों में आते थे, और लूटपाट के जरिए

भोजन-सामग्री इकट्ठा कर वापस लौट जाते थे। अगर वे अपनी इन कोशिशों में असफल होते थे, तो बदले की कार्रवाई के तहत वे अपने शत्रुओं के साथ बहुत क्रूरता से पेश आते थे। 1772 में कैप्टन ब्रुक ने अपने कुछ सैनिकों के साथ इन्हें अपने अधीन करने की कोशिश की तो इन आदिवासियों ने जंगल में छुप कर वार करते हुए अधिकतर सैनिकों को मार डाला। कैप्टन ब्रुक को खाली हाथ वापस लौटना पड़ा। इसके बाद अगस्टस क्लीवलैंड को राजमहल का सुपरिंटेंडेंट नियुक्त किया। 1779 में उसे भागलपुर का कलेक्टर बनाया गया। वह बहुत चतुर व विद्वान आदमी था। उसने कुछ ही दिनों के भीतर महसूस किया कि इन पहाड़ी आदिवासियों को ताकत के जरिए अधीन नहीं किया जा सकता। उन्हें कौशल के बूते ही परास्त करना होगा, अन्यथा कंपनी का शासन यहाँ कभी स्थापित नहीं होगा। उसने महसूस किया कि कूटनीति और मित्रता ही ऐसे अस्त्र हैं, जिनके बूते इन्हें जीता जा सकता है। इस तरह क्लीवलैंड के चतुर जाल में पहाड़ी आदिवासी फँस गए। आदिवासी लोग उसे मित्र मानते थे और प्यार से 'चिंडीमिली साहब' कहते थे। इस तरह उसने एक असंभव काम कर दिखाया था। उसकी कब्र पर ये शब्द अंकित हैं—'बिना कोई रक्तपात या आंतक का शासन स्थापित किए आपसी विश्वास, सुलह और आत्मीय संसाधनों के जरिए इन्होंने राजमहल के क्षेत्र में निवास करने वाले उन असभ्य आदिवासी लोगों को अपने अधीन किया, जिन्होंने लंबे समय से आसपास के इलाकों में उत्पात मचा रखा था। इन्होंने उन्हें सभ्य जीवन

के प्रति प्रेरित किया और उसके मन को जीता, जो प्रभुत्व का सबसे स्थायी और तार्किक तरीका है।' (गवर्नर जनरल और बंगाल काउंसिल के आदेश से उनके चरित्र के सम्मान में लोगों को प्रेरित करने के लिए दिया गया वक्तव्य, 1774)

यह क्लीवलैंड ही थे, जिन्होंने आदिवासियों पर नियंत्रण स्थापित करने के लिए सरदार और माँझी को लाल पगड़ी और नीले कपड़ों के साथ माहवार दस और दो रुपए वेतन देना प्रारंभ किया। यही नहीं, उसने कई आदिवासियों को सेना में बहाल भी किया। 1780 में चार सौ आदिवासियों की सिपाही के रूप में भरती हुई थी। इस तरह से उसने इन सिपाहियों का इस्तेमाल अपने लोगों पर नियंत्रण स्थापित करने के लिए किया।

इसके बाद उसने इन आदिवासियों को बसाने के लिए सीमांकन करते हुए एक कॉलोनी स्थापित करने की कोशिश की, ताकि उन पर सुगमता से शासन किया जा सके और इस इलाके का नाम दामिन-ए-कोह (पहाड़ियों का किनारा) रखा। लेकिन पहाड़ी आदिवासी वहाँ नहीं जाना चाहते थे। मुगलों के शासन में रहते हुए उनकी आजादी अक्षुण्ण थी। ये लोग अपनी आजादी में किसी

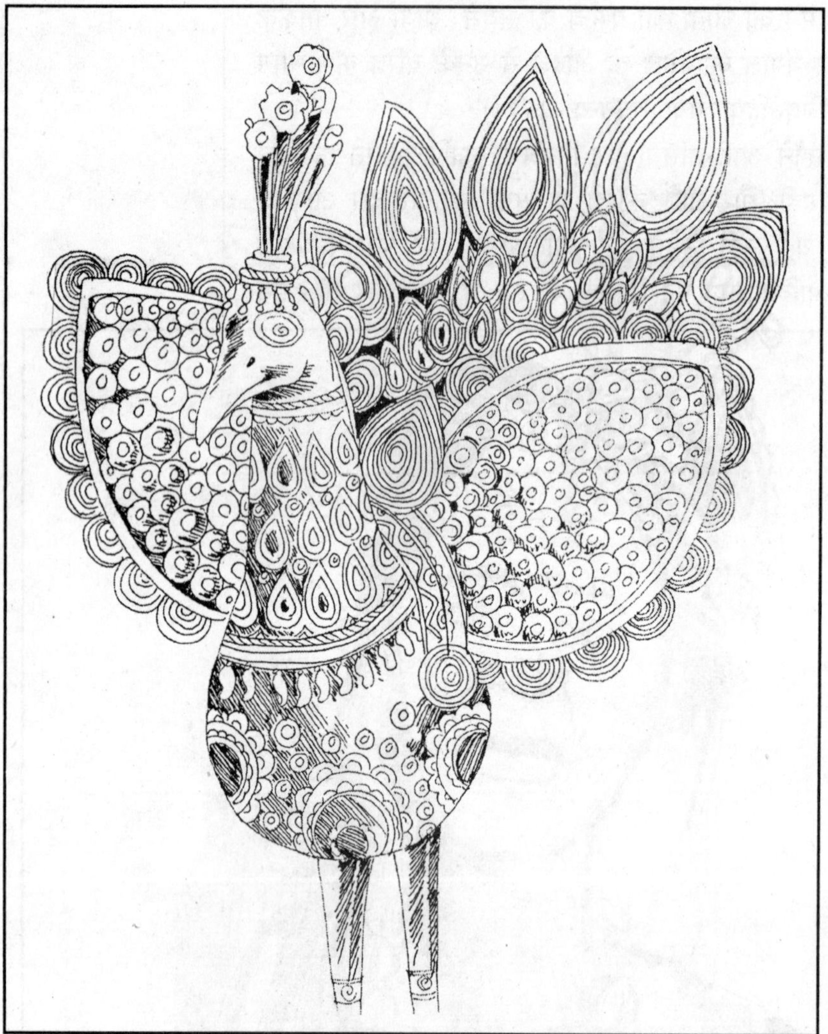

तरह की दखलंदाजी बर्दाश्त नहीं करते थे और ना ही मालगुजारी के बहाने किसी तरह के शोषण को संभव होने देते थे। उन्होंने राजस्व देने से इंकार कर दिया, इस वजह से उन्हें विविध प्रकार की यातनाओं और शोषण का शिकार होना पड़ता। कंपनी के गुमाश्ते उनकी संपत्ति छीन लेते थे और उनके घरों को आग के हवाले कर देते थे। आखिरकार बाबा तिलका माँझी (तिलका मुर्मू) ने इस यातना और शोषण से मुक्ति के लिए एक मुक्ति दल की स्थापना की। दल के सदस्यों को युद्ध के लिए प्रशिक्षण दिया गया और वे तीर-कमान, कुल्हाड़े और गुलेल से ब्रिटिश फौज के खिलाफ छापामार युद्ध में लग गए। तीरों की बौछार कर वे ब्रिटिश फौज को तहस-नहस कर देते थे। छापामार युद्ध का आतंक इस कदर बढ़ गया कि बहुत से ब्रिटिश सैनिक व पुलिसकर्मी मारे गए। 13 जून 1874 को तिलका माँझी ने क्लीवलैंड पर गुलेल से वार किया। वार इतना घातक था कि क्लीवलैंड की बाद में मृत्यु हो गई। उसकी मृत्यु के बाद संतालों पर अत्याचार बढ़ गया और उनके विद्रोह को कुचलने के लिए हर संभव जायज-नाजायज तरीकों को आजमाया गया। एक साल के लंबे संघर्ष के बाद तिलका माँझी और उनके साथियों को गिरफ्तार कर लिया गया। भागलपुर में अमानवीय यातनाएँ

देने के बाद तिलका माँझी को फाँसी पर लटका दिया गया। उनकी मौत के बाद ही विद्रोह मंद पड़ गया, लेकिन इस विद्रोह की आग लंबे समय तक सुलगती रही।

आखिरकार 1790 के अंतिम दिनों में इस विद्रोह की आग बुझ गई और दामिन-ए-कोह के नाम से एक ग्रामीण समाज की नींव रखी गई। हजारों वर्गमीटर के इलाके में नए सिरे से रिहायशी मकान बनाए गए। कालांतर में इस इलाके को अपने पूर्वजों से विरासत में मिले नियमों-कायदों तथा अपने उत्सव, पूजा और धार्मिक रीति-रिवाजों के लिए उपयुक्त व सुरक्षित मान कर हजारीबाग, मानभूम और मिदनापुर में आदिवासियों ने बसना प्रारंभ किया और शांतिपूर्वक रहने लगे। संतालों के मुँह से मधुरगीत फिजा में गूँजने लगे : 'इस घने जंगल में हम अपने घर बनाएँगे। हम लोग राजा और रानी की तरह

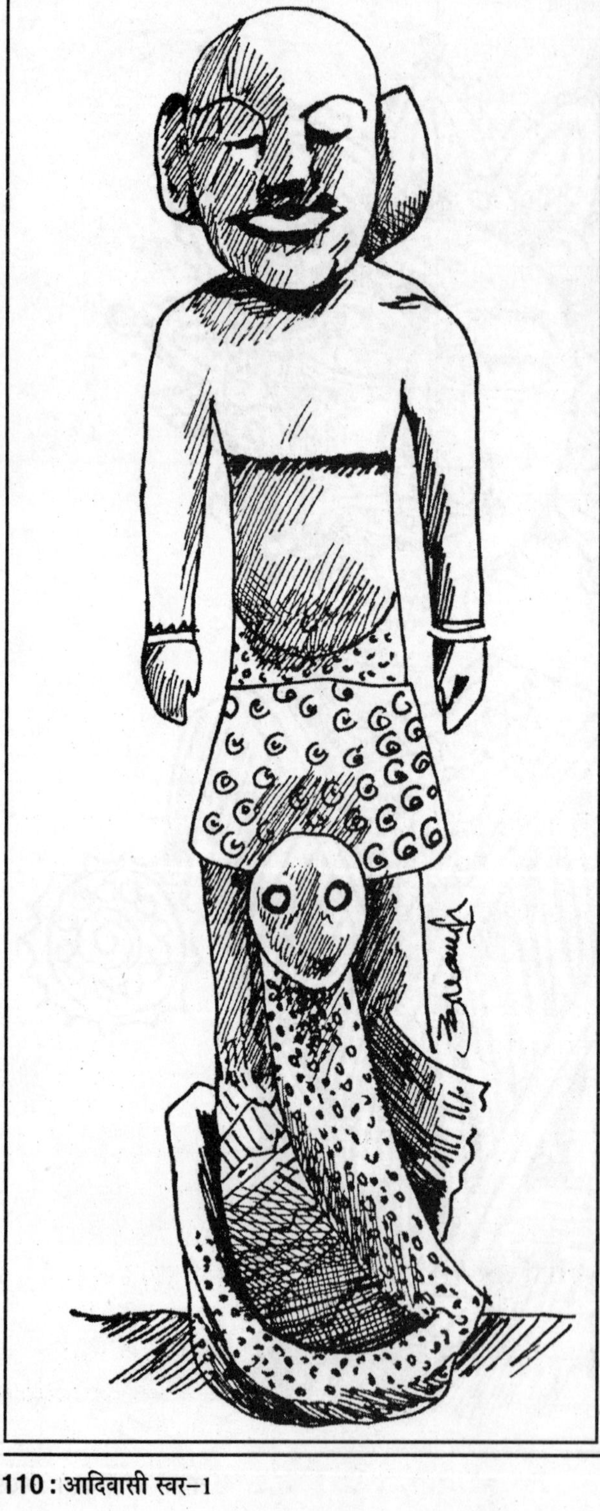

रहेंगे। हमलोग दुनिया की दुख-तकलीफों को भूल जाएँगे। हम लोग स्वर्गिक आनंद उठाएँगे।'

इसी तरह कई साल आनंद व मौज के क्षणों में गुजर गए, लेकिन यह खुशी ज्यादा दिनों तक जारी नहीं रह सकी। दामिन-ए-कोह पर काले बादल फिर से मँडराने लगे। मुनाफाखोर महाजन और व्यापारी इस इलाके में प्रवेश करने लगे। शोषण की एक नई प्रक्रिया की शुरुआत हुई। ब्रिटिश शासकों ने भरोसा दिलाया था कि खेती पर कोई टैक्स नहीं लगेगा, लेकिन यह गलतबयानी सिद्ध हुई। कंपनी के द्वारा संतालों पर शोषण व अत्याचार बढ़ता गया। संतालों की उम्मीदें और आकांक्षाएँ धूमिल पड़ने लगीं। शोषण व अत्याचार ने संतालों को भीतर ही भीतर कचोटना प्रारंभ कर दिया। जब अत्याचार व यातनाएँ बर्दाश्त के बाहर हो गईं, तो उनके पास विद्रोह के रास्ते पर चलने के अतिरिक्त कोई रास्ता नहीं बचा। इस प्रकार अंगरेजों को भगा कर यहाँ अपना राज स्थापित करने की आकांक्षाएँ आकार लेने लगीं। यह लार्ड डलहौजी का क्षेत्र था। पूरे भारत के छोटे-छोटे राज्यों को हर जायज-नाजायज हथकंडे के बूते ब्रिटिश शासन के अधीन लाया गया। कलकत्ता को ब्रिटिश भारत की राजधानी बनाया गया। डलहौजी का लक्ष्य था—पूरे भारत को ब्रिटिश राज्य के अधीन लाकर प्रशासनिक व्यवस्था को चुस्त-दुरुस्त करना। ब्रिटिश प्रशासन प्रणाली के लाए जाने के बाद शासन की प्राचीन भारतीय प्रणाली और सामाजिक-आर्थिक तथा सांस्कृतिक ढाँचा चरमरा गया। यही नहीं मालगुजारी की एकतरफा दर और अन्य विधिक व गैरकानूनी टैक्स किसानों पर थोप दिए गए। उनका सब कुछ छीन लिया गया। आदिवासी एकदम गरीब हो गए।

यह बताना आवश्यक है कि इसी समय बंगाल, बिहार और ओडिसा को मिला लिया गया और तब फ्रेडरिक हॉलीडे बंगाल का गवर्नर था। उसका लक्ष्य था—ब्रिटिश साम्राज्य को और मजबूत करना और इसके लिए उसने संताली भूमि को शोषण के लिए मुख्य आधार माना। ब्रिटिश सरकार के अतिरिक्त जमींदारों और सूदखोर महाजनों का कहर भी उन पर टूटता था। ब्रिटिश प्रशासन यह सब जानते हुए आँखें मूँदे रखता था। परिणामस्वरूप संतालों में असंतोष उपजने लगा। डलहौजी के समय दामिन में विद्रोह की लपटें उठने लगीं।

जॉन मर्समैन अपनी किताब हिस्ट्री ऑफ इंडिया भाग एक (पृष्ठ 720) में लिखते हैं—'डलहौजी के कार्यकाल के अंतिम दिनों में संतालों के उपद्रव के कारण क्षेत्र की शांति भंग हो गई। ये संताल राजमहल की पहाड़ियों में निवास करते थे।'

संतालों ने एक खूनी लड़ाई का चुनाव किया था। 1855-57 में संतालों का विद्रोह उन पर हो रहे अत्याचारों के खिलाफ महज एक आकस्मिक घटना नहीं थी। 1851 में कैप्टन शेरविल लिखते हैं—'सामान्यतः संताल शांतिप्रिय व अनुशासित लोग थे। शासकों को राजस्व वसूलने के लिए प्रभुत्व जमाने के बदले दूसरे तरीकों पर ध्यान देना चाहिए।'

बरसात के दिनों में सूदखोर महाजन संतालों को चावल और रुपया उधार पर देते थे। जल्द ही वे संतालों के मालिक बन बैठे। ये सूदखोर महाजन इतने लालची थे कि मूलधन का दसगुना लौटा देने के बाद भी वे संतालों को छोड़ते नहीं थे। वे संतालों के साथ गुलामों सरीखा व्यवहार करते थे। ऋण उगाहने के लिए ये महाजन उनके मवेशी आदि जबरन उठा ले जाते थे! स्थिति इतनी बदतर थी कि संताली लड़कियों का भी ये खूब शोषण करते थे।

जमींदारों व महाजनों के अतिरिक्त ब्रिटिश पुलिस और व्यापारी भी अत्याचार ढाते थे। परिणामस्वरूप तिलका माँझी के व्रिदोह (1784-85) के कुचले जाने के करीब सौ

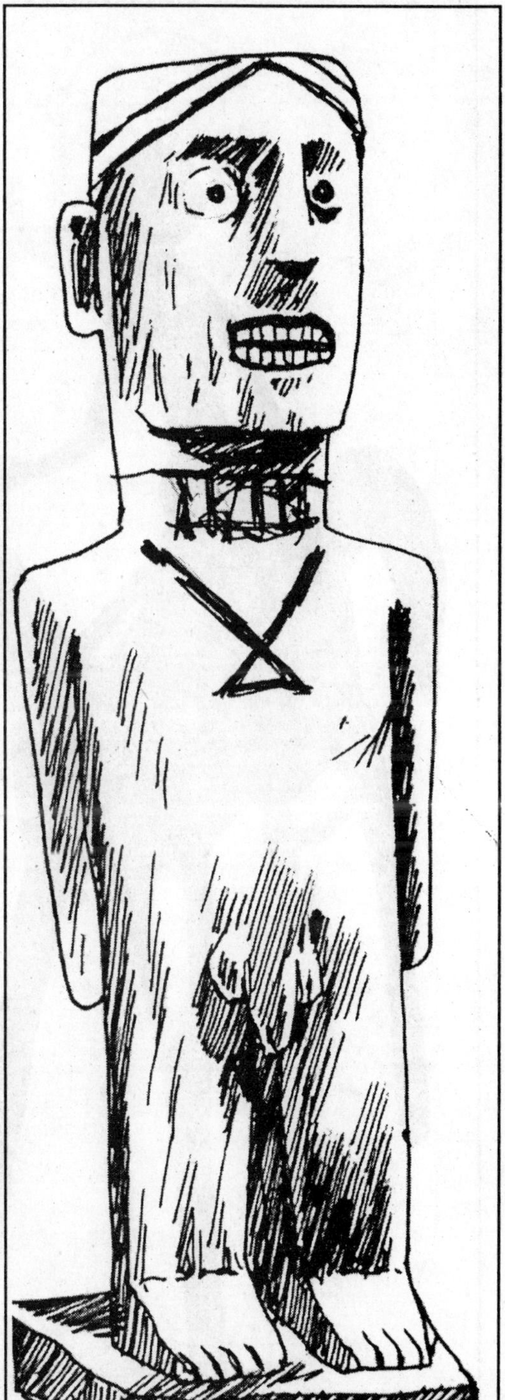

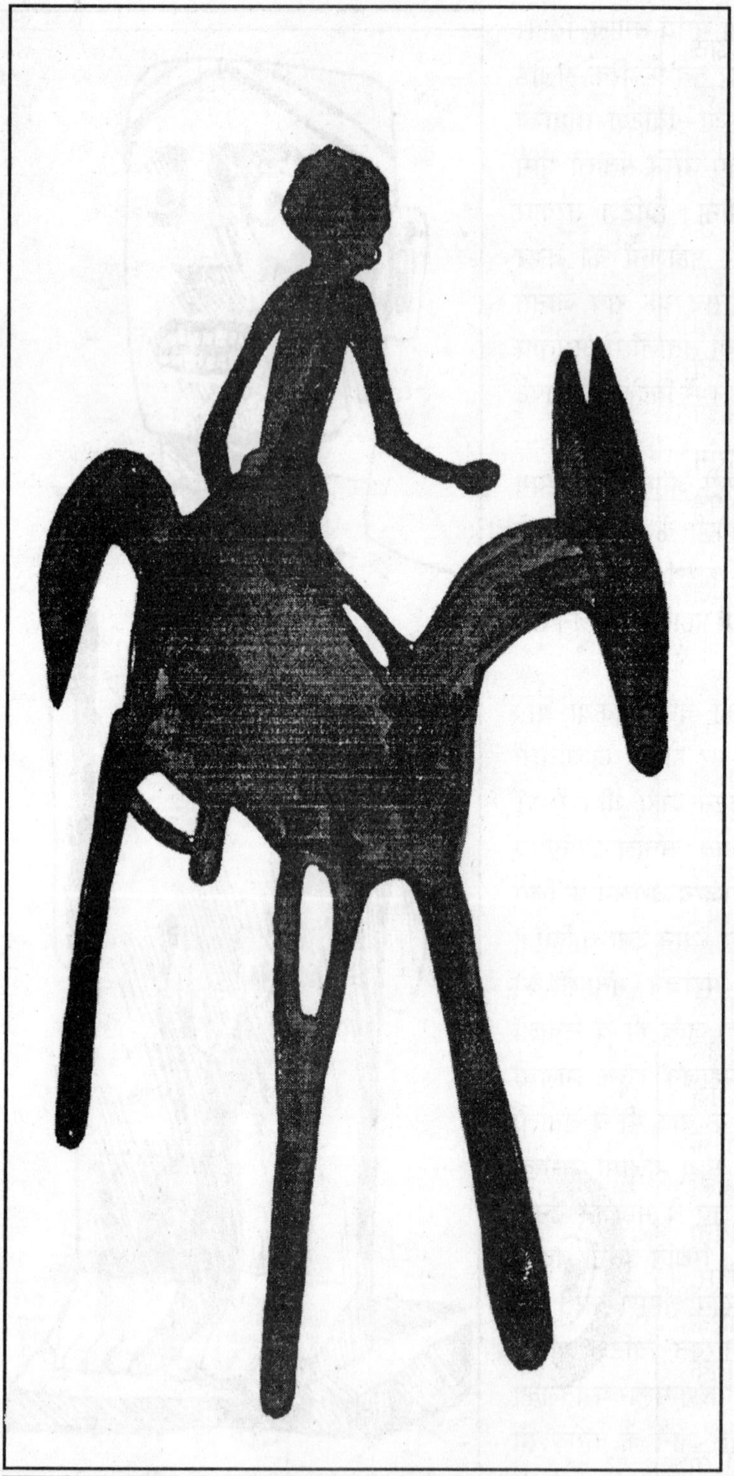

साल बाद एक नया विद्रोह (1855-56) अपनी जमीन तलाशने लगा।

सबसे पहले बरीसिंह माँझी ने लखीमपुर में एक दल बनाया। सिंदरी के कायले प्रमाणिक, हाटबाँदा के दमन माँझी तथा अन्य लोग इस दल में शामिल हो गए। इस समय इसरी बकत और लिट्टिपाड़ा के तिलक आदि के घरों में डकैतियाँ होने लगीं। उन्होंने दीघी पुलिस स्टेशन के दारोगा महेशलाल दत्ता के पास फरियाद की कि वे संतालों के खिलाफ कार्रवाई करें। दारोगा ने उनकी बात को अनसुना कर दिया। तब उन लोगों ने दलसिंह पाकुड़ की जमींदारनी केशमा सुंदरी के पास अपील की। तब पाकुड़ का दीवान गंगाबंधु राय था। उसने बीरसिंह माँझी को दरबार में बुलाया और आदेश दिया कि वह पर्याप्त जुर्माना भरे। जब उसने जुर्माना भरने से इंकार कर दिया तो उसे अनुयायियों के समक्ष बेदर्दी से मारा-पीटा गया। इससे क्रोधित होकर बीरसिंह ने महाजनों के घरों पर हमला बोल दिया और उनके घरों को लूटना आरंभ कर दिया। संतालों के उभार ने प्रशासन की चूलें हिला दी थीं और लोगों के घरों व उनकी संपत्ति की सुरक्षा के लिए पठानों व पहाड़ी लड़ाकों को नियुक्त किया गया। अधिकारियों ने दारोगा को निर्देश दिया कि वे संतालों पर कार्रवाई करें। गोसो नामक एक

धनी संताल को डकैती आदि के झूठे आरोप में पकड़ लिया गया। वह चिल्लाया–'मैं भी देखता हूँ कि यह दारोगा कैसे हमारे इलाके की देहरी लाँघ कर जाता है।' आखिरकार साक्ष्य की माँग के बाद उसे छोड़ दिया गया, लेकिन इस घटना ने संतालों को उद्वेलित कर दिया।

कुछ दिनों बाद फिर एक घटना घटी। लिट्टीपाड़ा गाँव का तिजय माँझी एक ईमानदार व्यक्ति था। उसने केनाराम भगत से कुछ धान उधार लिया था। अपने मूलधन के दस गुना से अधिक लौटा देने के बाद भी उसके खेतों से जबरन उपज उठा ली गई। उसके मवेशी छीन लिए गए। जब गाँव वाले एक के बाद एक वहाँ जमा होने लगे तो केनाराम वहाँ से भाग गया। कुछ दिनों बाद महेश दारोगा केनाराम और चपरा गाँव के लोगों के साथ फिर आया। तिजय माझी को सरकारी काम में बाधा डालने के आरोप में गिरफ्तार कर लिया गया। गाँव के सभी बड़े-बूढ़ों व बच्चों ने दारोगा से विनती की कि वे उसे छोड़ दें, लेकिन सब बेकार। तिजय को भागलपुर जेल भेज दिया गया और बाद में बिना ट्रायल के अमानवीय यातनाओं से उसे मार डाला गया। गोर्भू माँझी भी केनाराम की यातना से नहीं बच सका। इस तरह जमींदार, महाजन और ब्रिटिश कर्मचारी, संतालों के ऊपर कहर बरपाते थे, उन पर भयानक अत्याचार ढाते थे।

19वीं सदी के आरंभ में भारत के

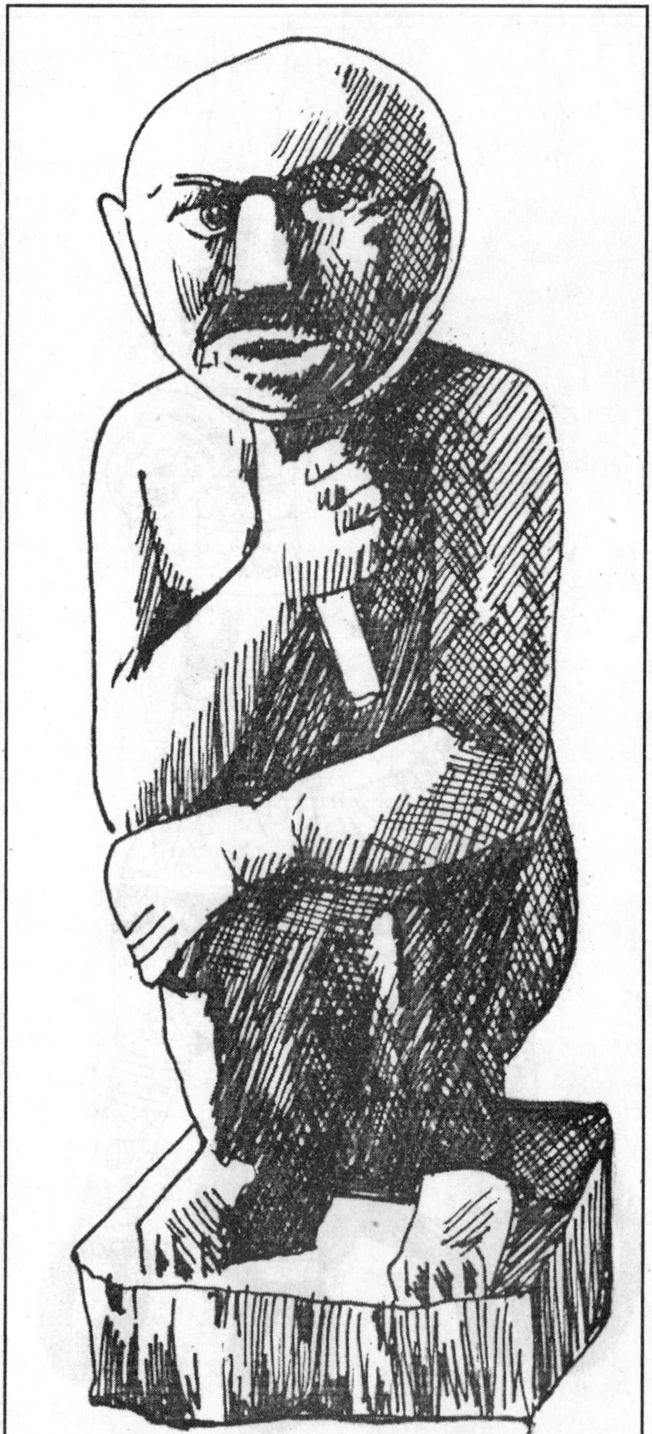

विभिन्न भागों में ब्रिटिश शासन के खिलाफ छिटपुट विद्रोह होने शुरू हो गए। संतालों ने भी ब्रिटिश शासन और जमींदारों-महाजनों के खिलाफ हथियार उठा लिए। बरसों से धधक रही ज्वाला ने व्यापक विद्रोह का रूप धर लिया। आजादी के संघर्ष के लिए सैकड़ों संतालों का खून इतिहास के पन्ने पर दर्ज व अविस्मरणीय है। विद्रोह की गूँज ने शासकों की नींद हराम कर दी।

संताल हूल का नेतृत्व करने के लिए सिद्धो-कान्हू, चाँद-भैरव चार भाई आगे आए। ये लोग भोगनाडीह के रहनेवाले थे। उनके पिता सुनार मुर्मू गाँव के मुखिया थे। सिद्धो-कान्हू ने महसूस किया कि एक संगठित आंदोलन के लिए लोगों को धार्मिक नारे लगाने की फौरी जरूरत है। उन्होंने संतालों को विश्वास दिलाना शुरू किया कि ईश्वर ने उन्हें आदेश दिया कि वे सभी तरह की दुख-तकलीफों, अन्याय, शोषण से दूर एक संताली देश का निर्माण करें, जिससे संतालों की सारी बाधाएँ खत्म हो जाएँगी। इन्होंने सखुए की एक डाली 'गिरा (अपील/निमंत्रण)' संतालों के पास भेजनी शुरू की। उनकी अपील की प्रतिक्रिया में 30 जून 1855 को भोगनाडीह में हजारों संताल एकत्र हुए। उनकी रगों में गर्म लहू कुछ कर गुजरने को ठांठें मार रहा था।

संताली नेताओं ने घोषणा कि वे सूदखोर महाजनों, व्यापारियों आदि दिकुओं को यहाँ से निकाल बाहर कर अपना संताल देश बनाएँ। उन्होंने निर्णय लिया कि कुम्हारों, तेली, कर्मकार, मोमिन (मुस्लिम जुलाहे),

समर, डीम आदि सेवक जातियों पर हमले नहीं करेंगे। यह भी फैसला किया गया कि वे लोग 30 जून से ही कलकत्ता मार्च करेंगे। यह बहुत विशाल अभियान था। यहाँ तक कि नेताओं के अंगरक्षकों की संख्या ही तीस हजार के करीब थी। डब्ल्यू डब्ल्यू हंटर लिखते हैं—'इन भाइयों ने पाया कि उन्होंने एक तूफान को जगा दिया है, जिसे वे शायद नियंत्रित नहीं कर पाएँ। एक आदेश पारित किया गया कि पहाड़ियों से नीचे उतरते हुए मैदानी इलाकों से कलकत्ता की ओर चला जाए। इस तरह एक महाअभियान का प्रयाण हुआ। केवल नेताओं के अंगरक्षक ही तीस हजार से अधिक थे।' शुरुआती दौर में यह विद्रोह अंगरेजों के विरुद्ध नहीं था, बल्कि यह सूदखोर महाजनों, लालची व्यापारियों, क्रूर जमींदारों और अत्याचारी अधिकारियों के खिलाफ था। लेकिन धीरे-धीरे यह विद्रोह अंगरेजों के खिलाफ शुरू हो गया, क्योंकि वे संतालों के विद्रोह के दमन के लिए शत्रु पक्ष की मदद कर रहे थे। संताल अंगरेजों को मार भगाने के लिए एक खूनी संघर्ष में उलझ गए। सीइ बक्ले (सीआईई) लिखते हैं—

'हूल का इरादा सूदखोर महाजनों, लालची व्यापारी तथा अन्य धनी लोगों को सबक सिखाना था, न कि सरकार को। सात जुलाई को दिघी थाना या बोरियो बाजार के दारोगा ने अपने दल के साथ संतालों के जमावड़े की बात

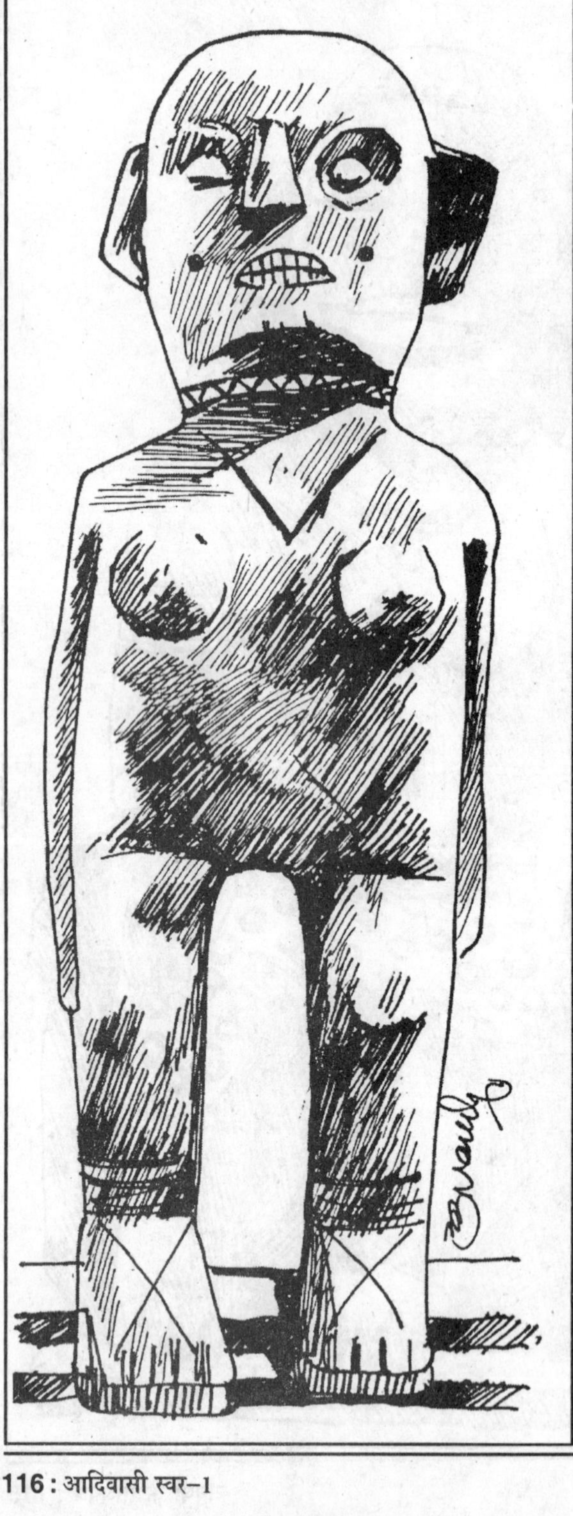

पूछी। सिद्धो ने उसे और उसके नौ साथियों को मार डाला और पुलिस पार्टी को भागना पड़ा। इस प्रकार खूनी संघषों से युक्त एक विद्रोह शुरू हो गया। पूरा संताल देश जाग उठा। संताल तीर-कमान, कुल्हाड़े, तलवार और थोड़ी बहुत बंदूकों आदि से लैस थे। 'कलकत्ता मार्च' का मुख्य उद्देश्य गवर्नर जनरल से मिलकर अपने ऊपर हो रहे अत्याचार व अन्याय की शिकायत दर्ज करना था, लेकिन ऐसा नहीं हो सका। यहाँ यह स्वीकार करना होगा कि संतालों ने ही पहली बार सामूहिक प्रदर्शन व जनयात्रा आरंभ की थी।

कलकत्ता मार्च के दौरान विद्रोहियों की मुठभेड़ अमरापाड़ा के केनाराम भगत से हुई। वह महेश दारोगा के साथ गोर्भू माँझी तथा हरमा माँझी को बंदी बनाए हुए था। सिद्धो-कान्हू आदि विद्रोहियों ने उन्हें छोड़ देने को कहा। केनाराम व दारोगा को उनकी शक्ति का अंदाजा नहीं था, लेकिन विद्रोहियों ने संताली बंदियों को छुड़ा लिया। लेकिन दारोगा नहीं माना, उसने सिद्धो-कान्हू पर सरकारी काम में अड़ंगा लगाने का आरोप लगाकर उन्हें गिरफ्तार करने की कोशिश करने लगा। आखिरकार संतालों के भीतर धधकती ज्वाला फूट पड़ी। अचानक गोर्भू माँझी ने एक टाँगी उठाई और घायल शेर की तरह केनाराम पर घातक वार करते हुए उसे मार डाला। उसके बाद दारोगा को भी मार डाला गया। इस तरह वहाँ एक के बाद एक 19 लोगों को मार डाला गया। इस प्रकार खूनी संघर्ष का एक अध्याय शुरू हो गया। भागलपुर के कमिश्नर ने इस वाकये को कुछ यूँ कलमबंद किया–'दिघी थाने का दारोगा महेश लाल दत्ता 7 जुलाई को पुलिस पार्टी के साथ घटनास्थल पर पहुँचा, लेकिन जल्द ही सिद्धो और उसके साथियों ने उसे और 19 लोगों को मार

डाला।' इसके बाद सिद्धो और कान्हू ने नाद किया कि हूल शुरू हो चुका है। सखुए की डाली हर तरफ भेजी गई। अब कोई दारोगा या अफसर या सरकार नहीं थे। इस तरह संतालों का शासन शुरू हुआ।

इसके बाद तो विद्रोहियों ने जमींदारों और महाजनों को एक के बाद एक खत्म करना शुरू कर दिया। उन्होंने बरहेट पर हमला बोला और नीलकोठी, रेशमकोठी सहित महाजनों के घरों को जला डाला। यहाँ गुलामों की तरह काम कर रहे संतालों को मुक्त करा लिया गया। सिद्धो और कान्हू को सर्वमान्य नेता स्वीकार किया गया। बरहेट के पतन के बाद सिद्धो-कान्हू ने महसूस किया कि अब उन्हें ब्रिटिश फौज और पुलिस से टक्कर लेनी पड़ेगी। क्षेत्र में अभी रेल लाइन पूरा करने का काम चल रहा था। यहाँ काम पर लगे संताली युवाओं को भी बुला लिया गया और पूरी तैयारी और प्रशिक्षण के बाद विद्रोह पूरी गति के साथ शुरू हो गया। बंगाल और बिहार के सभी जमींदारों, महाजनों के खिलाफ युद्धनाद किया गया। हजारों की संख्या में संतालों ने हमले शुरू कर दिए। यह भी घोषणा की गई कि अब कंपनी के शासन का अंत आ गया है और संतालों का राज्य स्थापित होने वाला है। कई महाजन व जमींदार जान की भीख माँगते हुए सिद्धो-कान्हू की शरण में आए।

भागलपुर के मजिस्ट्रेट एच रिचर्डसन ने सोचा भी नहीं था कि इस तरह का कोई विद्रोह फूट पड़ेगा। किसी ने नहीं सोचा था कि एक शांतिप्रिय व सीधे-सादे लोगों का समुदाय विद्रोह का रास्ता भी अख्तियार करेगा। धीरे-धीरे विद्रोह का दावानल बढ़ने लगा। 1856 में एक ब्रिटिश लेखक ने कलकत्ता रिव्यू में लिखा—इंग्लैंड में शायद ही ऐसा कोई था जो भागलपुर जेल में बंद संताली बंदियों को छुड़ाता, लेकिन यह खबर पाते ही भागलपुर के नया कमिश्नर सीएफ ब्राउन ने हर चेकनाके पर फौज लगा दिया और मेजर एफडब्ल्यू बैरों को आदेश दिया कि वे भागलपुर और राजमहल की रक्षा करें। यहाँ तक कि दानापुर, बीरभूम, बाँकुरा, छोटानागपुर, सिंहभूम, हजारीबाग, मुंगेर और पूर्णिया से सेना भेजने का आदेश दे दिया गया। हर दिन कोई न कोई उपद्रव कहीं न

कहीं से सुनने में आने लगा। विद्रोहियों की संख्या भी बढ़ती गई। विद्रोह को कुचलने के लिए 500 घुड़सवार सैनिकों, 40 हाथियों और दो तोपखाने को सिर्फ मुर्शिदाबाद से ही भेजा गया। इस हूल में सिर्फ संताल ही नहीं, बेघर हुए लोग, खेतिहर मजदूर और गरीब किसानों ने भी शिरकत की। ताकि उन्हें ब्रिटिश शासन के अत्याचारों व शोषण से मुक्ति मिल सके। बंगाली पुत्रों ने भी कामगार लोगों को इसमें जोड़ा।

हूल बीरभूम, भागलपुर और मुर्शिदाबाद की सीमा तक फैल गया। कई समूहों में विभक्त होकर संतालों ने जगह-जगह हमले बोले और आतंक राज कायम हो गया। संतालों ने पाकुड़, संग्रामपुर और मानसिंहपुर की तरफ मार्च किया।

16 जुलाई 1855 को मेजर बैरी एक विशाल सेना के साथ संतालों को सबक सिखाने के लिए पायलपुर पहुँचा। वहाँ नजदीक में ही एक दर्रा था। दोपहर को मेजर ने संतालों पर हमला बोलने के लिए दर्रा पार किया। उनकी गतिविधियाँ संतालों से छिपी नहीं थीं। जैसे ही वे नजदीक पहुँचे उनका विष बुझे तीरों से स्वागत किया गया। ब्रिटिश फौज ने गोलियों और तोपों से जवाब दिया। ब्रिटिश अफसरों ने सोचा कि गोलियों से संताल बिखर जाएँगे, लेकिन संताल

पूरी वीरता के साथ उन पर पिल पड़े। यह लड़ाई पाँच घंटों तक चलती रही। अधिकतर ब्रिटिश सैनिक या तो मारे गए या बुरी तरह घायल हो गए। आखिरकार मेजर को भागलपुर लौटने को विवश होना पड़ा।

इस विजय के बाद तो संतालों को रोकना मुश्किल हो गया। उन्होंने कई जगहों पर भयानक लूटपाट मचाई। आखिरकार अक्तूबर में उन्हें संग्रामपुर में ब्रिटिश फौज से लोहा लेना पड़ा। इस युद्ध में हजारों संतालों को बलिदान देना पड़ा। ये लोग ब्रिटिश सेना के आधुनिकतम हथियार और शस्त्रों के आगे नहीं टिक सके। लेकिन उन्होंने फरवरी 1856 तक छिटपुट ही सही, लेकिन अपना विद्रोह जारी रखा। फरवरी 1856 के दूसरे सप्ताह में ब्रिटिश फौज ने सिद्धो को पकड़ लिया और उसे गोलियों से भून दिया गया। इसी महीने की तीसरे सप्ताह को कान्हू को बीरभूम में पकड़ लिया गया और उसे फाँसी दे दी गई। इनकी शहादत के साथ ही संताल विद्रोह मंद पड़ने लगा।

बावजूद इसके संताल विद्रोह की आग लंबे समय तक धधकती रही। संतालों की जिजीविषा और अदम्य संघर्ष क्षमता ने करोड़ों भारतीयों को नई प्रेरणा दी कि संसाधनहीन होकर भी कैसे वे शक्तिशाली ब्रिटिश शासन के खिलाफ लड़ाई जारी रख सकते हैं। लेकिन अब भी संताल हूल का सही मूल्यांकन किया जाना शेष है। अगर सही तरीके से संताल हूल का मूल्यांकन हो, तो यह शोषण के खिलाफ लोगों को नई ऊर्जा व प्रेरणा देने का काम करता रहेगा।

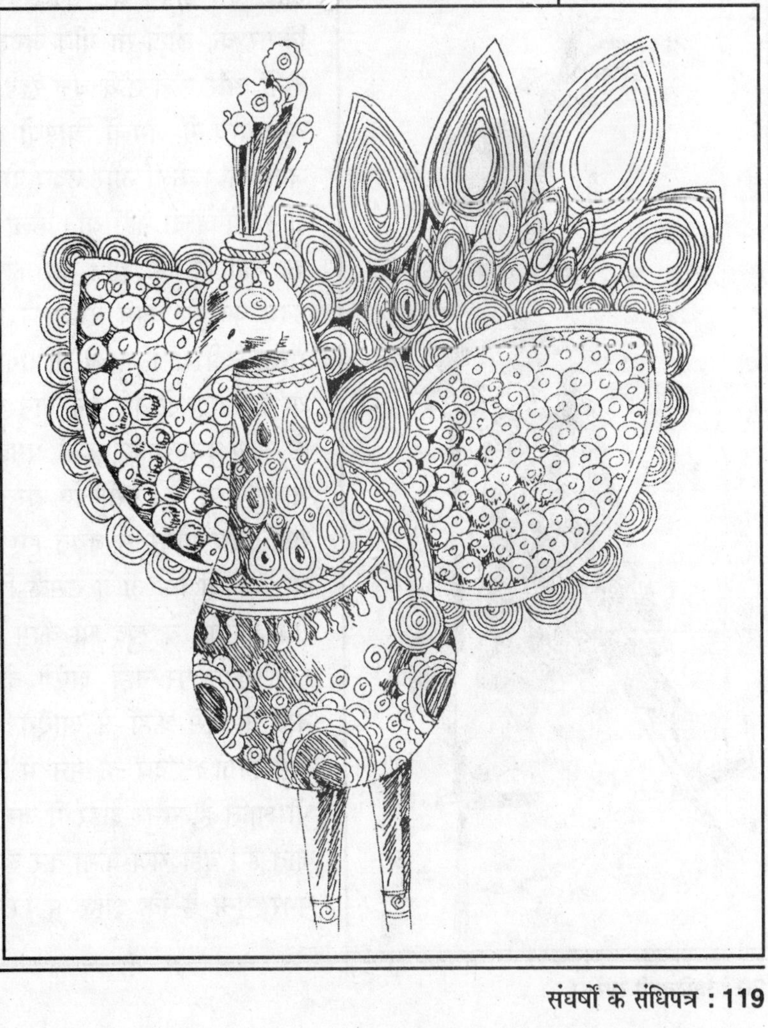

अमर शहीद उदय किरार

□ डॉ. सुश्री शरद सिंह

केला किरार और उसका पुत्र उदय किरार जंगल की ओर जा रहे थे। केला किरार का मन आज जंगल देखने का हो रहा था। वैसे वह लगभग हर दिन जंगल जाता था, लेकिन आज वह अपने बेटे उदय को साथ ले कर जा रहा था। केला किरार का छोटा-सा गाँब जंगल के पास बसा हुआ था। रास्ते के दोनों ओर ऊँचे-ऊँचे वृक्ष खड़े हुए थे। शीतल हवा बह रही थी। बीच-बीच में जंगली चिड़ियों के बोलने की आवाज भी सुनाई दे जाती थी। केला और उदय दोनों धीरे-धीरे चल रहे थे। उन्हें कहीं जाने की जल्दी नहीं थी। केला किरार का मन आज काम पर जाने का नहीं हो रहा था। वह काम पर नहीं गया। उसने अपने बेटे उदय को भी काम पर जाने से रोक लिया था। वह कोई चौड़ा रास्ता नहीं था। पतली-सी पगडंडी थी। उसे देख कर ऐसा लगता था जैसे पशुओं के आने-जाने के कारण पगडंडी बन गई हो। गाँव के सारे दुधारू पशु इसी पगडंडी के रास्ते से घास चरने जंगल जाया करते थे। इसीलिए रास्ते में कहीं-कहीं गोबर भी पड़ा हुआ था। उदय गोबर से बचते हुए चल रहा था। साथ ही वह सोचता जा रहा था कि आज उसके पिता ने उसे काम पर जाने से क्यों रोक लिया? वे खुद भी काम पर क्यों नहीं गए? यदि बाप-बेटा दोनों काम पर नहीं जाएँगे तो कमाएँगे कहाँ से? यदि कमाएँगे नहीं तो पैसे कहाँ से आएँगे? बिना पैसे के परिवार का गुज़ारा कैसे होगा? उदय के मन में विचार आया कि गाँव में तो फिर भी शांति है, मगर शहर में जुलूस निकाले जाते हैं और धरने दिए जाते हैं। वहाँ रोज कमा कर खाने वालों को परेशानी होती होगी। मगर सुना है कि शहर में किसी को इस बात की परवाह नहीं

है। बड़े-बूढ़े, जवान, बच्चे, स्त्री-पुरुष सभी देश को आजाद कराने की कोशिश कर रहे हैं। उदय मन ही मन सोच-विचार करता चल रहा था। उधर केला किरार के मन में भी कुछ इसी तरह की बातें उठ रही थीं। केला जब पैदा हुआ था उस समय भी देश पर अंग्रेजों का शासन था। उसका पुत्र उदय जब पैदा हुआ उस समय भी अंग्रेजों की सरकार थी। अब उदय का विवाह भी हो चुका है मगर अंग्रेज अभी भी देश पर शासन कर रहे हैं। खैर, उसका बेटा उदय अब अपने पाँव पर खड़ा हो गया है, यही सबसे अच्छी बात है, केला किरार ने सोचा। केला किरार स्वयं यह चाहता था कि अंग्रेज भारत छोड़ कर चले जाएँ। देश आजाद हो जाए। उसके पूर्वजों ने हमेशा आजादी में साँस ली थी।

उसके पूर्वज जंगल में रहते थे। वे शिकार करते थे और जंगल में उगने वाले फल-फूल खाते थे। उनका सीधा-सादा जीवन था। धीरे-धीरे उन्हें लगा कि अगर सभी परिवार एक साथ रहेंगे तो उनकी कठिनाइयाँ कम हो जाएँगी। वे मिल कर बड़े-से-बड़ा शिकार कर सकेंगे। वे मिल कर अधिक से अधिक फल-फूल इकट्ठे कर सकेंगे। धीरे-धीरे वे एक स्थान पर एक साथ रहने लगे। उन्होंने गुफाओं और खोहों में रहने के बदले घास-फूस की झोंपड़ियाँ बनानी शुरू कीं। उन्होंने पाया कि

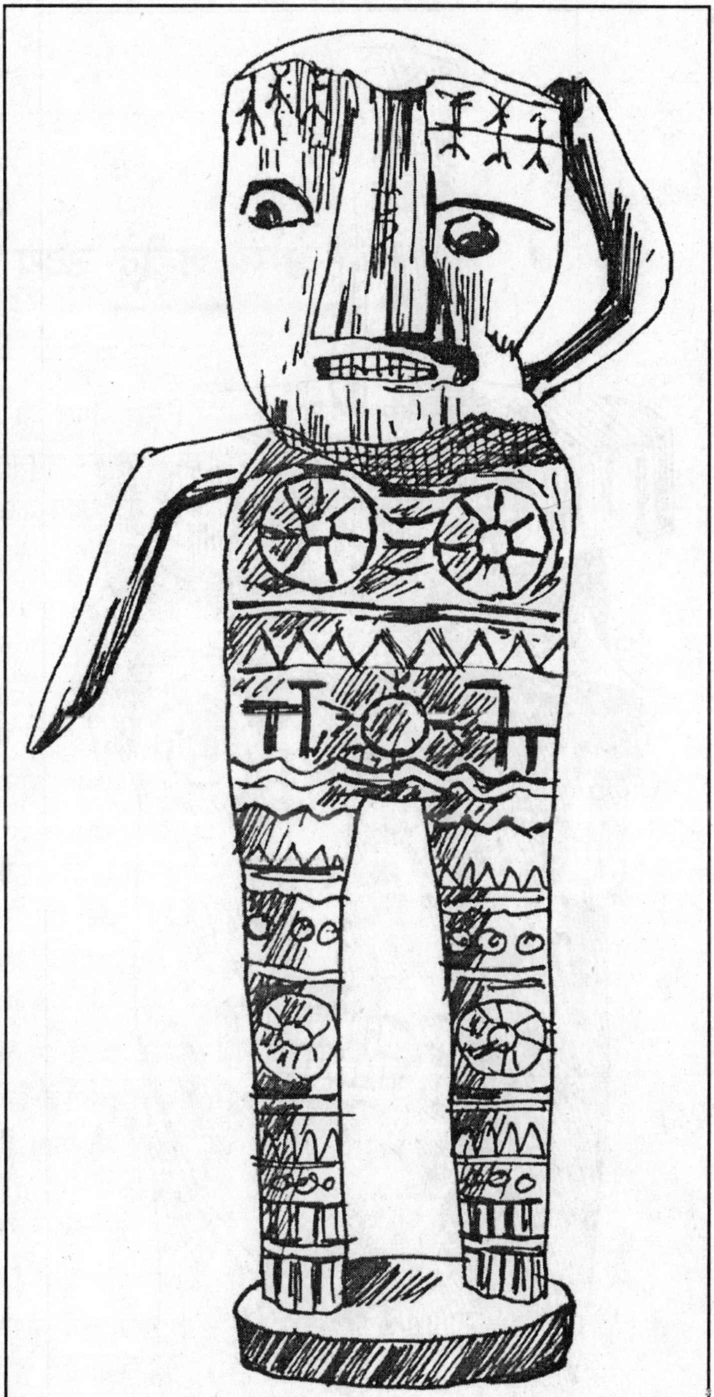

कोदो, कुटकी, गेहूँ आदि को फसल के रूप में उगाया जा सकता है। उन्होंने अपने रहने की जगह के पास जंगल में थोड़ी-सी ज़मीन साफ़ की और उसमें खेती करने लगे। धीरे-धीरे उनके परिवार ग्रामीण आदिवासी समाज के रूप में विकसित हुए। केला किरार के पिता भी खेतों में काम करते थे। केला बड़ा हुआ तो वह भी खेतों में काम करने लगा। अब उसका पुत्र उदय किरार काम में उसका हाथ बँटाने लगा है। एक पिता के लिए सबसे खुशी की बात यही होती है कि उसका पुत्र काम में उसका हाथ बँटाए। उदय एक आज्ञाकारी पुत्र था। वह हमेशा अपने पिता का कहना मानता था। केला किरार अब केवल यही चाहता था कि उसका बेटा अपने पूर्वजों की तरह आजादी की हवा में साँस ले। देश से अंग्रेजों का राज समाप्त हो जाए और देश स्वतंत्र हो जाए। केला किरार कभी-कभार गाँव के स्वतंत्रता संग्राम सेनानियों से मिलता रहता था। मगर वह यह नहीं चाहता था कि उसका बेटा उदय आजादी के कामों में भाग ले। उसने सुन रखा था कि अंग्रेज सरकार आजादी के लिए लड़ने वालों को जेल में बंद करके मारती है और फिर उन्हें फाँसी दे देती है। वह अपने बेटे को फाँसी पर लटकते नहीं देख सकता था।

"दादा! सुना है कि महात्मा गाँधी ने अंग्रेजों से कहा है कि वे वापस चले जाएँ। क्या वे लोग सचमुच चले जाएँगे?" उदय ने अपने पिता केला किरार से पूछा।

"कुछ कहा नहीं जा सकता है।

अंग्रेजों को बहुत पहले हमारे देश से वापस अपने देश चले जाना चाहिए था। मेहमान अगर मेहमान बन कर दो-चार दिन के लिए रहे तो अच्छा लगता है लेकिन अगर मेहमान घर का मालिक बन कर बैठ जाए तो ठीक नहीं होता है। गाँधी जी संत पुरुष हैं। वे हमेशा सबकी भलाई की बात करते हैं। अंग्रेजों को उनकी बात मान लेनी चाहिए।''

''अगर अंग्रेजों ने गाँधी जी की बात नहीं मानी तो?'' उदय ने अपने पिता से पूछा। उसी समय पक्षियों का एक बड़ा समूह चहचहाता हुआ उनके सिर के ऊपर से गुज़र गया। पक्षियों की आवाज़ के शोर के कारण केला किरार अपने पुत्र की बात नहीं सुन सका। ''तुमने क्या पूछा, बेटा? पक्षियों के शोर के कारण मैं सुन नहीं

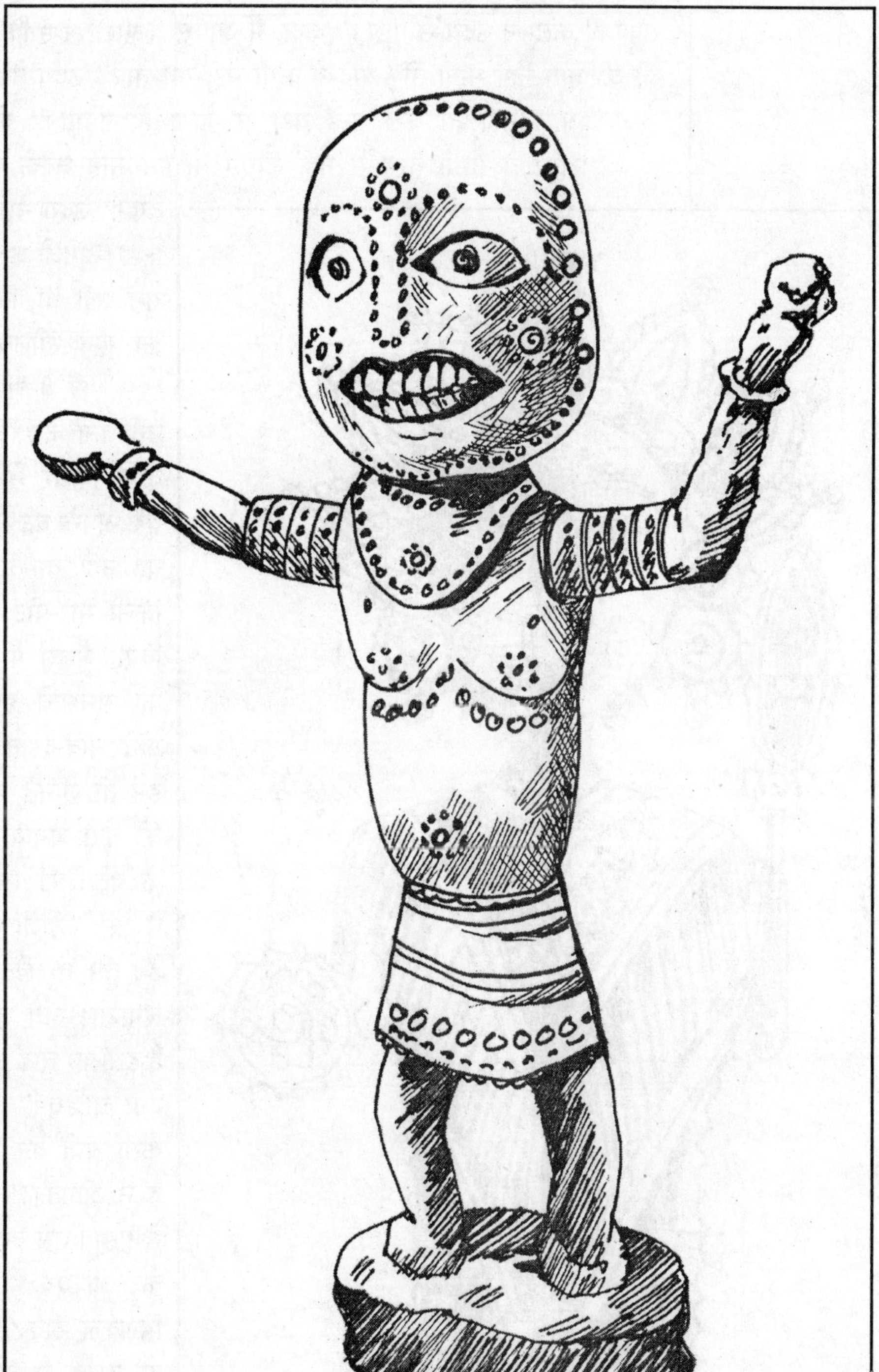

सका।'' केला ने उदय से पूछा। ''दादा, मैं आपसे ये पूछ रहा हूँ कि अगर अंग्रेजों ने गाँधी जी की बात नहीं मानी तो? यदि वे कभी नहीं गए तो?'' उदय ने अपना प्रश्न दोहराया।

''आज नहीं तो कल उन्हें यहाँ से जाना ही पड़ेगा।'' केला ने उत्तर दिया।

''अगर वे सीधी तरह से नहीं जाएँगे तो हम उन्हें धक्के मार कर यहाँ से भगा देंगे।'' उदय ने अपनी बाँहें चढ़ाते हुए कहा। अंग्रेजों के अत्याचार की कहानियाँ सुन रखी थीं, जिसे याद कर के उदय का खून खौलने लगता था।

''हाँ, बेटा! गाँधी जी जैसे महापुरुष उन्हें भगा देंगे! तुम चिंता मत करो।'' केला किरार ने उदय को समझाया। वह अपने बेटे को बहुत चाहता था। वह नहीं चाहता था कि उसका बेटा किसी मार-पीट में शामिल हो अथवा किसी जुलूस में भाग ले। उसने उदय को समझाते हुए कहा, ''बेटा, हम ठहरे गाँव-देहात के आदिवासी लोग, हम तो जानते भी नहीं हैं कि अंग्रेजों को कैसे भगाया जा सकता है। शहर के पढ़े-लिखे लोग जानते हैं इसलिए वे लोग अंग्रेजों का सामना कर सकते हैं। तुम तो खेती-बाड़ी में अपना मन लगाओ! अब तुम्हारी शादी हो चुकी है इसलिए तुम्हें अपने परिवार पर ध्यान देना चाहिए।'' ''दादा, आज आप ये कैसी बातें कर रहे हैं? मन तो ठीक है न आपका?'' उदय ने अपने पिता से पूछा। उसे अपने पिता की बातें सुन कर आश्चर्य हो रहा था। ''मेरा मन बिलकुल ठीक है। तुम यही सोच रहे हो न कि मैं आज खेत पर जाने के बदले इधर जंगल में क्यों चला आया?''

केला किरार ने मुस्कुरा कर पूछा। ''हाँ, दादा! सोच तो रहा हूँ क्योंकि आप खेत जाने में कभी नागा नहीं करते हैं।'' उदय ने कहा। ''बस यूँ ही, मन किया कि काम तो रोज ही करता हूँ, आज दो घड़ी तुम्हारे साथ बिता लूँ! खेत पर हम दोनों जाते तो काम पर लग जाते। इसलिए इधर जंगल की ओर निकल आया। वैसे तुमसे एक बात कहना है, बेटा!'' केला किरार उदय से बोला। ''हाँ-हाँ पिता जी, कहिए!'' उदय ने कहा। ''बात ये है, बेटा कि इन दिनों अपने गाँव का माहौल भी कुछ ठीक नहीं है। तुम्हारे साथी लड़के देश की आजादी की बातें करते रहते हैं। उनमें से कुछ ने पिछले दिनों छोटा-मोटा जुलूस भी निकाला था। उसके बाद से अपने गाँव में पुलिस की गश्त बढ़ा दी गई है। पुलिस के सिपाही अंग्रेजों के नौकर हैं। वे हमें तरह-तरह से परेशान करते रहते हैं।'' कहते हुए केला किरार साँस लेने को रुका। फिर तनिक ठहर कर बोला, ''तुम अपने दोस्तों के साथ मत रहा करो!''

''जी, दादा! जैसा आप कहें!'' उदय ने अपने पिता को भरोसा दिलाया। उदय जानता था कि उसके पिता उसे बहुत प्रेम करते हैं, वे उसे देश की आजादी की लड़ाई में इस डर से शामिल नहीं होने देंगे कि कहीं उसे कुछ हो न जाए। उसने मन ही मन अपने पिता से क्षमा माँगी। उसके पिता उसके जिन साथी लड़कों की बात कर रहे थे, उनका नेता स्वयं उदय था। जुलूस वाले दिन वह सामने नहीं आया था, इसलिए उसके पिता को उसके बारे में पता नहीं चल सका था। उसके साथियों ने उसे जुलूस में शामिल होने से मना कर दिया था ताकि पुलिस की उस पर दृष्टि न पड़े। उसके साथी जानते थे कि उसे अभी देश की आजादी की लड़ाई में बहुत काम करने हैं।

उदय किरार एक छोटे से गाँव का रहने वाला था। उसके गाँव का नाम था नाहिया। नाहिया मध्य

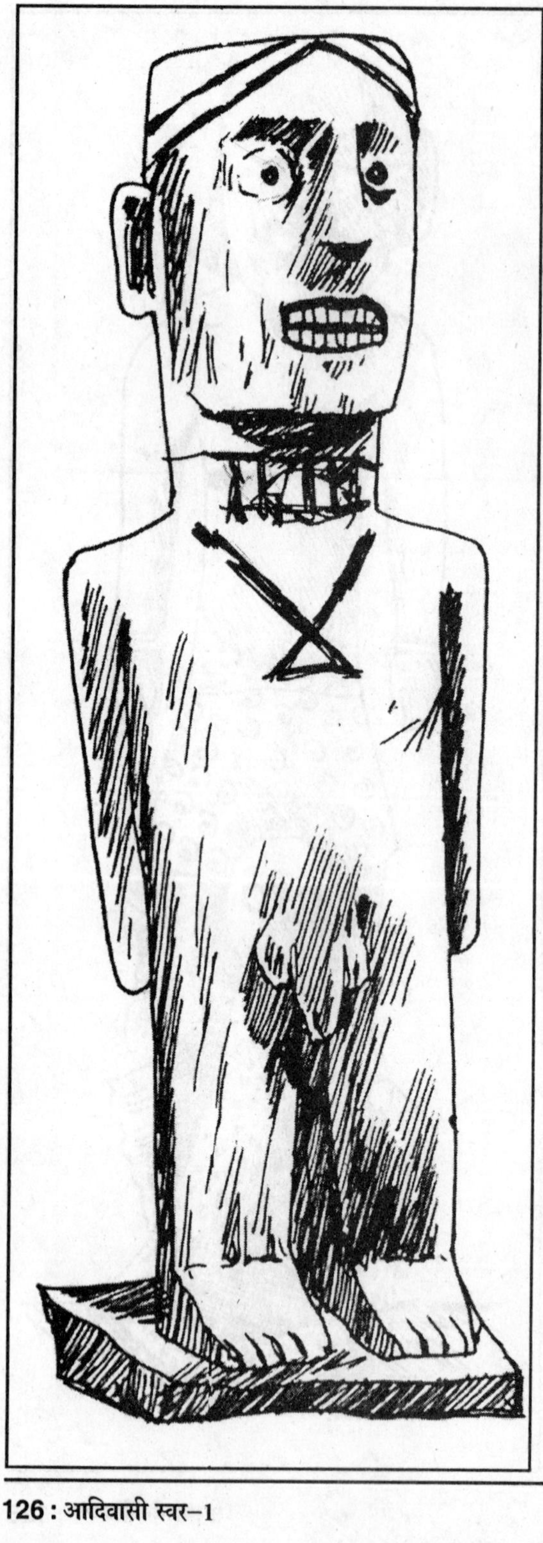

प्रदेश के बैतूल जिले के पास एक छोटा-सा गाँव है। बैतूल से मुलताई जाते समय पंखा नाम का एक स्थान है। यहीं से आमला के लिए सड़क जाती है। इसी सड़क के किनारे पंखा से लगभग पाँच कि.मी. दूर नाहिया गाँव है। देश के स्वतंत्र होने से पहले यह गाँव बहुत पिछड़ा हुआ था। इस गाँव में किरार आदिवासियों के कई घर थे। वैसे गाँव में एक स्कूल भी था। स्कूल का निरीक्षण करने कभी-कभार एक अंग्रेज अधिकारी भी आता रहता था। वह गाँव के लोगों को घृणा की दृष्टि से देखता था। इसलिए गाँव वाले भी उसे पसंद नहीं करते थे। लेकिन उदय सोचता था कि इस एक अंग्रेज से चिढ़ने से क्या लाभ? अच्छा तो तब होगा, जब इस देश से अंग्रेजों को भगा दिया जाए और देश को इनकी गुलामी से आजाद करा लिया जाए। कहते हैं न कि जहाँ चाह, वहाँ राह। उदय आजादी की लड़ाई में योगदान देना चाहता था। उसे जल्दी ही गाँव के दूसरे स्वतंत्रता प्रेमियों के साथ काम करने का मौका मिल गया। कुछ समय पहले उदय की शादी हुई थी। उसकी पत्नी का नाम था फुसलीबाई। वह एक घरेलू स्त्री थी। नई बहू होने के कारण वह घर से बाहर कम ही निकलती थी। उस समय उसकी आयु लगभग उन्नीस-बीस वर्ष रही होगी। फुसलीबाई उदय जैसा पति पाकर बहुत प्रसन्न थी। उदय देखने में भी अच्छा था और व्यवहार में भी। वह फुसलीबाई से कभी लड़ता-झगड़ता नहीं था। वह फुसलीबाई को बहुत प्रेम करता था। फुसलीबाई इतनी सीधी-सादी महिला थी कि उसे पता भी नहीं था कि उसका पति उदय देश की आजादी का दीवाना है और वह स्वतंत्रता संग्राम में शामिल हो गया है। फुसलीबाई को केवल इतना पता था कि उसका पति खेत पर काम करने जाता है और फिर अपने दोस्तों के बीच उठता-बैठता है। फुसलीबाई की दुनिया अपने घर-परिवार तक सीमित थी। अपने ससुर, अपने पति, अपने देवर की सेवा करना

उसे अच्छा लगता था। फुसलीबाई के देवर का नाम था सदाराम। वह उस समय लगभग सत्रह-अट्ठारह साल का था। यह सन् 1942 ई. की बात है। महात्मा गाँधी ने अंग्रेजों के विरुद्ध 'भारत छोड़ो' आंदोलन छेड़ दिया था। गाँव-गाँव, शहर-शहर से लोग इस आंदोलन से जुड़ रहे थे। इस कारण एक ओर जहाँ अंग्रेजी सरकार बौखला गई थी, वहीं स्वतंत्रता संग्राम सेनानी जोश से भर उठे थे। नाहिया गाँव में भी आजादी के दीवानों में नया उत्साह आ गया था। वे 'भारत छोड़ो' आदोलन के समर्थन में प्रदर्शन करने लगे। इससे पुलिस वाले नाराज हो गए। पुलिसवालों ने गश्त बढ़ा दी। वे गाँव वालों पर अत्याचार करने लगे। वे जिससे भी नाराज हो जाते, उसे बिना किसी अपराध के जेल में बंद कर देते अथवा मार-पीट करते। उस दिन नाग पंचमी थी। गाँव में एक अलग ही उत्साह छाया हुआ था। बच्चे-बूढ़े सभी नाग पंचमी मनाने की तैयारी कर रहे थे। वे नाग देवता को दूध पिला कर पुण्य कमाना चाहते थे। फुसलीबाई ने भी सुबह से नाग पंचमी मनाने की तैयारी कर रखी थी। उसने एक बरतन में अलग से नाग देवता के लिए दूध रख दिया था। उसने

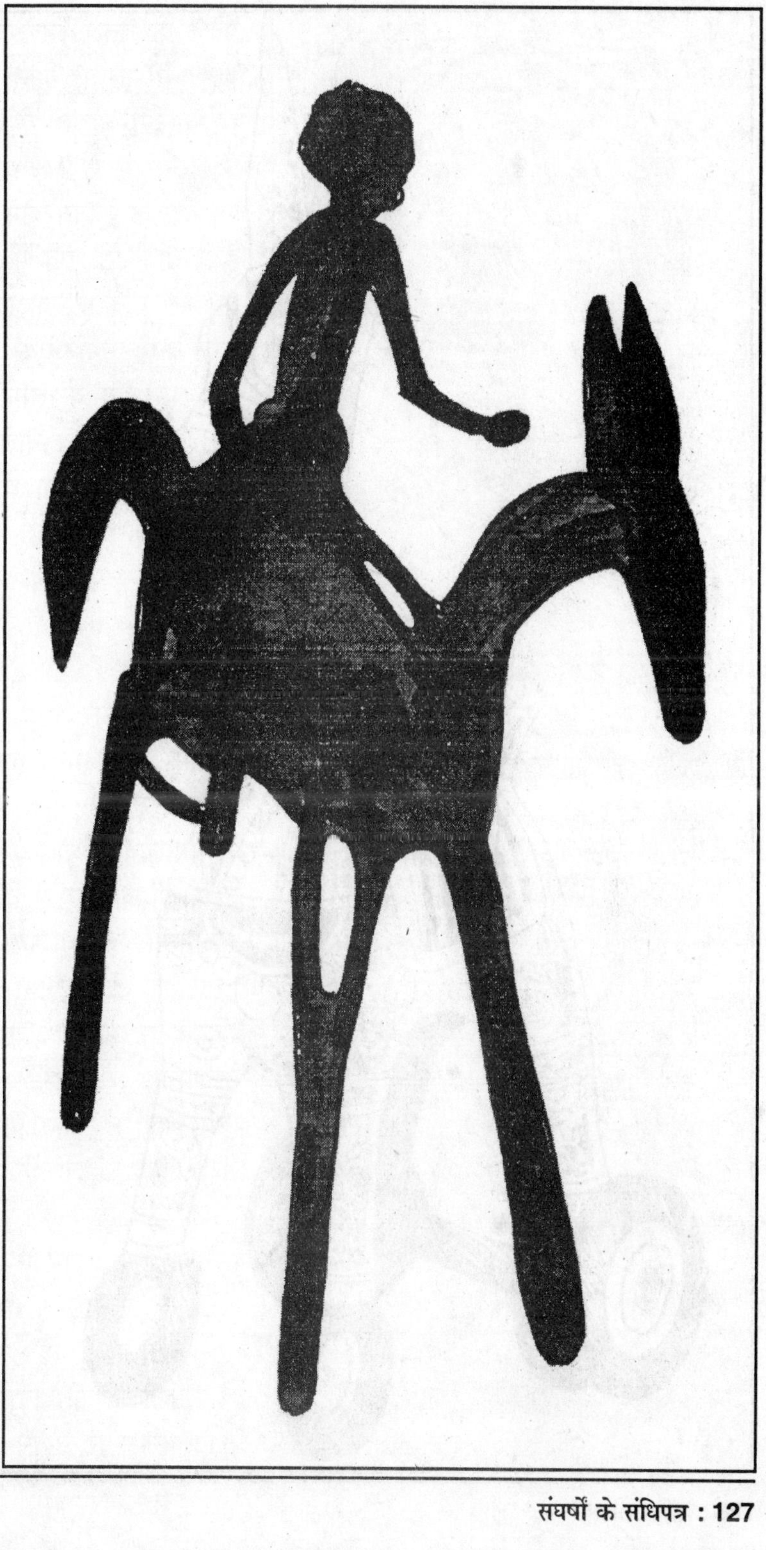

सुबह ही भगवान की पूजा-आरती भी कर ली थी। उधर फुसली-बाई का देवर सदाराम भी उत्साहित था। वह अपने दोस्तों के साथ दंगल देखने जाने वाला था। वह जल्दी से भोजन करके दोस्तों के पास जाना चाह रहा था लेकिन अभी उसके पिता और भाई खेत से नहीं आए थे। वे दोनों भोजन करने दोपहर को घर आया करते थे।

''मुझे बहुत भूख लगी है।'' सदाराम ने अपने पेट पर हाथ फेरते हुए कहा। ''तो भोजन कर लो। भोजन बिलकुल तैयार है।'' फुसलीबाई ने कहा। ''नहीं, दादा और उदय भैया आ जाएँ, फिर तीनों साथ में भोजन करेंगे।'' सदाराम ने मना करते हुए कहा। वह अपने पिता और भाई की प्रतीक्षा करते हुए दरवाज़े की ओर देखने लगा।

''भैया, आज सुबह से पता नहीं क्यों मुझे अच्छा नहीं लग रहा है।'' फुसलीबाई ने अपने देवर सदाराम से कहा। वह वहीं जमीन पर बैठ गई।

''तबीयत तो ठीक है न, भौजी?'' सदाराम ने पूछा।

''हाँ, तबीयत तो ठीक है लेकिन मन खराब है। पता नहीं क्यों सुबह से मन में बुरे-बुरे विचार

आ रहे हैं।'' फुसली बाई बोली।

''अपने मायके की याद आ रही होगी। है न! खैर, चिंता मत करो कल ही मैं तुम्हारे मायके जा कर वहाँ की खोज-ख़बर ले आऊँगा! आज नाग पंचमी है। मुझे दोस्तों के साथ जाना है, नहीं तो आज ही चला जाता।'' सदाराम ने कहा।

''मायके की याद तो नहीं आ रही है लेकिन ठीक है, कल तुम वहाँ हो आना।'' फुसलीबाई ने कहा। वह उठ खड़ी हुई। उसे कोई काम याद आ गया। वह घर के पीछे वाले हिस्से में चली गई। सदाराम अकेले बैठा-बैठा अपने पिता और भाई की प्रतीक्षा करने लगा।

कुछ देर बाद केला किरार और उदय घर आ गए। उन्हें देखकर सदाराम उठ खड़ा हुआ।

''आप लोग जल्दी हाथ-पैर धोइए और खाना खाने बैठिए। मुझे बड़ी जोरों की भूख लगी है।'' सदाराम ने अपने पिता और भाई से कहा।

''अगर तुम्हें बड़े जोरों की भूख लगी थी तो तुम्हें भोजन कर लेना चाहिए था।'' केला किरार ने सदाराम से कहा।

''अरे वाह! आप लोगों के बिना कैसे खा लेता? फिर आज त्यौहार का दिन है, हम सब साथ-साथ खाएँगे!'' सदाराम बोला।

''लो, मैं तो आ गया!'' उदय

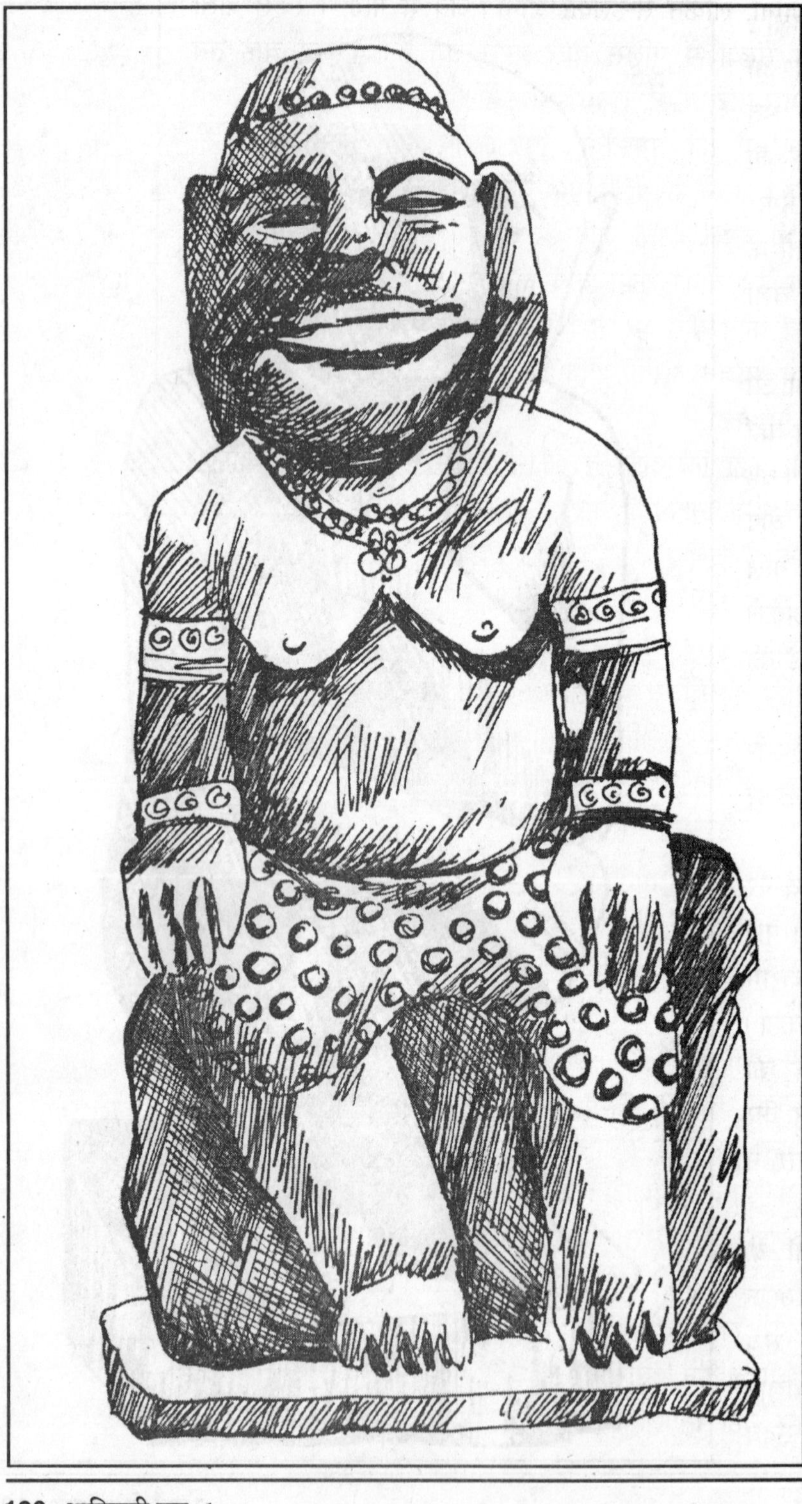

ने झटपट हाथ धोया, अपने पैरों पर पानी डाला और उन्हें कपड़े से पोंछता हुआ भोजन करने बैठ गया।

वे लोग गरीब थे लेकिन आपस में हिलमिल कर रहने के कारण खुशी से रहते थे। दोनों भाइयों में आपस में बड़ा प्रेम भाव था। गाँव के लोग उदय और सदाराम के बारे में कहते थे कि–''ये तो राम-लक्ष्मण की जोड़ी है।''

केला किरार भी हाथ-पाँव धो कर भोजन करने के लिए आ बैठा। फुसली-बाई ने उन लोगों के सामने थाली-कटोरी रखी और भोजन परोसने लगी। घर के पुरुषों को भोजन कराना घर की बहू का काम होता था। फुसली-बाई बहुत मन लगा कर अपना काम करती थी। वह घर के हर सदस्य के खाने-पीने का ध्यान रखती थी।

''दादा, आज मैं सोच रहा हूँ कि दंगल देख आऊँ। मेरे दोस्त मुझे अपने साथ ले जाना चाहते हैं।'' सदाराम ने अपने पिता से कहा।

''हाँ, आज नाग पंचमी है। आज तो हर गाँव में दंगल

होते हैं। ठीक है तुम चले जाना, लेकिन सम्हलकर जाना। जब से गाँव में स्कूल वाला कांड हुआ है, तब से बड़ी संख्या में पुलिस वाले घूमने लगे हैं। वे जब चाहे तब किसी को भी पकड़ कर मार-पीट करने लगते हैं। इसलिए सावधान रहना। जल्दी लौट आना।'' केला ने सदाराम को समझाया। फिर उसने देखा कि उदय किसी सोच-विचार में डूबा हुआ है। उसने उदय से पूछा—''क्या बात है उदय बेटा! क्या सोच रहे हो? अगर तुम्हें भी दंगल देखने जाना है तो हो आओ! हमने आधे दिन का काम तो कर ही लिया है। बाकी काम कल कर लेंगे!''

''नहीं दादा, आज का काम कल पर नहीं छोड़ना चाहिए। वैसे भी मुझे दंगल देखने नहीं जाना है। मैं तो भोजन करके थोड़ी देर आराम करूँगा और फिर काम पर लौट जाऊँगा।'' उदय ने कहा।

''हाँ बेटा, तुमने ठीक कहा कि आज का काम कल पर नहीं छोड़ना चाहिए। आज कल गाँव का माहौल ठीक नहीं है। अरे हाँ, तुम्हें पता चला क्या कि स्कूल के कागज किसने जलाए थे?'' केला ने उदय से पूछा। कुछ दिन पहले यह घटना घटी थी। आजादी के दीवानों ने गाँव के स्कूल में घुस कर अंग्रेज सरकार के विरोध में नारे लगाए थे और स्कूल के कागज जला दिए थे। गाँव की पुलिस यह भी पता नहीं कर सकी थी कि कागज जलाने वाले कौन थे। लेकिन इस घटना के बाद से गाँव में बाहर से और पुलिस आ गई थी। ये लोग गाँव में गश्त करते थे और जब तब गाँव वालों को डराते-धमकाते रहते थे।

''अभी तो कुछ पता नहीं चला है, दादा!'' उदय ने कहा।

वे लोग अभी भोजन कर ही रहे थे कि घर के बाहर से पुकारे जाने की आवाज आई। कोई बड़ी कर्कश आवाज में उदय को बुला रहा था।

''ये खाना खाते समय कौन आ गया?'' केला किरार बड़बड़ाया।

''मैं देखता हूँ!'' कहकर सदाराम उठने को हुआ।

''तुम बैठो, भोजन करो! मैं देख लेता हूँ!'' उदय ने सदाराम को रोका और वह हाथ में खाने का कौर लिए ही स्वयं उठ खड़ा हुआ। बाहर से इतनी जोर-जोर से पुकारा जा रहा था कि उसे हाथ धोने का अवसर ही नहीं मिला। उसने अभी पूरा भोजन किया भी नहीं था। बस, दो-चार कौर खाए थे।

फुसलीबाई भी वहीं थी लेकिन अगर घर में कोई पुरुष मौजूद हो तो घर की बहुएँ बाहर नहीं निकलती थीं। फुसलीबाई को यह

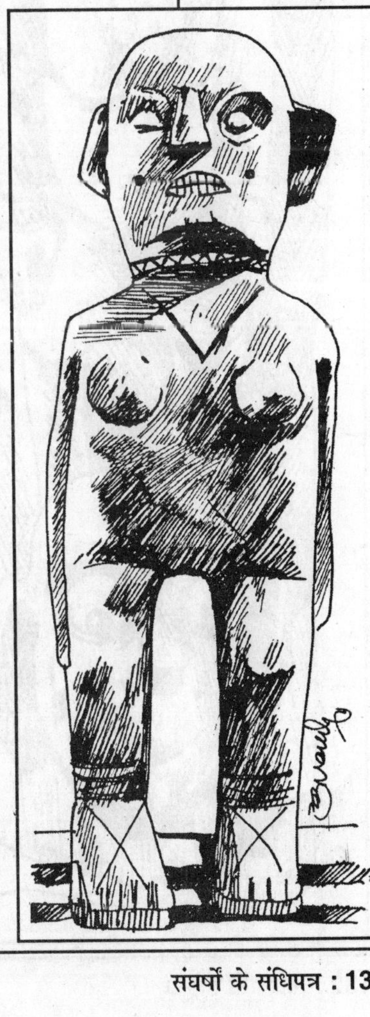

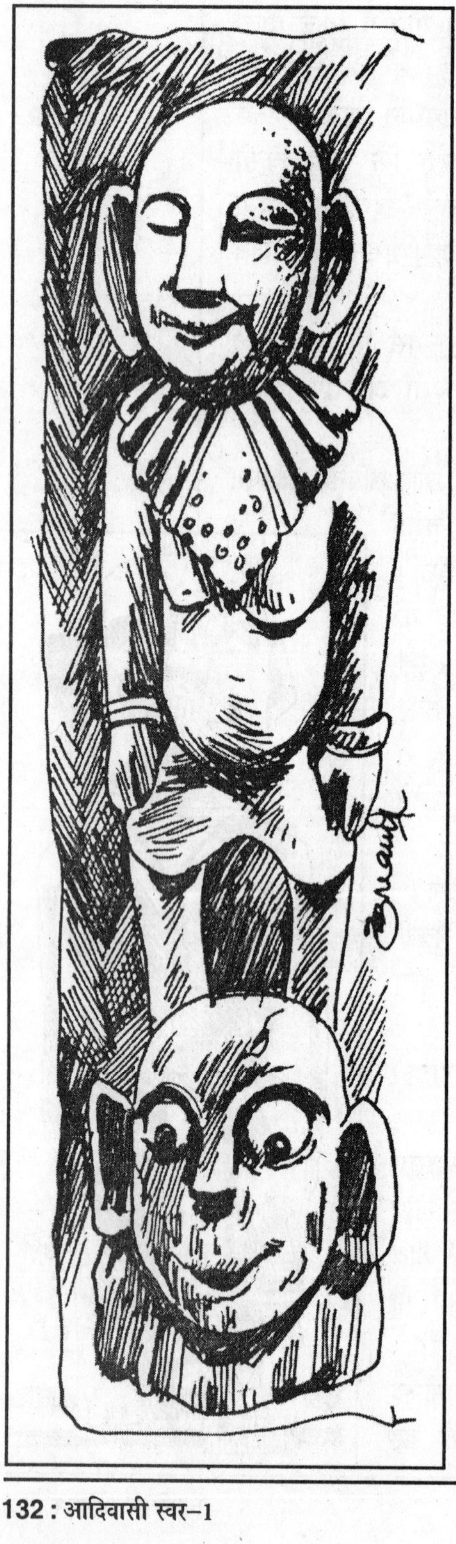

अच्छा तो नहीं लगा कि उसके पति को बीच खाने में से उठ कर बाहर जाना पड़ रहा है, लेकिन वह चुप रही।

उदय हाथ में कौर लिए ही घर से बाहर आ गया। उसने देखा कि सामने दो-तीन सिपाही खड़े हुए थे। सिपाहियों ने उदय को देखा। उनमें से एक ने कड़क कर उदय से पूछा, ''उदय किरार कहाँ है?''

''मैं ही उदय किरार हूँ! क्या काम है मुझसे?'' उदय ने शांत स्वर में उत्तर दिया।

''चलो, तुम्हें पटेल की चौपाल पर बुलाया गया है।'' सिपाही ने कहा।

''क्यों?'' उदय ने पूछा।

''स्कूल वाले मामले में गाँव के सभी लोगों का बयान लिया जा रहा है। तुम्हारा भी बयान लेना है। कौन जाने तुम्हीं ने वो कागज जलाएँ हों!'' उस सिपाही ने कहा।

''ठीक है, मैं भोजन कर के आता हूँ!'' उदय ने सिपाहियों से कहा।

''कोई भोजन-वोजन नहीं करना है, चल ऐसे ही!'' एक सिपाही गुर्रा कर बोला। उसे लगा कि उदय उन लोगों का कहना नहीं मान रहा है।

''मैंने कहा न कि मैं खाना खा कर अभी वहाँ पहुँच जाऊँगा!'' उदय ने हाथ का कौर आगे करते हुए कहा।

''मैंने भी कहा न कि कोई खाना-वाना नहीं खाना है, अब तो पुलिस के डंडे खाना!'' अंग्रेजों के भक्त सिपाही अपने साथी की बात सुन कर हँसने लगे।

''अच्छा हाथ तो धो लेने दो!'' उदय ने देखा कि ये लोग उसे भोजन नहीं करने देंगे। उसने उनसे अपने जूठे हाथ धोने की अनुमति माँगी।

''न जाने के बहाने कर रहा है!'' कहते हुए एक सिपाही ने आव देखा न ताव और राइफल उठाकर उदय पर गोली चला दी। गोलियाँ उदय की छाती में लगीं और वह वहीं ढेर हो गया। गोली की आवाज सुन कर उदय का पिता केला घबरा गया। वह खाना छोड़ कर हाथ में कौर लिए-लिए भाग कर बाहर आया।

उसने देखा कि उसका बेटा उदय जमीन पर लहूलुहान पड़ा हुआ है और सिपाही उस पर गोलियाँ बरसा रहे हैं। वह उदय को गोलियों से बचाने के लिए उदय से लिपट गया। सिपाही केला किरार को देख कर भी नहीं रुके। उन्होंने केला पर भी गोलियाँ चला दीं। पलभर में केला का शरीर भी गोलियों से छलनी हो गया। लगातार गोली चलने की आवाज सुन कर फुसलीबाई ने दरवाजे की ओट से चुपके से देखा; उसे सिपाहियों की झलक मिली। वह समझ गई कि कोई बुरी घटना घट गई है। वह घर की और महिलाओं तथा अपने देवर सदाराम के साथ घर के पीछे वाले रास्ते से पड़ोसियों के पास जा पहुँची। तब तक गाँव के और लोग भी गोलियों की आवाज़ सुन कर उधर चले आए थे। सब के सब केला किरार के परिवार की मदद करने दौड़ पड़े। केला किरार के घर के पास पहुँच कर वे लोग यह दृश्य देख सकते में आ गए कि सिपाही उदय के शव को राइफल से मारते हुए कह रहे थे—"आजादी चाहिए थी न! अब ले ले आजादी!"

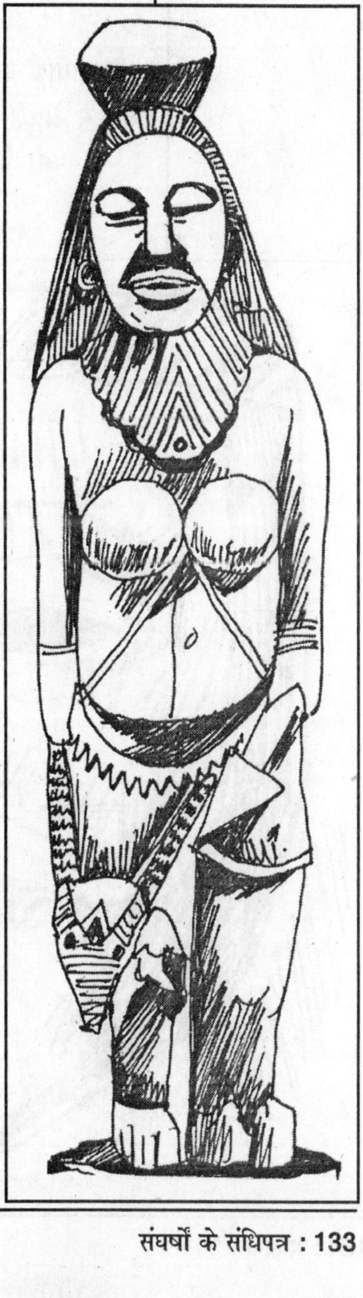

गाँव वालों का क्रोध भड़क उठा। गाँव वालों को क्रोधित होते देखकर वे सिपाही भाग खड़े हुए। बाप-बेटे की एक साथ मृत्यु देख कर गाँव वालों की आँखों में आँसू आ गए। वे जानते थे कि उदय किरार देश की आजादी के लिए लड़ रहा था। उन्होंने उदय किरार को देश के लिए शहीद होते देखा। पूरा गाँव शहीद उदय किरार और उसके पिता की जय-जयकार के नारों से गूँज उठा। आज भी नाहिया गाँव में शहीद उदय किरार का नाम पूरे सम्मान के साथ लिया जाता है।

अमर शहीद देभोबाई

□ डॉ. सुश्री शरद सिंह

''मालोबाई क्या कर रही हो? हाट नहीं चलना है क्या?'' देभोबाई ने मालोबाई के घर में प्रवेश करते हुए कहा।

''अरे देभोबाई, आओ, आओ। बस, अभी चलती हूँ। ये कोदो धूप दिखाने को डाले थे, इनको समेट लूँ।'' मालोबाई ने कहा।

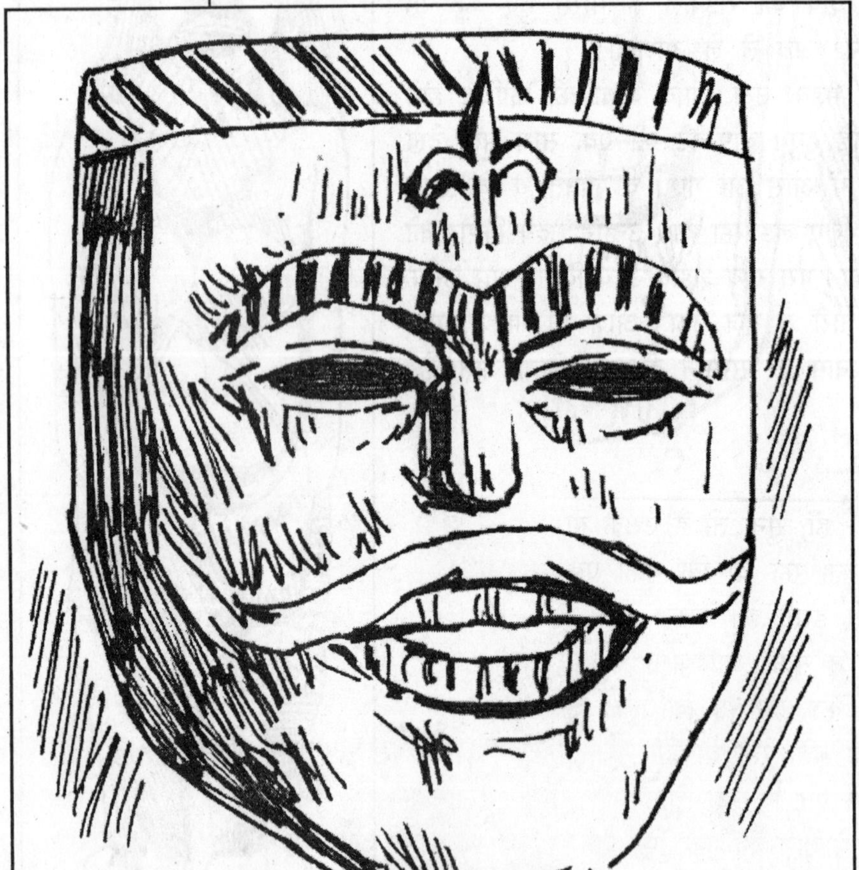

''हाँ-हाँ, समेट लो। चलो मैं तुम्हारा हाथ बँटा देती हूँ।'' देभोबाई ने कहा। वह मालोबाई की मदद करने लगी।

ये दोनों औरतें एक छोटे से गाँव में रहती थीं। उनके गाँव का नाम था भीलवा। यह गाँव सिवनी जिले में सिवनी-नागपुर राजमार्ग पर सिवनी से लगभग तैंतीस मील दूर टुरिया नामक गाँव के पास बसा हुआ है। इस छोटे से गाँव में उन दिनों भी हाट लगा करता था। यह हाट सप्ताह में एक बार लगता था। इसलिए गाँव वालों को सप्ताह भर के लिए सामान खरीद

कर रख लेना पड़ता था। गाँव की औरतें साग-भाजी से लेकर घर के दूसरे जरूरी सामान खरीदने के लिए हाट जाया करती थीं। भीलवा आदिवासियों का गाँव था। मालोबाई और देभोबाई भी आदिवासी थीं। इन दोनों औरतों में अच्छी दोस्ती थी। वैसे भी गाँव में औरतें अकेले हाट-बाजार जाना पसंद नहीं करती हैं। दोनों सहेलियाँ हमेशा साथ-साथ हाट करने जाया करती थीं।

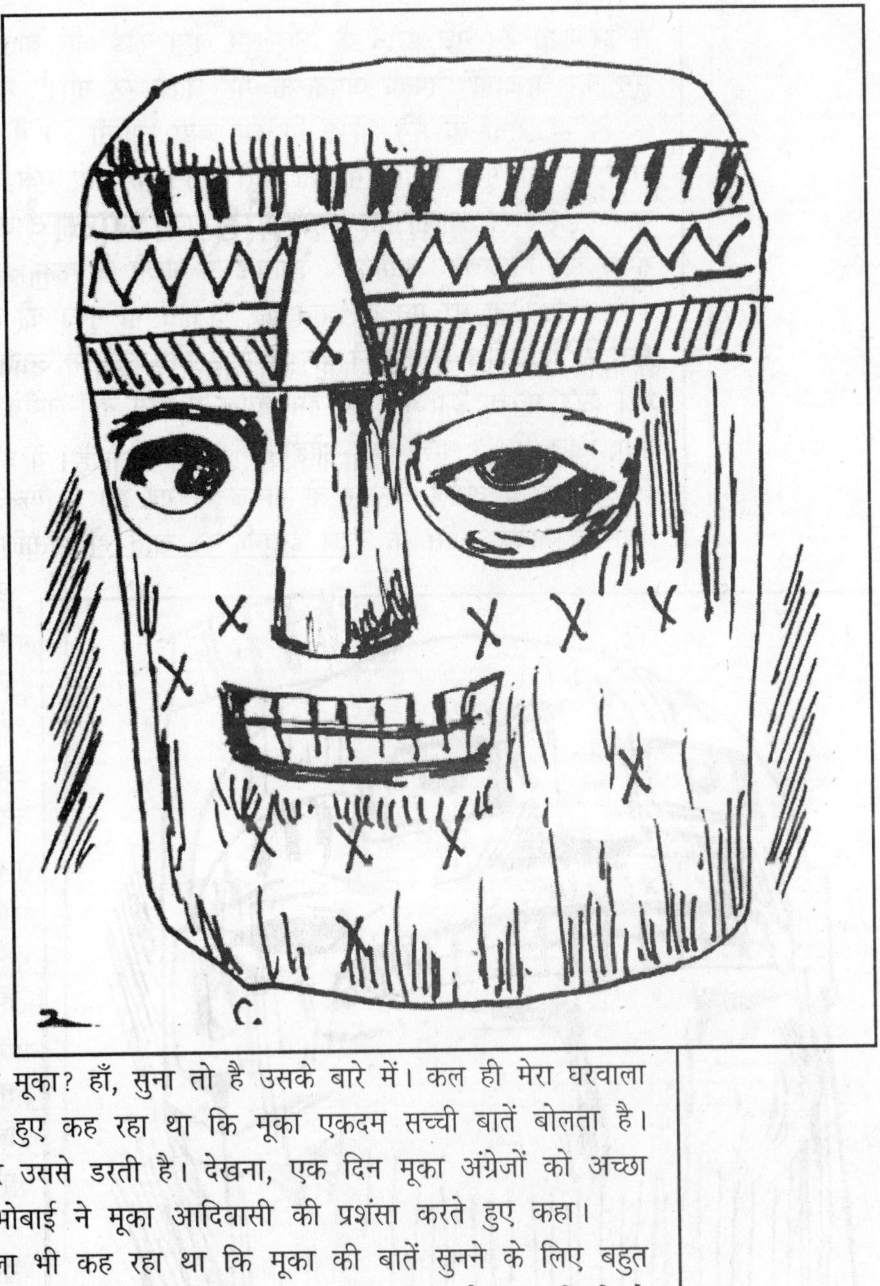

"क्यों देभो, तुमने मूका के बारे में कुछ सुना क्या?" कोदो समेटते हुए मालोबाई ने देभोबाई से पूछा।

"वो टुरिया वाला मूका? हाँ, सुना तो है उसके बारे में। कल ही मेरा घरवाला मूका की तारीफ करते हुए कह रहा था कि मूका एकदम सच्ची बातें बोलता है। इसीलिए अंग्रेज सरकार उससे डरती है। देखना, एक दिन मूका अंग्रेजों को अच्छा सबक सिखाएगा।" देभोबाई ने मूका आदिवासी की प्रशंसा करते हुए कहा।

"हाँ, मेरा घरवाला भी कह रहा था कि मूका की बातें सुनने के लिए बहुत लोग इकट्ठे हो जाते हैं। वह बता रहा था कि मूका बड़ा निडर है। वह किसी से नहीं डरता है। सुना है कि उसे एक दिन दो सिपाहियों ने खूब डराया-धमकाया। उससे यह भी कहा कि वे उसे जेल में डाल देंगे और फिर उसे जीवित बाहर नहीं आने देंगे। इस पर मूका ने उन लोगों से हँस कर कहा कि मैं उन लोगों में से नहीं हूँ जो मौत

से डर जाते हैं। मुझे डराने के लिए तुम लोग कोई और बात सोचो! मूका की बात सुन कर वे दोनों सिपाही अपना-सा मुँह लेकर रह गए!'' मालोबाई ने कहा।

''हाँ, सुना तो मैंने भी है कि वह बड़ा साहसी है। मैं तो सोचती हूँ कि हम दोनों को भी मूका आदिवासी की बातें सुनने के लिए एक दिन टुरिया गाँव जाना चाहिए। हम हाट-बाजार तो जाती ही हैं, एक दिन उस आदमी के दर्शन करने का समय हमें निकालना चाहिए!'' देभोबाई ने मालो से कहा।

''तुमने तो मेरे मन की बात कह दी। मैं भी मूका की बातें सुनना चाहती हूँ। सुना है कि अंग्रेज सरकार ने कह दिया है कि कोई भी आदमी जंगल जा कर घास नहीं काट सकता है। अरे, जब हम जंगल से घास नहीं लाएँगे तो अपने जानवरों को क्या खिलाएँगे?'' मालो बाई बोली।

''अरे, ये अंग्रेज सरकार तो पागल हो गई है। या फिर हो सकता है कि इन गोरों के जानवर घास के बदले इंसानों को खाते हों, इसीलिए ये गोरे इंसानों को पकड़-पकड़ कर जेल में बंद कर देते हैं। ताकि उनके जानवर आसानी से अपने मन के आदमी को पकड़ कर खा सकें।'' देभोबाई ने हँसते हुए कहा।

''तुम्हें तो हर बात में हँसी-मजाक सूझता रहता है। ये बताओ कि टुरिया गाँव कब चलना है?'' मालोबाई ने हाट जाने के लिए झोला उठाते हुए पूछा।

''अच्छे काम में देर कैसी? चलो, कल ही चलते हैं। मैं आज अपने घरवाले से बात कर लूँगी।'' देभोबाई ने कहा।

''अगर तुम्हारे घरवाले

ने मना कर दिया तो? क्या फिर भी तुम टुरिया गाँव जाओगी?'' मालोबाई ने पूछा।

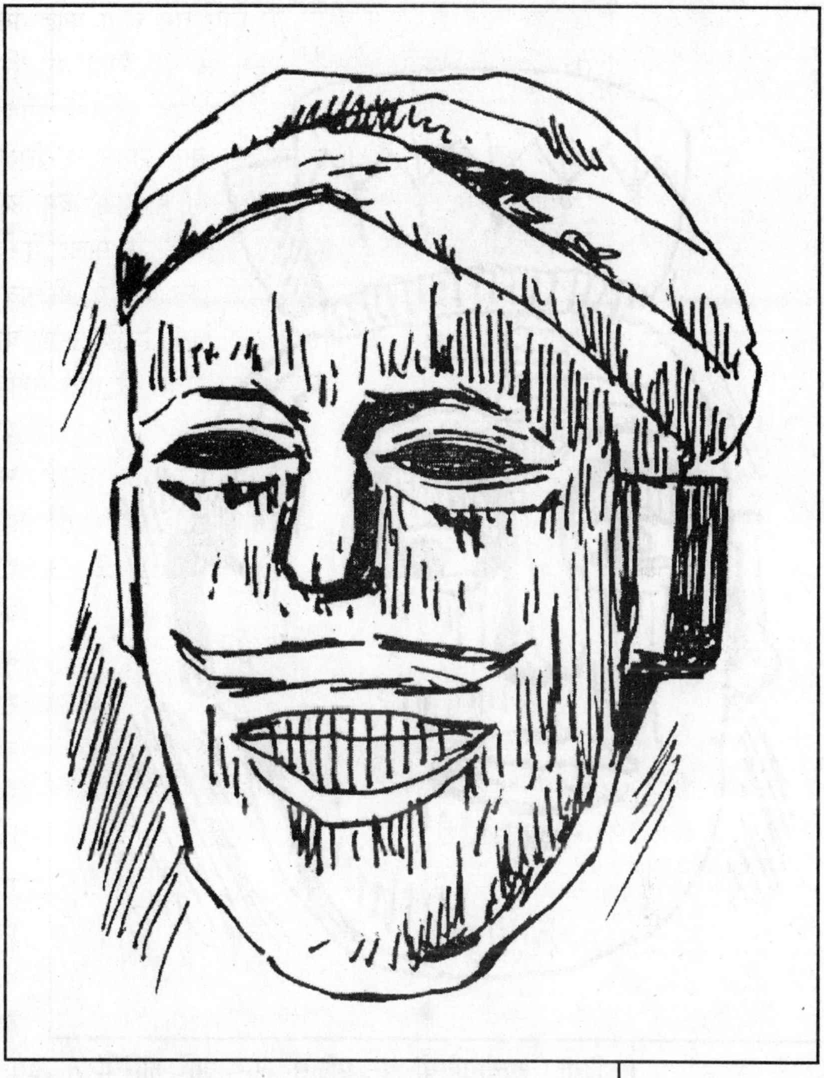

''नहीं, वह कभी मना नहीं करेगा। अच्छे काम के लिए कभी मना नहीं करता है मेरा घरवाला।'' देभोबाई ने विश्वास के साथ कहा।

दोनों सहेलियाँ बातचीत करती हुईं हाट के लिए चल पड़ीं। दोनों ही घरेलू औरतें थीं। उन्होंने इसके पहले कभी किसी और बात की चिंता नहीं की थी। घर से बाहर के बाकी काम उनके पति कर लिया करते थे। मगर आजादी की इच्छा की लहर ने उन्हें भी प्रभावित कर ही डाला। स्वतंत्रता की मशाल ले कर चलने वाले मूका आदिवासी से मिलने की इच्छा उनके मन में बलवती हो गई।

वह सन् 1930 ई. का समय था। चारों ओर अंग्रेज-विरोधी लहर चल रही थी। देश में महात्मा गाँधी ने 'नमक सत्याग्रह' आंदोलन की घोषणा कर दी थी। पूरे देश में जगह-जगह पर आंदोलन कर के 'नमक सत्याग्रह' को समर्थन दिया जा रहा था। मध्यप्रदेश में भी आजादी के दीवाने 'नमक सत्याग्रह' के समर्थन में आंदोलन कर रहे थे। लेकिन इसी मध्यप्रदेश के सिवनी जिले में एक दूसरा ही आंदोलन सुलग रहा था। यह आंदोलन इतिहास में 'जंगल सत्याग्रह' के नाम से प्रसिद्ध है। इस आंदोलन की शुरुआत अंग्रेज सरकार के अत्याचार के कारण हुई।

सिवनी जिले में 'नमक सत्याग्रह' के समर्थन में आंदोलन करने के लिए एक

विशेष उपाय सोचा गया। सिवनी जिला वनों से भरा-पूरा है। उस समय सिवनी में और अधिक घने जंगल पाए जाते थे। सिवनी जिले के स्वतंत्रताप्रेमी आदिवासियों ने सोचा कि जंगल में घास काट कर अपना विरोध प्रकट करेंगे। यह एकदम शांतिपूर्ण तरीक़ा था। मगर अंग्रेज और उनके भक्त अधिकारियों और पुलिसवालों को यह मंजूर नहीं था। सबसे पहले उगली गाँव के सत्याग्रहियों पर अत्याचार के डंडे बरसे। पुलिस ने सत्याग्रहियों में से कुछ को वहीं जंगल में पेड़ से बाँध कर चालीस-चालीस कोड़े मारे। जिससे सत्याग्रही लहूलुहान हो गए। कुछ सत्याग्रहियों को पकड़ कर जानवरों के समान काँजीहाउस (आवारा पशुओं को रखने की जगह) में बंद कर दिया। सत्याग्रहियों पर पुलिस और अधिकारियों के इस अत्याचार की खबर फैलते ही पूरे सिवनी जिले में 'जंगल सत्याग्रह' ने जोर पकड़ लिया।

बड़ी संख्या में लोग सिवनी जिला मुख्यालय से लगभग 10 मील दूर स्थित 'चंदन बगीचा' नामक सरकारी जंगल में घास काटने पहुँचने लगे। वे अंग्रेज सरकार को नोटिस दे कर प्रतिदिन चार-चार, पाँच-पाँच के जत्थे में वहाँ पहुँचने लगे। वे रोज वहाँ घास काटते और रोज पुलिस वाले उन्हें पकड़ कर बंदी बना लेते। पकड़े गए सत्याग्रहियों को सजा दी जाती और उनसे जुर्माना वसूल किया जाता। जुर्माने के रूप में उनके जानवर, जमीन, बरतन तक नीलाम कर दिए जाते। उगली और 'चंदन बगीचा' में सत्याग्रहियों पर किए जा रहे पुलिस के अत्याचार की खबर सिवनी जिले के एक और

छोटे से गाँव टुरिया में पहुँची।

टुरिया गाँव के आदिवासी युवकों ने मूका आदिवासी के नेतृत्व में 'जंगल सत्याग्रह' करने की घोषणा कर दी। मूका ने गाँव वालों को समझाया कि उन्हें अत्याचार का विरोध करना चाहिए। मूका गाँव वालों के बीच जा-जा कर भाषण देता। उनमें राष्ट्रप्रेम की भावना जगाने का प्रयास करता। गाँव वालों को मूका की बातों में सच्चाई दिखती। मूका का भाषण सुनने के लिए जिले के कोने-कोने से लोग आने लगे। वे मूका की बातों से प्रभावित होते और सत्याग्रह में शामिल होते जाते। मूका की राष्ट्रभक्ति की ख्याति देभोबाई और उसकी सहेली मालोबाई तक पहुँची। वे दोनों मूका का भाषण सुनने को लालायित हो उठीं।

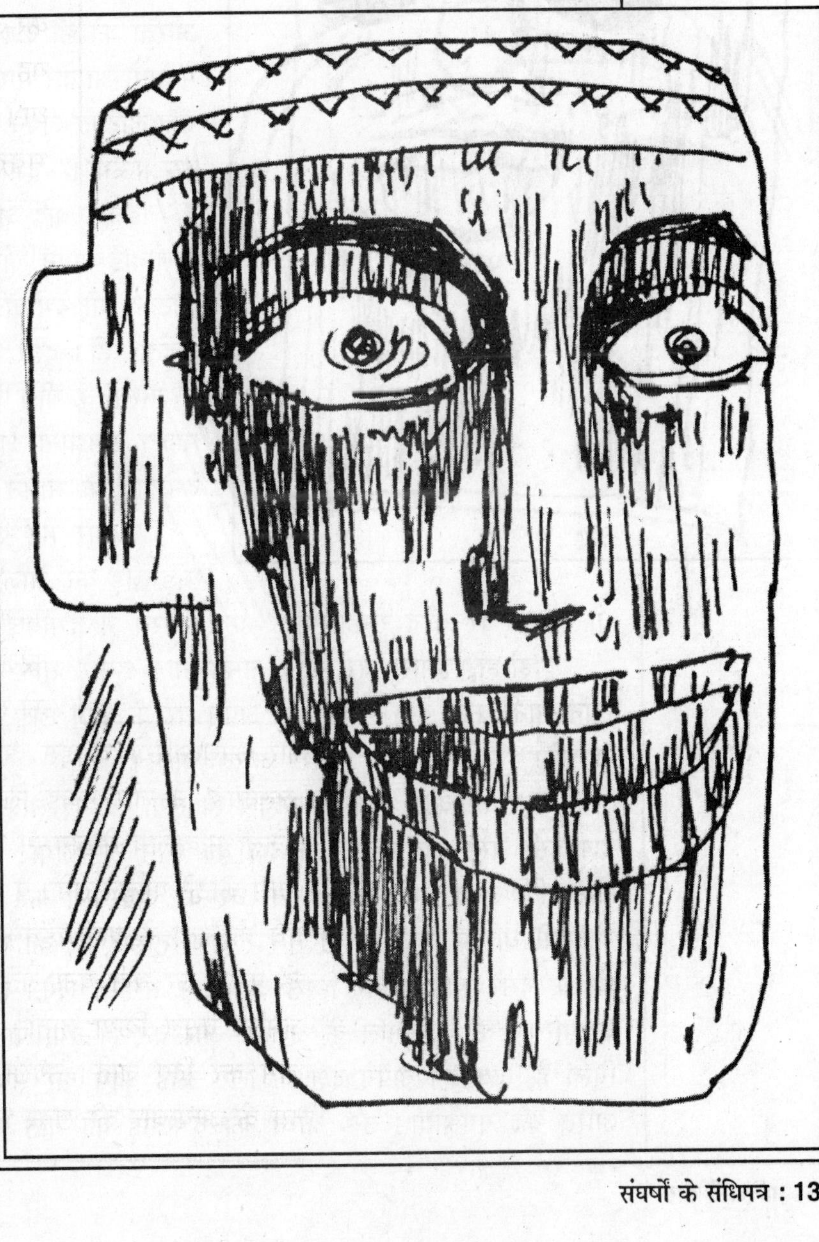

हाट के दूसरे दिन देभोबाई ने गालोबाई रो टुरिया चलने की याद दिलाई। दोनों सहेलियाँ टुरिया गाँव के लिए निकल पड़ीं। जब वे टुरिया गाँव पहुँचीं, तो वहाँ हर जगह मूका के साहस के चर्चे थे। जो भी मिलता, वो यही कहता कि मूका तो 'बड़ा देव' का अवतार है। वह किसी से नहीं डरता है, न पुलिस से और न अंग्रेजों से। देभोबाई ने भी मूका का भाषण सुना। उसने मूका से बातें भी कीं।

"बहन, ये देश की

भलाई का काम है। इसमें औरतों को भी बढ़-चढ़ कर भाग लेना चाहिए। हमें अंग्रेज सरकार को जता देना चाहिए कि हमारे देश की, हमारे गाँव की और हमारे आदिवासी समाज की औरतें भी अंग्रेज सरकार से नहीं डरती हैं।'' मूका ने देभोबाई को समझाया।

''हाँ, भैया, तुम ठीक कहते हो। हम औरतों को भी देश की आजादी की इस लड़ाई में आगे आ कर भाग लेना चाहिए। मैं अब अपने गाँव लौटकर अपने गाँव की औरतों को यह बात समझाऊँगी।'' देभोबाई ने मूका से कहा।

इसके बाद शाम होते-होते देभोबाई और मालोबाई अपने गाँव भीलवा लौट आईं। गाँव लौटकर भी देभोबाई के मन में मूका की बातें गूँजती रहीं। दूसरे दिन से देभोबाई ने भीलवा में औरतों के बीच जा-जा कर उन्हें आजादी का महत्त्व समझाना शुरू किया। कुछ औरतों ने देभोबाई के सामने शंका प्रकट की।

''अगर हम औरतें अपने घर का काम छोड़-छाड़ कर आजादी के काम में लग जाएँगी तो हमारा घर कौन सम्हालेगा?'' एक औरत ने देभोबाई से पूछा।

''हाँ-हाँ, हमारा घर कौन सम्हालेगा? हमारे सास-ससुर और पति-बच्चों को खाना-पानी कौन देगा? नहीं, हम अपने घर के काम छोड़ कर किसी सत्याग्रह में नहीं जाएँगी!'' पास ही बैठी दूसरी औरत बोली।

''घर तो कोई न कोई सम्हाल ही लेगा, बहन! लेकिन जरा ये सोचो कि अगर देश इसी तरह गुलाम रहा तो देश को कौन सम्हालेगा? खैर, एक पल के लिए ये सोचो कि आज तुम जिंदा हो तो घर की देख-भाल कर रही हो, कल तुम बूढ़ी हो जाओगी या मर जाओगी तो तुम्हारे साथ तुम्हारे घर का काम रुक तो नहीं जाएगा! घर के दूसरे लोग तुम्हारे हिस्से का काम सम्हाल लेंगे। हम औरतें अपने जीवन में घर-परिवार की देख-भाल के अलावा और कर ही क्या पाती हैं? हमें ये एक अवसर मिला है, जब हम अपने देश के लिए कोई काम कर सकती हैं।'' देभोबाई ने उस औरत को समझाया। उस औरत को देभोबाई की बात समझ में आ गई।

"लेकिन हम औरतें कर ही क्या सकती हैं? हम तो कमजोर हैं!" तभी तीसरी औरत ने पूछा।

"खबरदार! फिर कभी ये मत कहना कि औरतें कमजोर होती हैं। क्या तुम लोग झाँसी की रानी लक्ष्मीबाई और गोंडवाना की रानी दुर्गावती के बारे में भूल गईं? वे दोनों भी हमारे जैसी हाड़-मांस की बनी औरतें थीं। वे तो कमजोर नहीं पड़ीं? फिर तुम औरतों को कमजोर कैसे कह रही हो? अगर तुम्हें देश की आजादी के लिए काम

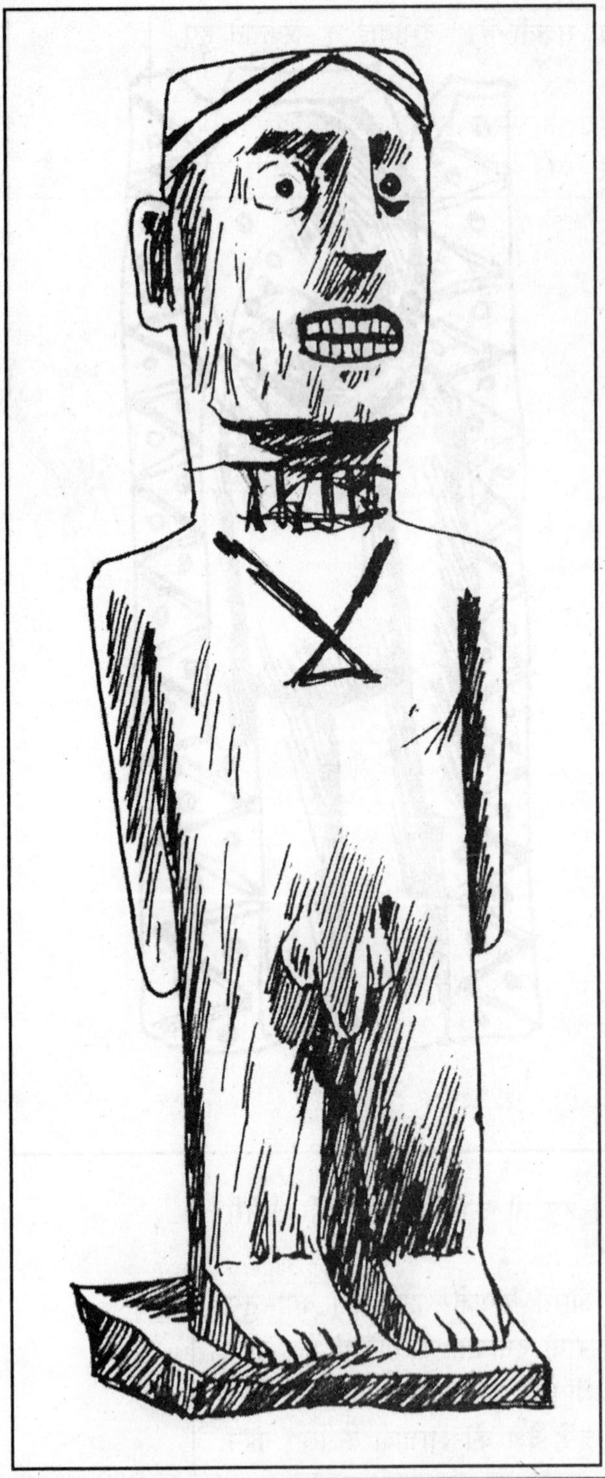

नहीं करना है, तो मत करो, लेकिन कम से कम औरतों को कमजोर तो मत कहो!'' देभोबाई ने गरजते हुए कहा।

''तुम ठीक कहती हो, देभोबाई! हम औरतें कमजोर नहीं हैं। जब हम अपने सिर पर पानी से भरे हुए घड़े उठा सकती हैं, सिर पर लकड़ियों का बोझा उठा सकती हैं तो भला कमजोर कैसे हुईं? हमें तुम्हारी बात समझ में आ गई है। हम तुम्हारे साथ कदम से कदम मिला कर चलेंगी!'' एक अन्य औरत ने जोश से भर कर कहा।

''हाँ-हाँ, हम भी तुम्हारे साथ हैं!'' बाकी औरतें भी बोल उठीं।

अपने गाँव की औरतों का जोश देखकर देभोबाई का सिर गर्व से ऊँचा हो गया। उसका उत्साह दुगुना हो गया। उसका आत्मविश्वास जाग उठा। वह और जोर-शोर से जंगल-सत्याग्रह के प्रचार में लग गई। वह घर-घर जा कर औरतों से मिलने लगी। वह उन्हें समझाने लगी। दो-तीन दिन में ही गाँव की कई औरतें देभोबाई के साथ सत्याग्रह में शामिल होने को तैयार हो गईं।

एक दिन देभोबाई के पति ने उससे पूछा—''देभो, आज कल देश की आजादी की बात करने वालों से पुलिसवाले बहुत नाराज हो जाते हैं। वे उनके साथ मार-पीट भी करने लगते हैं। उगली गाँव में पुलिसवालों ने सत्याग्रह करने वालों को पेड़ से बाँध कर कोड़ों से मारा है। उनके घाव अभी तक नहीं भरे हैं। सत्याग्रह वाले काम में भी बहुत खतरा है। क्या तुम पुलिस की मार झेल सकोगी?''

''हम औरतें जब बच्चा पैदा करने का दर्द झेल लेती हैं तो दुनिया के किसी भी दर्द को झेलने में भला हमें क्या कठिनाई होगी? तुम चिंता मत

करो! देश के लिए मैं पुलिस की मार भी खा सकती हूँ।" देभोबाई ने मुस्कुराते हुए उत्तर दिया।

उधर मूका ने टुरिया में नाले के पास जा कर घास काटने का दिन 9 अक्टूबर तय किया। नाले के पास का जंगल सरकारी था। देखते ही देखते यह खबर चारों और फैल गई कि मूका 9 अक्टूबर को सरकारी जंगल में घास काट कर जंगल सत्याग्रह शुरू करने जा रहा है। खबर पाते ही समूचे सिवनी जिले में सत्याग्रही टुरिया गाँव की ओर चल पड़े। इनमें अधिकतर आदिवासी थे।

देभोबाई तक भी यह खबर पहुँची। उसने तय कर लिया कि वह भी मूका के साथ इस जंगल सत्याग्रह में शामिल होगी। उसने अपने पति से टुरिया जाने की इच्छा प्रकट की। इस पर उसके पति ने देभोबाई से कहा कि वह तो स्वयं भी 9 अक्टूबर को टुरिया में होने जा रहे जंगल-सत्याग्रह में शामिल होने जा रहा है। यह सुन कर देभोबाई बहुत खुश हुई। पति-पत्नी दोनों टुरिया जाने की तैयारी करने लगे।

9 अक्टूबर 1930 को देभोबाई और मालोबाई गाँव की अन्य औरतों के साथ टुरिया गाँव जा पहुँचीं। वहाँ

नाले के पास उन लोगों को मिला कर लगभग चार-साढ़े चार सौ आदिवासी इकट्ठे हो गए थे। देभोबाई इतने सारे लोगों को देख कर जोश से भर उठी। उसे लगा कि उसने सत्याग्रह में शामिल होने का सही निर्णय लिया। जब इतने सारे लोग बिना किसी डर के यहाँ आ गए हैं तो मुझे भी आना ही चाहिए था। अगर मैं डर के मारे घर में बैठी रहती तो यह मेरे लिए कितने शर्म की बात होती। मालोबाई औरतों की भीड़ में कहीं पीछे छूट गई थी, लेकिन देभोबाई औरतों में सबसे आगे खड़ी हुई थी। उसके चेहरे पर भय का कोई चिह्न नहीं था।

इतनी बड़ी संख्या में लोगों को आया हुआ देख कर जहाँ देभोबाई खुश हो रही थी, वहीं जिले के पुलिस सब इंस्पेक्टर और फारेस्ट रेंजर घबराए हुए थे। उन्होंने बड़ी संख्या में पुलिस बल मँगा लिया था। वे पहले ही इन सत्याग्रही आदिवासियों से चिढ़े हुए थे। उस पर उन्हें अपने अधिकारी डिप्टी कमिश्नर सीमेन की ओर से आदेश मिल गया था कि 'इन आदिवासियों को ऐसा सबक सिखाना कि वे सत्याग्रह का नाम भी लेना भूल जाएँ।''

कमिश्नर सीमेन एक कठोर दिल का अधिकारी था। उसे उन लोगों से घृणा थी जो अंग्रेज सरकार का विरोध करते थे। कमिश्नर सीमेन का वश

चलता तो वह देश के एक-एक स्वतंत्रता संग्राम सेनानी को चुन-चुन कर गोली से उड़ा देता। जब सीमेन को यह पता चला कि टुरिया गाँव में मूका नाम का आदिवासी जंगल-सत्याग्रह करने जा रहा है और उसके साथ सैकड़ों आदमी-औरतें भी सरकारी जमीन से घास काट कर सरकार का विरोध करने जा रहे हैं, तो वह आगबबूला हो उठा। उसने तत्काल सिवनी जिले के पुलिस सब इंस्पेक्टर और फारेस्ट रेंजर के पास गोपनीय आदेश भेजा। अपने आदेश में उसने कहा था कि उन आदिवासियों को सबक सिखाने के लिए अगर तुम्हें गोली भी चलानी पड़े, तो बेहिचक चला देना।

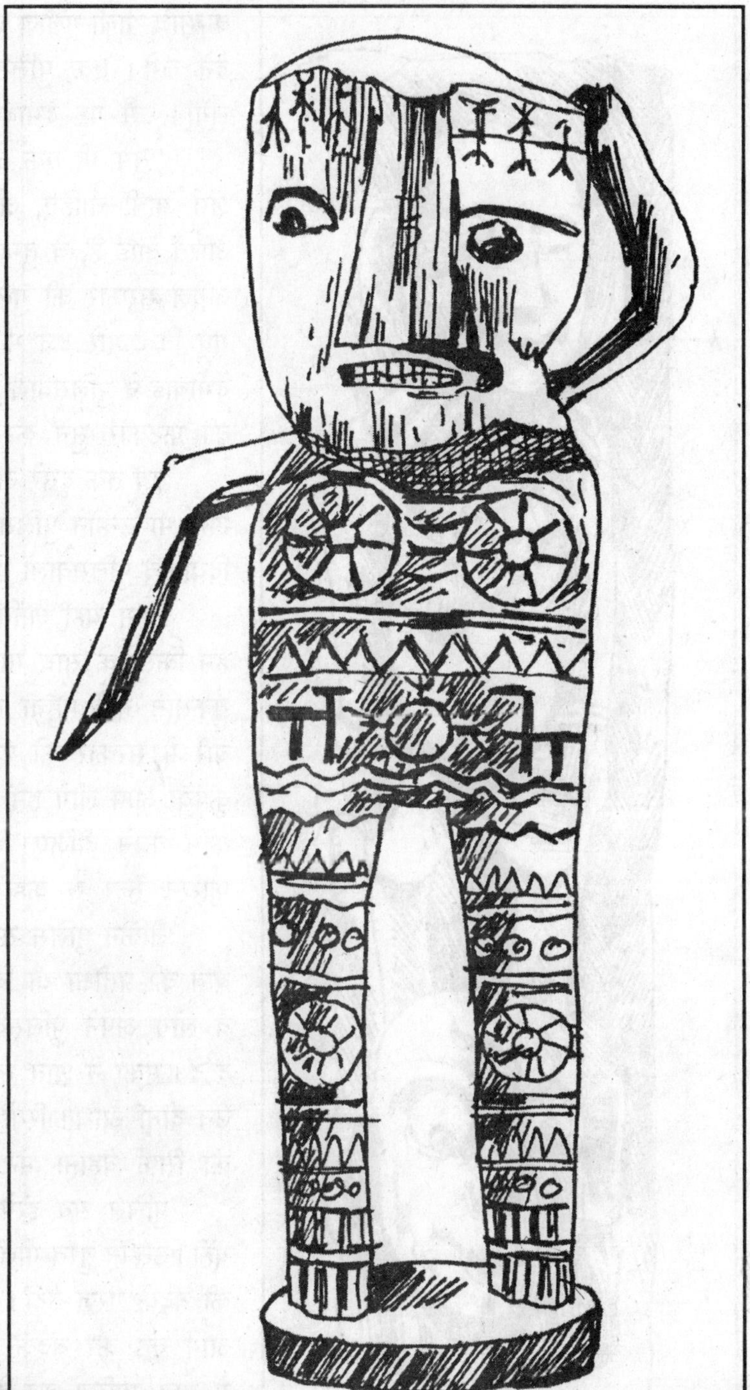

9 अक्टूबर 1930 की सुबह मूका और उसके चार-साढ़े चार सौ साथी नाले के पास पहले से ही पहुँच गए थे। पुलिस सब इंस्पेक्टर और फारेस्ट रेंजर पुलिस बल लेकर जब वहाँ पहुँचे तो मूका और उसके साथियों ने इन दोनों आधिकारियों का सम्मानपूर्वक अभिवादन किया। इससे ये दोनों अधिकारी और चिढ़ गए। उन्हें लगा कि ये उन्हें देख कर डर कर भागने के बदले साहस के साथ उनका अभिवादन कर रहे हैं जबकि उन्हें डर कर माफी माँगनी चाहिए। दोनों अधिकारियों के इशारे पर पुलिसवालों ने उन आदिवासियों

के साथ गाली-गलौज शुरू कर दी। वे औरतों को भी गालियाँ देने लगे। एक पुलिसवाला देभोबाई को बुरा-भला कहने लगा। इस पर देभोबाई को गुस्सा आ गया।

"तुम भी एक औरत की कोख से पैदा हुए हो। तुम्हें शर्म आनी चाहिए, औरतों को गालियाँ देते हुए। यहाँ जो औरतें आई हैं, वे तुम्हारी माँ, बहन और बेटी के समान हैं। अंग्रेज सरकार की गुलामी करते-करते क्या तुम ये भी भूल गए कि हमारे देश में औरतों को सम्मान दिया जाता है!" देभोबाई ने पुलिसवाले को फटकार लगाते हुए कहा। देभोबाई की फटकार सुन कर वह पुलिसवाला सकपका गया।

तब तक दूसरे आदिवासियों के धैर्य का बाँध टूट गया। फिर भी उन्होंने पुलिसवालों की बातों का उत्तर बातों से ही दिया। वे पुलिसवालों के गलत व्यवहार का विरोध करने लगे।

"हम यहाँ शांतिपूर्ण ढंग से सत्याग्रह करने आए हैं। हम किसी के साथ मार-पीट नहीं कर रहे हैं, हम किसी को नुकसान नहीं पहुँचा रहे हैं। हमने अपने इस सत्याग्रह के बारे में सरकार को पहले ही नोटिस दे दिया था। इसलिए कृपया आप लोग हमें बुरा-भला मत कहिए और हमें अपना काम करने दीजिए!" मूका ने पुलिस सब इंस्पेक्टर और फारेस्ट रेंजर से कहा।

लेकिन पुलिस सब इंस्पेक्टर और फारेस्ट रेंजर को इस बात की प्रतीक्षा थी कि आदिवासी गुस्से से कुछ बोलें और वे लोग अपने पुलिसवालों को गोलियाँ चलाने का आदेश दे दें। मूका ने शांत स्वर में ही अपनी बात कही थी लेकिन उन दोनों अधिकारियों को तो गोली चलाने का आदेश देने का सिर्फ़ बहाना भर चाहिए था।

पुलिस सब इंस्पेक्टर और फारेस्ट रेंजर ने किया भी यही। उन्होंने तुरंत गोली चलाने का आदेश दे दिया। सिपाहियों की बंदूकें गरज उठीं। देभोबाई ने पलट कर भागने के बदले आगे बढ़ कर बंदूक की गोली खाना उचित समझा। वह ये बात साबित कर देना चाहती थी कि आदिवासी औरतें आदमियों की तरह निडर और साहसी होती हैं। वे बंदूक

की गोलियों से नहीं डरती हैं। देखते ही देखते पुलिस की बंदूक की गोलियों ने देभोबाई के शरीर को छलनी कर दिया। मूका आदिवासी इस गोलीकांड में जीवित बच गया। जबकि तीस लोग मारे गए और कई लोग घायल हुए। पुलिस वालों ने शहीद देभोबाई के शव को उसके परिवार वालों को सौंपने के बदले खुद ही जला दिया। कुछ समय बाद सरकार ने इस घटना की जाँच कराई और निहत्थे आदिवासियों पर गोली चलाने का आदेश देने वाले पुलिस सब इंस्पेक्टर और फारेस्ट रेंजर को दंडित किया गया।

देभोबाई के रूप में एक वीर आदिवासी महिला ने देश की आजादी के लिए हँसते-हँसते अपने प्राणों की बलि दे कर जिस साहस का परिचय दिया, वह अद्वितीय है। आज भी भीलवा गाँव के लोग देभोबाई के बलिदान को गर्व से याद करते हैं।

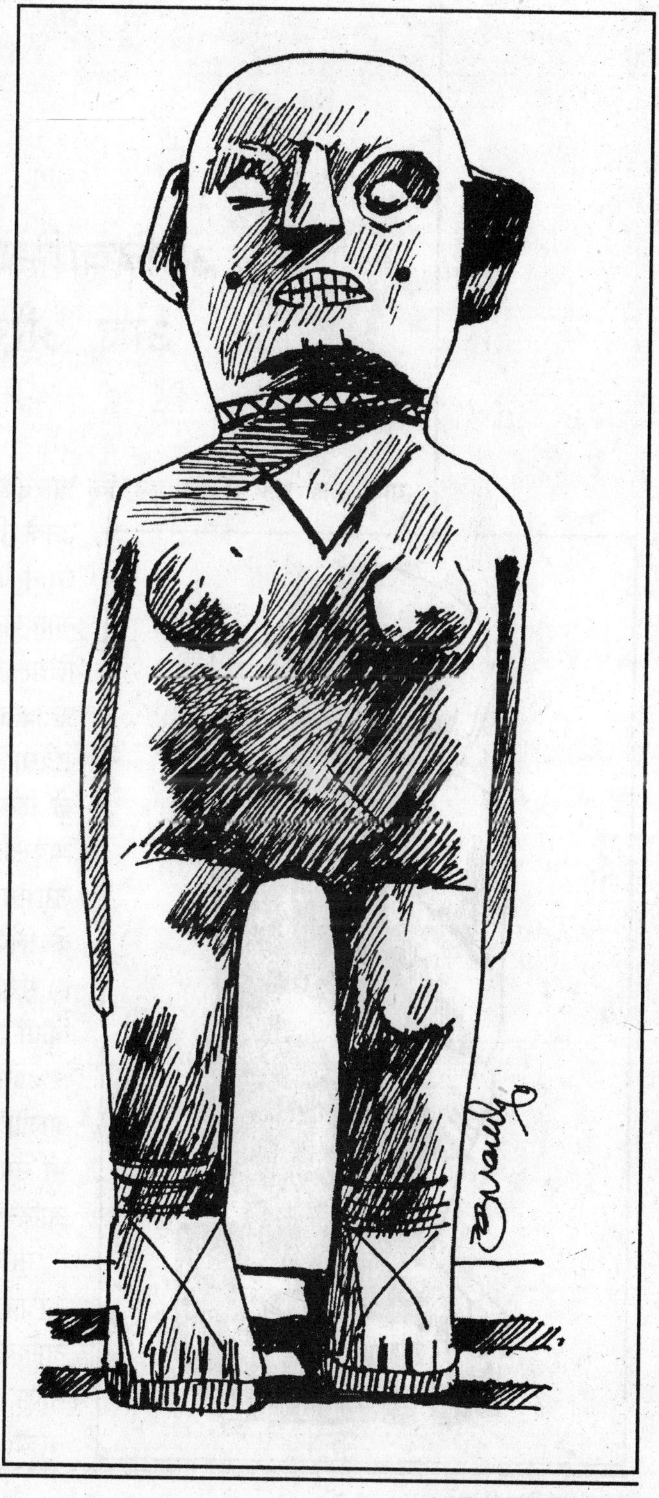

आदिवासियों के न्याय में अब और देरी न हो

□ भारत डोगरा

यदि कोई यह सवाल पूछे कि भारतीय आबादी के कौन से समूहों की भलाई पर, उनके हितों व अधिकारों की रक्षा पर सबसे अधिक ध्यान देने की जरूरत है, तो इन समूहों में निश्चय ही आदिवासियों या अनुसूचित जन-जातियों का नाम अवश्य लिया जाएगा। भारतीय जनसंख्या के लगभग 7.5 प्रतिशत हिस्से को अनुसूचित जन-जाति के रूप में संवैधानिक मान्यता प्राप्त है और अनुसूचित जन-जातियों के हितों की रक्षा के लिए संविधान में कई स्तरों पर व्यवस्था भी दी गई है। इन संवैधानिक प्रावधानों को लगभग एक दशक पूर्व वर्ष 1996 में अनुसूचित क्षेत्रों के लिए (वहाँ आदिवासियों की संख्या काफी अधिक है) पंचायती राज की विशेष व्यवस्था कर और सशक्त किया गया है।

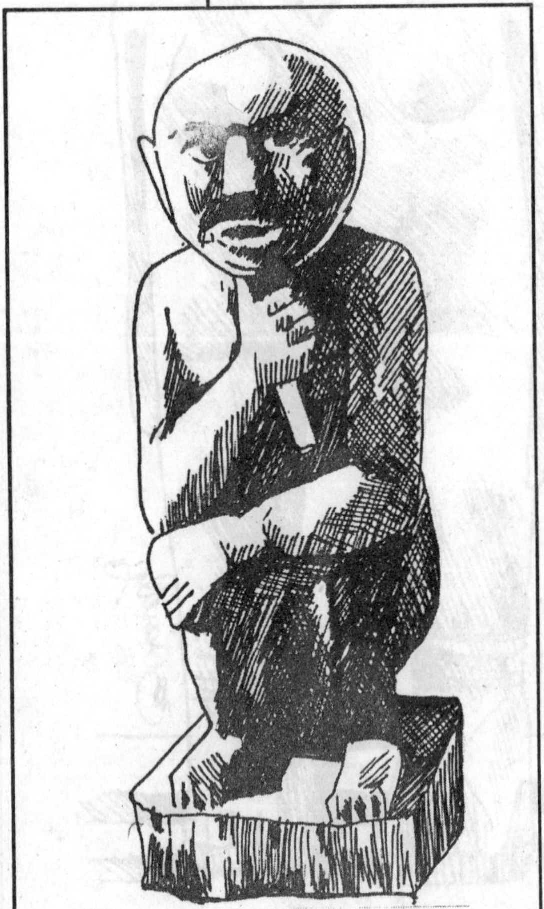

इसके बावजूद कई स्थानों पर आदिवासियों की आजीविका गंभीर संकट में है व कई अन्य स्तरों पर भी उनके लिए गंभीर समस्याएँ उत्पन्न हो गई हैं। कई आदिवासी समूहों को तो अनुसूचित जन-जाति के रूप में मान्यता ही नहीं मिली व इस कारण वे महत्त्वपूर्ण अधिकारों से वंचित रह गए। कुल मिलाकर कहें तो आदिवासी समूहों में असंतोष पनपने के कई कारण मौजूद हैं। सरकारी स्तर पर भी इस तथ्य को बढ़ती मान्यता मिल रही है व उम्मीद की जा रही है कि लाखों

आदिवासियों के भूमि अधिकारों को नियमित कर व आदिवासियों के वन-अधिकारों को बेहतर कर, उनकी आजीविका के संकट को काफी हद तक कम किया जा सकता है। इसके लिए राष्ट्रीय स्तर पर कानून बनाने का कार्य एक वर्ष से चर्चित रहा है व इस दिशा में संतोषजनक कानून बनाने में अब और देरी नहीं होनी चाहिए।

अनेक क्षेत्रों में आदिवासियों की भूमि छीनने के मामले बड़ी संख्या में सामने आए हैं। उदाहरण के लिए नयी योजना के दस्तावेज में बताया गया है कि इस तरह के 4 लाख 60 हजार मामले रजिस्टर हुए, जिनमें 9 लाख 20 हजार एकड़ भूमि छीनने की शिकायत थी। इस दस्तावेज में दिए सरकारी आँकड़ों के अनुसार इनमें से 2 लाख 70 हजार मामलों का आदिवासियों के पक्ष में निर्णय हो गया। यदि सरकारी आँकड़ों के आधार पर ही चलें तो भी ऐसे बहुत से विवाद सुलझने अभी बाकी हैं। जो विवाद सुलझ गए बताए गए हैं, वे 6 लाख 30 हजार एकड़ भूमि से संबंधित हैं, पर इनमें से 4 लाख 70 हजार एकड़ भूमि ही आदिवासियों को वापिस दी जा सकी। अतः स्पष्ट है कि जिस विवाद को सुलझा हुआ माना जा रहा है, उनके बारे में यह नहीं कहा जा सकता है कि जितनी भूमि छीनने की शिकायत थी, वह पूरी भूमि वापिस मिल गई। एक अन्य पक्ष यह है कि कई बार भूमि कागज पर तो लौटा दी जाती है पर जब कमजोर वर्ग का किसान उस पर खेती करने जाता है तो वह उसे जोत नहीं पाता है। अतः चाहे सरकारी तंत्र ने अपनी ओर से ऐसे कई मामले सुलझाए हों, पर हकीकत में अभी इस क्षेत्र में और भी बहुत कार्य करना शेष है।

भूमि छीनने की इसमें भी अधिक व्यापक समस्या बड़े उद्योगों, खनन परियोजनाओं, राष्ट्रीय

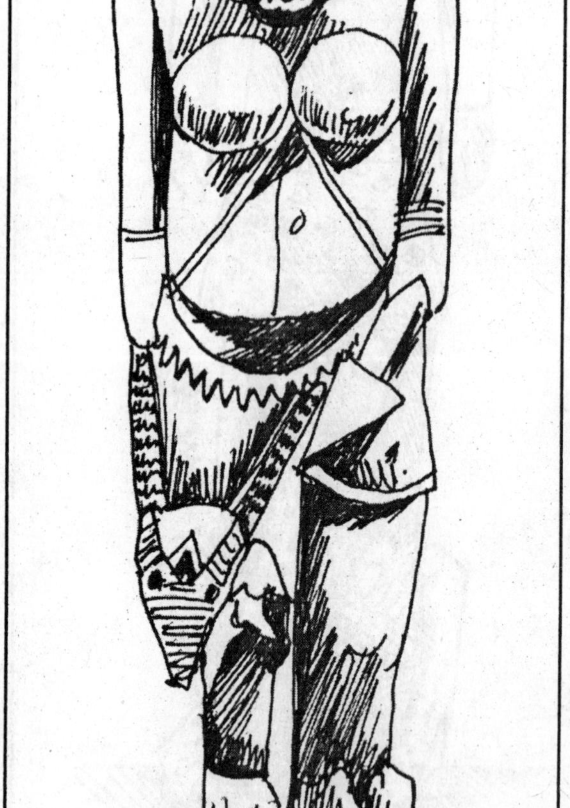

पार्कों व बड़े बाँधों आदि से उत्पन्न विस्थापन के कारण उत्पन्न हो रही हैं। अनुसूचित जातियों व जनजातियों के आयुक्त ने अपनी बहुचर्चित 29वीं रिपोर्ट (वर्ष 1987-89) में अनुमान प्रस्तुत किया था कि लगभग 10 से 15 प्रतिशत आदिवासी किसी न किसी कारण से विस्थापित हुए हैं। तब से अब तक के समय में तो और भी बहुत विस्थापन आदिवासी बहुल क्षेत्रों में हुआ है। भूमंडलीकरण के इस दौर में अनेक विशालकाय परियोजनाओं के जो समाचार विशेष तौर पर उड़ीसा से मिल रहे हैं, उससे तो यह लगता है कि यह विस्थापन अब और भी बड़े पैमाने पर होगा। विशेषकर आदिवासी आबादी इन क्षेत्रों में अधिक रहती है, जहाँ खनन, उद्योगों, बाँधों आदि की अनेक बड़ी परियोजनाएँ तेजी से आ रही हैं।

इस संदर्भ में यह बुनियादी सवाल उठाना भी जरूरी है कि क्या यह सब परियोजनाएँ जरूरी हैं। देश के संतुलित विकास के लिए जितना खनिज जरूरी है वह तो समझ में आता है, पर इससे कहीं बड़े स्तर की परियोजानाएँ अगर विस्थापन की बढ़ती संख्या को नजरअंदाज करते हुए धड़ाधड़ बनाई जाती हैं तो यह सवाल उठाना जरूरी हो जाता है कि क्या आदिवासियों के परंपरागत आवास और आजीविका की रक्षा को कुछ महत्त्व दिया भी जा रहा है या नहीं।

कई मामलों में आदिवासी जीवन-शैली पर्यावरण संरक्षण की दृष्टि से आधुनिक जीवन-शैली से कहीं बेहतर है। उसमें असंतोष, होड़ और प्रतिद्वंद्विता के स्थान पर संतोष, सहजता और सादगी के गुण मिलते हैं। वह कई मामलों में समाज की एक बेहतर परिकल्पना पर आधारित है। वह अधिक स्वच्छंद व स्वतंत्र है व व्यर्थ के अनेक आडंबरों से मुक्त है। उसमें प्रकृति की बेहतर समझ है और इसमें अधिक

नजदीकी है। अतः सवाल केवल आदिवासियों की हकदारी का ही नहीं है, बल्कि उससे बहुत कुछ सीखने का भी है। आदिवासी जीवन-शैली को किसी आदर्श जीवन-शैली में पूर्ण रूप से स्थापित करने की बात हम नहीं कर रहे हैं। न ही इसे रोमांटीसाइज करना हमारा उद्देश्य है। उसकी कई कुरीतियों से भी हम परिचित हैं, जिन्हें हटाना चाहिए पर यह सच है कि भोगवाद, असंतोष, होड़ व पर्यावरण विनाश से त्रस्त इस दुनिया के विकल्प ढूँढ़ने में आदिवासी समाज हमें बहुत कुछ सिखा सकता है।

अतः बुनियादी तौर पर यह सवाल स्थापित करना जरूरी है कि आदिवासियों व उनकी जीवन-शैली को बहुत बड़े पैमाने पर उजाड़ने वाले प्रोजेक्ट उचित नहीं हैं। थोड़ा-बहुत विस्थापन स्वीकार किया जा सकता है, पर बहुत बड़े पैमाने का विस्थापन स्वीकार नहीं किया जा सकता है। जहाँ थोड़े-बहुत विस्थापन की जरूरत है, वहाँ भी प्रयास यह होना चाहिए कि आदिवासी समाज बिखरे न, अपितु प्रोजेक्ट स्थल के आसपास ही बने रह सके। केवल बहुत आवश्यकता होने पर ही विस्थापन की अनुमति मिलनी चाहिए व इस स्थिति में पुनर्वास की बहुत संतोषजनक व्यवस्था होनी चाहिए।

राष्ट्रीय पार्क या अभ्यारण्य बनाने के लिए तो आदिवासियों का विस्थापन करने का औचित्य और भी कम है। वन्य जीव संरक्षण के लिए आदिवासियों को

हटाने की कोई आवश्यकता नहीं है, अपितु उन्हें वन्य जीव संरक्षण के भागीदार बनाना चाहिए। वे वन्य जीव संरक्षण में बाहरी लोगों की अपेक्षा कहीं अधिक सक्षम हैं। शिकारियों के संगठित सशस्त्र गिरोहों को दूर रखने का कार्य भी वे ही अधिक अच्छी तरह कर सकते हैं। अतः वन्य जीव संरक्षण के बजट का एक महत्त्वपूर्ण हिस्सा आदिवासियों व अन्य स्थानीय गाँव-वासियों के सहयोग पर खर्च होना चाहिए व वन्य जीव संरक्षण के नाम पर होने वाले विस्थापन पर रोक लगनी चाहिए।

वनों से लघु वन उपज एकत्र करने के आदिवासियों के अधिकार की रक्षा करनी चाहिए व साथ ही ऐसी व्यवस्था होनी चाहिए कि वे इसके लिए मेहनत के अनुकूल अच्छा कानून प्राप्त कर सकें। आदिवासियों के सहयोग से वन संरक्षण पर अधिक जोर देना चाहिए ताकि तस्करों व अवैध कटाव करने वालों पर असरदार ढंग से रोक लग सके। वन-प्रबंधन ऐसा होना चाहिए जिससे स्थानीय लोगों की भलाई और वनों की रक्षा को आपस में जोड़ा जा सके।

कई स्थानों पर यह विवाद है कि आदिवासी लोग उस भूमि पर खेती कर रहे हैं जोकि वन-विभाग की भूमि है। हाल में ऐसा नया

कानून चर्चित रहा है जिससे एक निश्चित अवधि तक अपनी रोजी-रोटी के लिए खेती कर रहे आदिवासियों को खेती की अनुमति मिल जाएगी। फिर भी कई आदिवासी किसानों की समस्या बनी रहेगी। इन विवादों को सुलझाने का एक उपाय यह है कि भूमि आदिवासी किसानों के पास बनी रहे, पर वे इसका उपयोग वृक्ष खेती के लिए करें। इन वृक्षों का चुनाव इस उपयोगिता के आधार पर हो—मिट्टी व जल संरक्षण व लघु वन उपज की दृष्टि से उपयोगी हैं स्थानीय प्रजातियाँ। इस लघु वन उपज की पूरी कमाई आदिवासी किसानों की होगी। पर साथ ही वृक्षों की रक्षा की जिम्मेदारी भी उनकी होगी। उन्हें भूमि पर स्थायी अधिकार इस जिम्मेदारी से जोड़ कर मिलेंगे। जब तक वृक्ष बड़े नहीं होते हैं, तब तक विभिन्न सरकारी स्कीमों के अंतर्गत उन्हें सहायता मिल सकती है व पेड़ों के साथ थोड़ी-बहुत खेती की अनुमति भी मिल सकती है।

इस तरह आदिवासियों की भलाई व वनों की रक्षा को जोड़ने वाली योजनाओं को आगे बढ़ाना चाहिए ताकि दोनों महत्त्वपूर्ण उद्देश्य साथ-साथ प्राप्त हो सकें।

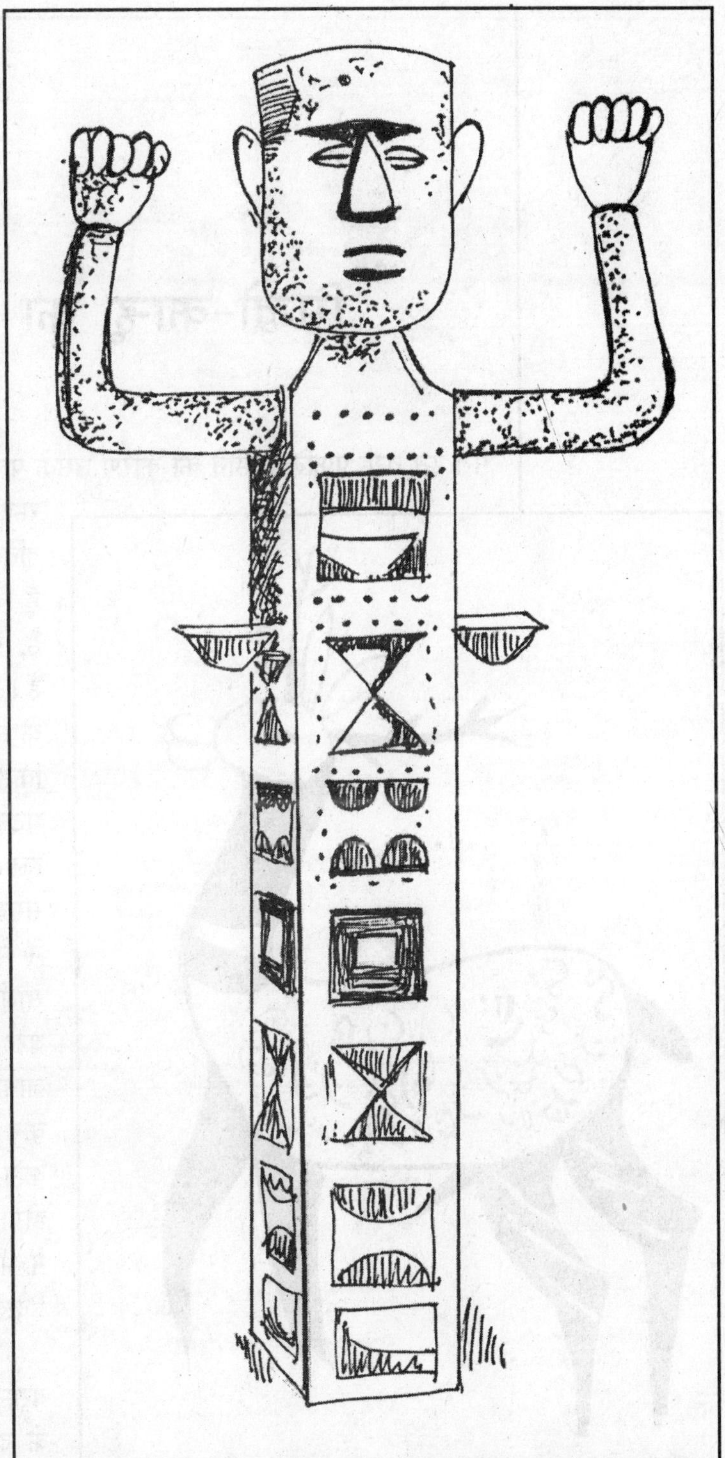

सिद्धो-कान्हू का अधूरा सपना

□ बोड़ो बास्की

मेरा इस तरह प्रफुल्लित होने का कारण उसके पल्ले नहीं पड़ा, टकटकी लगाए मुझे देखता रहा, फिर कहने लगा कि मैं सिद्धो-कान्हू के इतिहास के संबंध में ज्यादा कुछ नहीं जानता हूँ कि भोगनाडीह गाँव मेरे गाँव के पास ही है, पर बाबुपुर पंचकठिया वे तो बहुत दूर हैं। मुझे यह समझते देर नहीं लगी कि इधर के संतालों में हूल या संताल विद्रोह की घटना किसी तरह की प्रेरणा नहीं जगाती, गाँव में घटने वाली और पाँच आम घटनाओं की तरह हूल भी आई-गई बात हो गई है। जिस पर समय की धूल की चादर बिछ गई है। बाद में मैंने जोसेफ से कहा कि मैं और मेरे दो साथी नीलू मुर्मू एवं दशरथ मुर्मू भोगनाडीह, बरहेट, संभव हुआ तो बाबुपुर, पंचकठिया जाना चाहता हूँ, क्या तुम हमारी सहायता कर सकते हो? उसने झेंपते हुए कहा—"सहायता क्या करना है। अच्छा ही होगा चलिए न, अगर आप चाहें, तो मेरे घर में भी कुछ दिन ठहर सकते हैं।" मैंने कहा, "देखा जाएगा, पहले वहाँ पहुँचें तो सही।"

अगले दिन सुबह बस से हमलोग बरहेट के लिए रवाना हो गए। करीब दिन के दस बजे हम बरहेट पहुँचे। कोई खास

बड़ा शहर नहीं है बरहेट। जहाँ पर बस जाकर रुकी, वहाँ सड़क के दोनों ओर छोटी-छोटी चाय की गुमटी, मिठाई की दुकानों की लाइन लगी है। वहाँ से जोसेफ का घर पैदल करीब पाँच मिनट का रास्ता है। घर पहुँचते ही जोसेफ की पत्नी ने खटिया बिछाकर हमें बैठने के लिए कहा। घर छोटा था, पर आँगन काफी फैला और बड़ा-सा था।

पानी पीते हुए मैंने जोसेफ से पूछा, मैंने सुना है कि संताल परगना में आदिवासियों की जमीन की खरीद-बिक्री नहीं होती तो इतने सारे गैर-आदिवासियों की दुकानें, मकानें कैसे बन गईं? उसने बताया कि नियम तो बहुत हैं, पर वह सब सरकारी खातों की खाना-पूर्ति तक ही सीमित हैं। कहते हैं, उँगली पकड़कर सहारा दो, तो कंधे पर आ बैठता है। यहाँ भी यही हाल है। पहले-पहल छोटी-सी गुमटी लगा कर बैठा, धीरे-धीरे उसी पर मकान बना कर बस गया और व्यापार भी दिन दूनी-रात चौगुनी बढ़ते गया। कौन किसे क्या कहेगा? दरअसल संताल परगना के गाँव-देहात में जमीन-जगह की समस्या नहीं है। ये देखिए ना, पिछले कुछ सालों में करीब 10-12 परिवारों को हमने घर बनाने लायक जगह का ठौर बताया है। वह कैसे मैंने पूछा, वे लोग असम से आए थे। कहते हैं कि वहाँ बहुत कष्ट है। बोड़ो उपजातियों के साथ संघर्ष के कारण अपने संतालों को वहाँ से खदेड़ दिया

गया। वे जब मेरे पिताजी के पास जमीन की समस्या लेकर आए तब पिताजी ने जगह दिखाते हुए कहा—जगह चाहिए? वह रही जमीन, वहीं घर बनाओ और रहो।

घर तो हो गया, पर रोजगार कहाँ? पानी नहीं है, खेती भी नहीं होती। मिट्टी को तो पका कर खाया नहीं जा सकता न! लोग बाजार के बड़े घरों में घरेलू काम करने जाते हैं। खदानों में पत्थर काटते हैं या राइस मिलों में काम करते हैं—यही तो जिंदगी है।

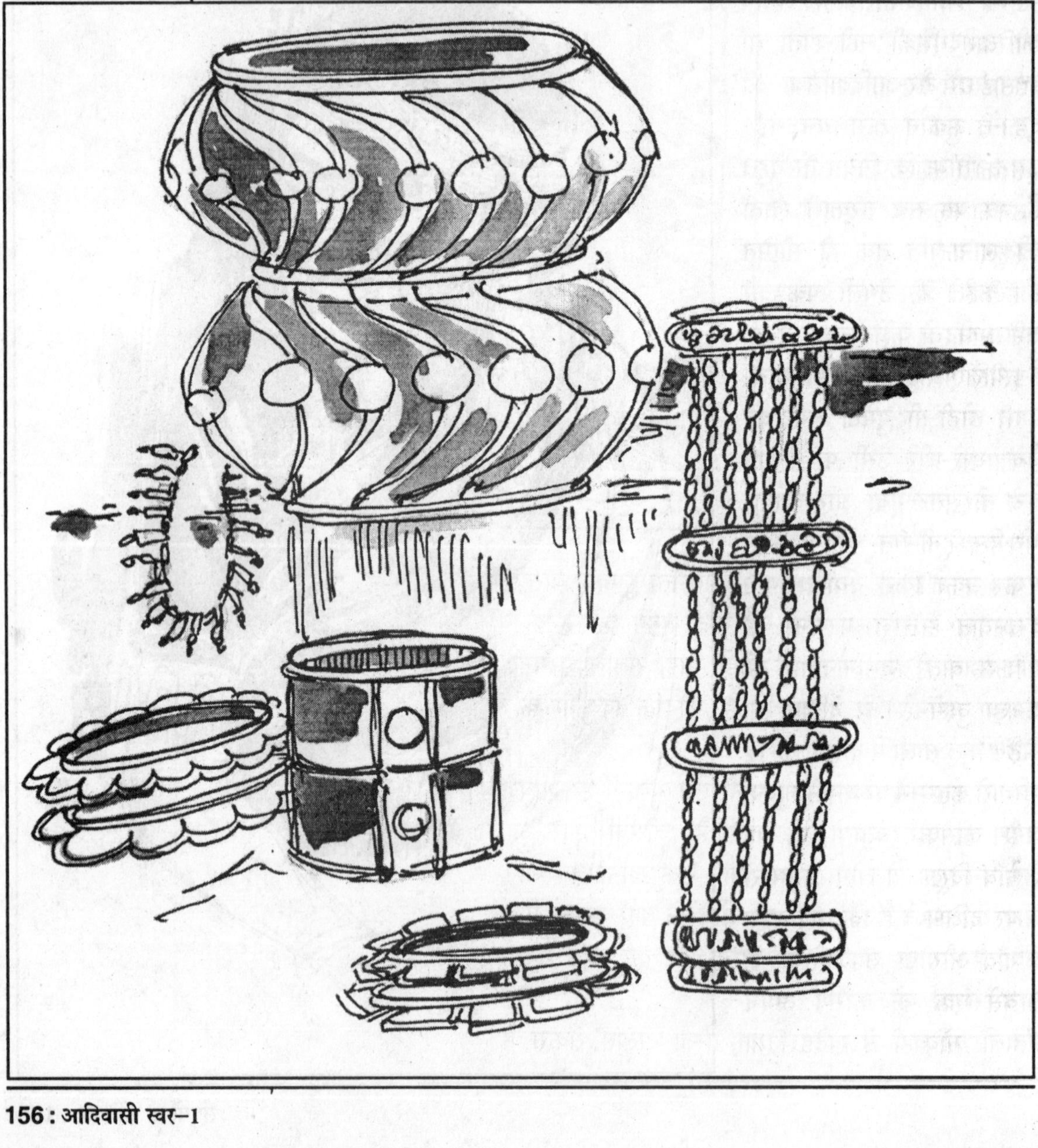

जोसेफ, तुम तो पढ़े-लिखे हो, बताओ न कैसे पढ़ाई की। वह कहने लगा–"हम ईसाई हैं, बचपन में ईसाई मिशन स्कूल में पढ़ा। पर गाँव में अभी भी बहुत संताली परिवार ऐसे हैं, जिन्होंने ईसाई धर्म कबूल नहीं किया है। वे कुछ एक साल तक सरकारी स्कूल जाते। फिर उनका स्कूल छूट जाता है। स्कूल का माध्यम भी तो हिंदी है। किसी को पढ़ाई में आनंद नहीं आता और इसीलिए कोई स्कूल जाना भी नहीं चाहता। पर पंचायत प्रधान, एमएलए, ये तो संताली ही हैं, क्या वे इसकी कोई व्यवस्था नहीं कर सकते? वोट में जीत कर सभी नेता दुमका, बारहड़वा, साहेबगंज या राँची में बँगला बनवाते हैं। गरीब लोगों की बात सुनने की उनके पास फुर्सत कहाँ? पर अफसोस किस बात का, जानते हैं बोड़ो भाई, संताल परगना में अभी भी संताल का सबसे बड़ा दुश्मन संताल नेता ही है, जो कि दिकुओं के पास खुद को नीलाम कर चुके हैं।"

इतने में जोसेफ की पत्नी उसे बुलाती है, शायद दुकान से कुछ मँगवाना चाहती है। जोसेफ उठ कर अंदर जाता है। जोसेफ वापस आकर कहता है, चलिए भोगनाडीह गाँव दिखा लाते हैं। वापस आने तक खाना बन जाएगा। बस स्टैंड की पक्की सड़क पर दक्षिण की ओर कुछ दूर जाने के बाएँ ढलान में उतर कर कुछ दूर चलने पर एक गाँव और उसके बाद एक नाला पार कर, अंत में भोगनाडीह गाँव में उत्तरी प्रांत पर बसे एक मुहल्ले में पहुँचे।

गाँव के इस ओर एक रास्ता अत्यंत सँकरा है। घर मकान भी संतालों जैसा

नहीं लग रहा था, पर दीवार पर बना चित्र एवं हस्तकला और साफ-सुथरापन देख कर आश्चर्य हुआ। आखिर मैंने पूछ ही लिया, ''यह घर-मकान तो संतालों के घर जैसा ही दिख रहा है ना?'' जोसेफ बोला—''इस मोहल्ले में जुलाहों की संख्या ज्यादा है। यहाँ बहुत जुलाहों की संताल पत्नी हैं और इसलिए घर-दीवारों पर संतालों की निशानी रहना लाजिमी है।'' हमने कहा, ''ओह! शायद ऐसा ही है।'' कुछ दूर चलने के बाद हमने खास भोगनाडीह गाँव में प्रवेश किया। गली सड़क बहुत पुरानी लगी, मरम्मत के अभाव से यूँ ही पड़ी है। कुएँ के पानी से जगह-जगह कीचड़ जमा हुआ है। बाँस के झाड़ के अगले हिस्से ने झुक कर आने-जाने के रास्ते को ही करीब ढँक-सा लिया है, जिससे रास्ते में और भी कीचड़ जम गया है। पर पुराने ढंग से बना मकान और प्रचुर मात्रा में पेड़-पौधों ने उस गाँव की शोभा को और भी बढ़ा दिया है। दोपहर का समय था इसलिए गाँव भी सुनसान लग रहा था।

भोगनाडीह! सिद्धो-कान्हू के गाँव में हमलोग पैदल चल रहे हैं, यह सोचकर ही मन रोमांचित हो उठा। इस गाँव को लेकर असंख्य किस्से-कहानियाँ, गीत, कविताएँ हमने पढ़ी हैं, अनजाने में ही मेरे मानस पटल पर उस गाँव का चित्र अंकित है। इस समय जब मैं उस गाँव जिसकी छवि मेरे दिलोदिमाग पर छाई हुई है। उससे इस गाँव को मिलाने की कोशिश करता हूँ, तो दोनों को मिलाने में खुद को असमर्थ पाता हूँ। गाँव के अंतिम छोर पर पहुँचते ही जोसेफ दाहिनी ओर दिखा कर बोला—''यही है सिद्धो-कान्हू का पुश्तैनी घर। अब वहाँ केवल एक छप्पर भर पड़ा है। वर्तमान पीढ़ी के लोगों ने उस जगह के पीछे ही एक घर बनवाया है।'' ''क्या हम अंदर जा सकते हैं? मैं कुछ बातें करना चाहता हूँ।'' जोसेफ ने कहा, ''पहले सामने के मैदान से घूम आते हैं, फिर अंदर जाएँगे।'' गाँव के दक्षिणी छोर पर बायीं ओर विशाल एक बड़ का पेड़ है, जंजालों से घिरा पड़ा है। क्या इसी पेड़ के नीचे सिद्धो-कान्हू ने ग्रामवासियों के साथ हूल शुरू करने का

पहला सलाह-मशविरा किया था? रास्ते के दाहिनी ओर लाल कंकड़ का जो विशाल मैदान वीरान-सा पड़ा है, उसी मैदान में आज से 149 साल पहले 30 जून को सिद्धो-कान्हू ने हजारों संतालों को साथ लेकर हूल आरंभ करने का शपथ ग्रहण किया था। उस दिन जनता के उद्देश्य में सिद्धो ने कहा था, "हूल हमें करना ही पड़ेगा।" अपनी संस्कृति, अपना देश, अपनी माँ-बहनों की अस्मिता की रक्षा एवं जमींदारों की गुलामी से बचने के लिए उस दिन तीर-कमान हाथ में लिए निकल पड़े। महिलाओं के व्याकुल आर्तनाद से ऐसा प्रतीत हो रहा था मानो आसमान फट कर धरती पर आ गिरेगा। उस दिन अनगिनत परिवार बिखर गए। अबोध शिशु को गोद में लिए पत्नी अपने पति के पैरों पर गिर कर सवाल कर रही थी कि कब वापस आओगे। उस समय अपनी पत्नी को आँगन की ओर धक्का देते हुए पति ने कहा था कि "मैं घर वापस आने के लिए नहीं जा रहा हूँ, समझ लेना मैं कभी तुम्हारे जीवन में था ही नहीं।" "अच्छा, ये तो बताओ कि हमारे बच्चों का क्या होगा?" अगर उसे न पाल सको तो गला घोंट कर उसकी हत्या कर देना। मैं जिस रास्ते पर चल पड़ा हूँ। वहाँ से वापसी का कोई उपाय नहीं है।"

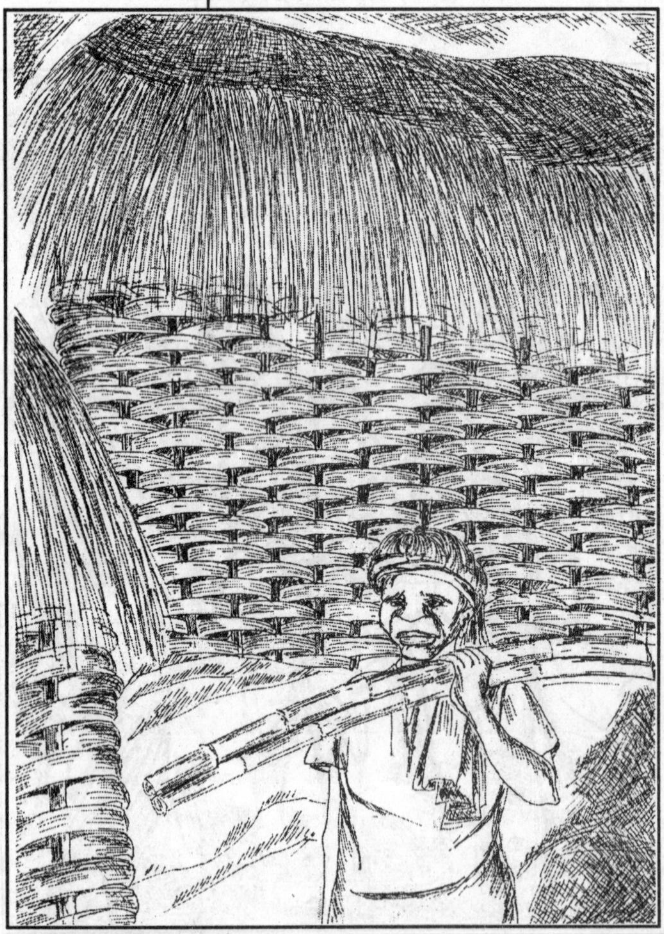

उस रात पहला गाँव जो सिद्धो-कान्हू एवं उनकी वाहिनी के आक्रोश की अग्नि में भस्म हुआ, वह था, बरहेट से छह किलोमीटर दूरी पर बसा पंचकठिया। यही वह स्थान है जहाँ उस ऐतिहासिक शपथ की वाणी गुंजित हुई थी। पर अब यहाँ चारों ओर श्मशान की शांति व्याप्त है। केवल कुछ-एक मरियल-सी गायें झुलसा देनी वाली गर्मी में भी पथरीली जगहों के बीच घास ढूँढने का असफल प्रयास कर रही थीं। मैदान के पूर्वी प्रांत में केवल सिद्धो-कान्हू की दो मूर्तियाँ एवं एक मंच बना है। संताल विद्रोह की यादगार। जोसेफ बोला—"बाबूलाल मरांडी झारखंड के मुख्यमंत्री बनने के बाद पहली बार यहाँ आए थे, उस समय यह बनाया गया था।"

बात करते-करते ही हम लोगों ने

सिद्धो-कान्हू के वर्तमान घर में प्रवेश किया। जोसेफ को ये लोग पहचानते हैं। वर्तमान प्रजन्म सिद्धो-कान्हू का चौथा वंशज है। हमने लिलो मुर्मू के साथ बहुत-सी बातें कीं, वे सिद्धो-कान्हू के ही वंशधरों में से एक हैं। हालाँकि लिलो की माँ जीवित है, पर अस्वस्थता के कारण अधिक बातें नहीं कर पायी। मैंने लिलो से पूछा क्या उसके दादा के जमाने की कोई निशानी अब भी मौजूद है कि नहीं। उसने हमें लकड़ी का दरवाजा, चौखट आदि चीजों को दिखलाया जो कि पुराने मकान से लाया गया है और जिसे अब भी इस्तेमाल किया जा रहा है। पर ज्यादातर सामान सरकार के लोग ले गए हैं, कहते हैं कि उसे दुमका और रांची के जादूघरों में रखा गया है। बातों के दौरान लिलो ने अपना असंतोष भी जाहिर किया। जब कभी जरूरत पड़ती है, सरकारी अधिकारी

रास्ते की धूल उड़ाते हुए हमारे पास पहुँच जाते हैं। जरूरत पड़ने पर बड़े-बड़े मीटिंग, जुलूस में हमें बुलाकर ले जाते हैं। वे हमसे भाषण दिलाते हैं, पर हमारी समस्याओं के बारे में कोई नहीं सोचता। मुख्यमंत्री बाबूलाल मरांडी ने हमें नौकरी दिलाने का वादा भी किया था, पर कुछ नहीं हुआ। अब स्थिति यह है कि सरकारी लोगों को देखते ही हम छुप जाते हैं। ये सब अब और अच्छा नहीं लगता। वर्तमान पीढ़ी में लिलो ही एकमात्र ऐसा व्यक्ति है जिसने प्राथमिक विद्यालय का चौखट पार किया है। फिलहाल लिलो बढ़ई का काम करते हैं। परिवार के अन्य लोग खेती करते हैं। उनके वहाँ पानी पीकर हम रवाना हुए।

जोसेफ के घर दोपहर का खाना खाकर हम पंचकठिया पहुँचे। पंचकठिया में ही सूदखोर केनाराम भगत रहता था। उस दिन सिद्धो-कान्हू के हाथों से वह बच नहीं पाया। उसका सिर धड़ से अलग कर दिया गया था। पंचकठिया गाँव पहुँचने के रास्ते पर ही बाबुपुर गाँव है और उसके पास ही वह मशहूर बड़ का पेड़ है। कहते हैं कि इसी बड़ के पेड़ पर सिद्धो मुर्मू को फाँसी पर चढ़ाया गया था। अब चारों ओर दूर-दूर तक केवल खाली जमीन ही नजर आती है और इस मैदान के बीच मौन गवाह बने खड़ा है, ये बड़ का पेड़।

अँधेरा होने से पहले ही हम वापस आ गए। जोसेफ ने हमें उसके यहाँ रात को रुकने के लिए अनुरोध किया, पर घर लौटने की जल्दबाजी में हममें से कोई रुकने के लिए तैयार नहीं हुआ। हमने तय किया बरहावड़ा पहुँच कर रात की किसी गाड़ी से बोलपुर लौटेंगे।

हम जोसेफ से विदा लेकर बस में बैठ गए। दिन भर पैदल चलने की थकान अब दिल-दिमाग पर भी छाने लगी। बहुत सारा सोच टुकड़ों में बँट कर दिमाग में खलबली मचाने लगा। हूल इसी जमीन पर संगठित हुआ और उसके बाद 150 साल

व्यतीत होने जा रहे हैं। जमींदार महाजन के शोषण के खिलाफ और महिलाओं के सम्मान रक्षा की खातिर लड़ाई करते हुए करीब 10 हजार संतालों ने अपने प्राणों की आहुति दे दी। उससे भी अधिक लोगों का घर उजड़ गया। इतने बलिदानों के बाद आखिर इन लोगों को क्या हासिल हुआ। क्या सिद्धो-कान्हू की आकांक्षा रत्ती-भर भी पूरी हुई? बरहेट, भोगनाडीह के सामाजिक-आर्थिक चित्र को अगर अपवाद के तौर पर भी देखें, तो संताल परगना के विषय पर पिछले तीन दिनों तक की आलोचना से जो चित्र सामने आया और अपनी आँखों से जिसे देखा—रास्ता सड़क, पीने का पानी, रोजगार के अवसर में कमी, सर्वोपरि, महिलाओं के प्रति सम्मान बोध, वहाँ अभी भी सकारात्मक रूप से पैदा ही नहीं हो पाया है। प्रगति के किस स्तर पर उसे रखा जा सकता है?

प्रश्न उठता है, तो क्या पश्चिम बंगाल के संतालों ने ज्यादा प्रगति की है? नहीं, ऐसा भी नहीं कहा जा सकता है। शिक्षा के क्षेत्र में अब भी संताल बहुत पिछड़े हुए हैं। पर इतना जरूर कहा जा सकता है कि बोलपुर संलग्न संताल इलाके में सड़क निर्माण हुआ है, पेयजल और बिजली की व्यवस्था हुई है। अब शिक्षा भी सपनों से परे आम आदमी की पहुँच से बाहर का कोई साधन मात्र नहीं रह गई है। प्रगति का पहिया घूमने लगा है।

फिर भी हम सोचने को बाध्य हैं कि आधुनिक विकास एवं शिक्षा के बदले हम जिसे खो रहे हैं, उससे मुँह नहीं मोड़ा जा सकता है। शिक्षित संतालों में से 90 फीसदी लोग अपने इतिहास से अनजान है। संतालों के जिस तबके से समाज को सबसे ज्यादा उम्मीद थी वही तबका सामाजिक विकास में अपनी भागीदारी सुनिश्चित करने में सबसे पीछे रहा। तथाकथित शिक्षित संताल ही अपने समाज के प्रति सबसे ज्यादा आस्थाहीन रहे एवं हीन मनोभाव से ग्रसित रहे। स्वयं को संताल कहलाने में भी उन्हें शर्म आती

है। अपनी संस्कृति को बरकरार रखने की चेष्टा के बारे में कुछ न ही बोलूँ तो बेहतर है।

मुझे लगता है इस मामले में संताल परगना के संताल हमसे आगे हैं, वे अपनी भाषा, संस्कृति, संताल-आदर्श एवं मान्यताओं को बनाए रखने में सक्षम हैं। अभी भी कोई संताल संताल-परगना के किसी गाँव में जाता है, तो बाँसुरी और नगाड़ा के युगलबंदी से गाँव जाग जाता है। हमारे यहाँ तो लाउड स्पीकर के शोर से बहरा होने की नौबत आ गई है और वहाँ अब भी चाँदनी रात की रोशनी से धुले आँगन में बैठ कर माँ अपने बच्चों को पिलचू हड़ाम, पिलचू बूढ़ी की कहानी सुनाती है।

आप कह सकते हैं कि ये बीते दिनों की बातें हैं, अशिक्षित, ग्रामीण परिवेश के कारण ही ये सब संभव है। मान लिया अगर ये सच है तो मैं पूछता हूँ कि क्यों केवल परंपरा को निभानेवाले अशिक्षित संताल ही अपने संस्कृति के धारक एवं वाहक बने रहेंगे? शिक्षित संताल क्यों अपनी संस्कृति के सकारात्मक पक्षों की रक्षा में भागीदारी नहीं निभा सकते? क्यों हमारे प्रजन्म को अब भी यह बोलना पड़ता है कि गाना-बजाना करना चाहते हो तो पढ़ाई-लिखाई छोड़ना पड़ेगा और अगर पढ़ाई-लिखाई करना चाहते हो, तो गाना बजाना नहीं चलेगा। इस कठोर संवेदनहीन वस्तुवाद की दिशा में दौड़ने का क्या अंत नहीं किया जा सकता? क्या इसका कोई विकल्प हम ढूँढ़ नहीं सकते?

संतालों को विद्यालय-विश्वविद्यालय में पढ़ाई के साथ-साथ अपनी संस्कृति को जानने-समझने का मौका या अवसर क्यों नहीं मिलेगा? अन्य अनेक जातियाँ ऐसी हैं, जिन्हें रवींद्र संगीत, भरतनाट्यम, कथकली या पाश्चात्य शास्त्रीय संगीत के अभ्यास के लिए अवसर प्रदान किए जाते हैं। ऐसा होने पर एक ओर संताल अपना खोया हुआ आत्मविश्वास वापस हासिल कर पाएगा, वहीं दूसरी ओर भारतवर्ष की विविध संस्कृतियों के बीच औरों की तरह वे भी

अपनी संस्कृति की अलग पहचान को बरकरार रखते हुए आगे बढ़ते जाएँगे। कोई भी विकास तब तक पूर्ण नहीं हो पाता, जब तक कि शिक्षा के साथ-साथ उसका सामाजिक एवं सांस्कृतिक विकास नहीं होता, हमारे एवं आनेवाली पीढ़ी के लिए अवसर और उस बुनियादी ढाँचे को तैयार करना ही होगा। अगर हम इसे करने में सफल नहीं होते हैं, तो हम केवल आनेवाली पीढ़ी को सूचना के अधिकार से वंचित ही नहीं करेंगे, बल्कि लगातार हम अपनी ही जड़ों को कमजोर करेंगे, जिसके लिए हम अपनी आनेवाली पीढ़ियों के सदा गुनहगार बने रहेंगे।

150 वर्षों में कुछ भी नहीं बदला

□ प्रभाकर तिर्की

संताल हूल राष्ट्रीय मुक्ति आंदोलन का एक गौरवशाली हिस्सा रहा है। सामाजिक, आर्थिक और सांस्कृतिक अस्मिता की रक्षा का प्रतीक यह संघर्ष संताल आदिवासियों

की अतिविशिष्ट जीवनशैली, सामाजिक एकजुटता, उनकी सामूहिक भावनाएँ तथा उनकी चारित्रिक विशेषताओं का सजीव चित्र प्रस्तुत करती है। संताल हूल के वर्णन के क्रम में बार-बार इन्हीं मूल्यों की चर्चा है। इस दृष्टिकोण से संताल हूल का इतिहास अत्यंत रोचक एवं प्रेरणादायक है। संताल हूल सिर्फ 1855-56 के अंग्रेजी हुकूमत और महाजनी शोषण के खिलाफ संघर्षों का घटनाक्रम ही नहीं हैं वरन् इसकी पृष्ठभूमि में कई ऐसे तथ्य हैं, जिसकी विवेचना किए बिना संताल हूल की प्रासंगिकता को प्रमाणित नहीं किया जा सकता है। दामिन-ए-कोह क्षेत्र में संतालों एवं अन्य छोटी जातियों घरवाल, भूइयों, डोम आदि पर होने वाले महाजनी शोषण, पुलिसिया अत्याचार, बेहिसाब लगानों की वसूली और लगान वसूली के क्रूर असह्य तरीके, दामिन-ए-कोह में व्यापारियों, महाजनों का प्रवेश और उनकी उपनिवेशवादी शोषण की प्रक्रिया संताल हूल के महत्त्वपूर्ण केंद्र बिंदु हैं। आज भी यह गौरवपूर्ण इतिहास जीवित है और सिर्फ संताल समाज ही नहीं संपूर्ण झारखंड को शोषण के खिलाफ संपूर्ण क्रांति की भावना से सींच रहा है।

संताल हूल का अन्य महत्त्वपूर्ण पहलू, अंग्रेजों के खिलाफ आत्मसमर्पण न कर समझौता विहीन संघर्ष का है जो वर्तमान राजनीतिक परिवेश में एक चुनौती है। वर्तमान झारखंड की परिस्थिति में एक और संताल हूल की संभावना आज भी जीवित है, परंतु झारखंड के नेताओं की समझौतावादी व स्वार्थपूर्ण अवसरवादी नीति ने आम जनता की अपने अधिकारों के लिए संघर्ष भावना को कमजोर कर उसे निराश कर दिया है। सामाजिक न्याय, मानवाधिकारों की रक्षा, मौलिक अधिकारों की प्राप्ति के दृष्टिकोण से संताल हूल अत्यंत ही महत्त्वपूर्ण साबित हुआ है। यह कहना व्यर्थ न होगा कि आज की मूल्य विहीन, भ्रष्ट राजनीति ने संताल हूल के इन आदर्शों और पवित्र विचारों को कलंकित कर दिया है, जिसके कारण आदिवासी-दलित समाज की एकजुटता और

संघर्षशीलता क्षय हुई और अंग्रेजी शासकों से अपना अधिकर छीना गया, धन की लिप्सा में लीन राजनीतिक नेता संताल हूल जैसे वैचारिक मूल्यों से प्रेरित होने की इच्छाशक्ति खो चुके हैं।

150 वर्षों पूर्व हुए संताल हूल की प्रेरणा झारखंड के शासकों को कितना प्रेरित कर पाई है, यह तो उनकी राजनीतिक दिशा और दशा स्पष्ट करती है। फिर भी वर्तमान संदर्भ में इसकी समीक्षा झारखंड में फैली अव्यवस्था, शोषण और भ्रष्टाचार के खिलाफ एकजुट होने तथा अपने मौलिक अधिकारों की प्राप्ति हेतु संघर्ष की भावना प्रज्वलित करने की पहल है। 150 वर्षों के बाद इस संघर्ष की विवेचना और संघर्ष की संभावनाओं की तलाश ही संताल हूल के शहीदों के प्रति सच्ची श्रद्धांजलि हो सकती है।

संताल परगना का इतिहास–एक नजर

संताल परगना जिला एक प्रशासनिक इकाई के रूप में 1855 में अस्तित्व में आया। यह संताल हूल का प्रत्यक्ष परिणाम था। संताल परगना के बारे में विस्तृत विवरण चीनी यात्री ह्वेन सांग के भारत-यात्रा वृत्तांत में भी पाया जाता है। यात्रा-वृत्तांत यह बताते हैं कि उसने चंपा प्रदेश की यात्रा की, जो उत्तरी सीमा में गंगा के किनारे लखीसराय से राजमहल तक फैली थी। भारत में तुर्क-अफगान और मुगल शासनकाल में राजमहल से घिरे क्षेत्रों और संताल परगना के कुछ हिस्सों का इतिहास भी उपलब्ध है। मुस्लिम इतिहासकार, पुर्तगाली लेखकों और यूरोपियन व्यापार कंपनियों के दस्तावेजों में भी संताल परगना का विवरण पाया जाता है। दुर्गम चोटियों वाले पहाड़ी क्षेत्र राजमहल तथा उसके दक्षिणी किनारे से होकर बंगाल में प्रवेश करने वाली गंगा नदी तथा बंगाल से होकर जाने वाली स्थलकेंग के कारण यह क्षेत्र आर्थिक और सामाजिक दृष्टिकोण से अतिमहत्त्वपूर्ण था। अकबर के शासन काल में (1575 ई.) अफगान्नों और मुगलों

की महत्त्वपूर्ण लड़ाई राजमहल में हुई थी। तब खान-इ-जहान बंगाल का रामसराय और शेडरमल उसका लेफ्टिनेंट था। सामाजिक और आर्थिक महत्त्व के कारण 1592 ई. में मुगलों ने राजमहल को बंगाल की राजधानी बनाया था। यह संताल परगना के इतिहास का एक महत्त्वपूर्ण हिस्सा है। उस समय अकबर के घामसराय मानसिंह ने राजमहल में एक भव्य राजमहल बनवाया। अपनी सुरक्षा के लिए मजबूत परकोटे खड़े करवाए तथा शहर के चारों ओर दुर्ग बनवाए। उन्होंने इस जगह का नाम आगामहल से राजमहल कर दिया। बाद में जब शहर का विकास हुआ, तब वहाँ के मुसलमानों ने अकबर के सम्मान में शहर का नाम अकबर नगर रख दिया।

1594 ई. में अकबर ने मानसिंह को बंगाल का गवर्नर बना दिया। तब मानसिंह ने राजमहल के विकास में काफी रुचि दिखाई, लेकिन राजमहल अधिक दिनों तक राजधानी नहीं रह सकी, लेकिन युद्ध एवं व्यापारिक गतिविधियों का केंद्र बना रहा। जब शाहजहाँ के द्वितीय पुत्र शाह शुजा 1639 में बंगाल के नवाब बने तब पुनः बंगाल का मुख्यालय राजमहल में पुनः भव्य महल बनवाए गए। मानसिंह द्वारा बनाए गए किलों को और मजबूत बनाया गया। शहर को सुंदर बनाने में काफी खर्च किया गया। शाहजहाँ के पुत्रों में उत्तराधिकार के युद्ध के बाद शाह शुजा की ताजपोशी भी 1657 ई. में राजमहल में हुई। इसके बाद कई दशकों तक मुगलों का शासन बंगाल में बना रहा। परंतु शाह शुजा के शासन काल में ही अंग्रेज अपनी व्यापारिक गतिविधि संताल परगना में प्रारंभ कर चुके थे।

1757 में प्लासी के युद्ध में अंग्रेजों की ईस्ट इंडिया कंपनी की फौज के हाथों सिराजुद्दौला की हार के बाद इस भूभाग पर कंपनी का अधिकार हो गया। अंग्रेजों द्वारा बंगाल में अपना व्यापार स्थापित करने के लिए राजमहल एक प्रमुख केंद्र था। 1765 ई. में शाह आलम-2 द्वारा ईस्ट इंडिया कंपनी को दीवानी सौंपने के बाद संताल परगना

पूर्णतः अंग्रेजी हुकूमत के अधीन बंगाल के अंतर्गत आ गया।

दामिन-ए-कोह—ब्रिटिश शासक क्लीन लैंड ने संताल परगना के पहाड़ी और पहाड़ की तराई वाले भूभाग को दामिन-ए-कोह का नाम दिया। भागलपुर, मुर्शिदाबाद और बीरभूम के बीच राजमहल, दुमका, गोड्डा, पाकुड़ के हिस्से को मिलाकर 1366 वर्ग किमी में फैले क्षेत्र की सीमा रेखा को (1824-1833) में दामिन-ए-कोह के रूप में चिह्नित किया गया। प्रारंभ में यह क्षेत्र पहाड़िया लोगों के लिए आरक्षित था। 1818 ई. में भागलपुर के ज्वाइंट मजिस्ट्रेट सदरलैंड को इस क्षेत्र के शासन-प्रशासन के जाँच की जिम्मेवारी दी गई। 1819 में सदरलैंड ने अपनी अनुशंसा सरकार को देते हुए पहाड़ और पहाड़ की तराइयों में विकास करने वाले पहाड़िया लोगों को उनकी जमीन पर मालिकाना हक देने की बात कही थी। 17 जुलाई 1823 को सरकार ने घोषणा की थी कि पहाड़िया सरकार के प्रत्यक्ष रैयत होंगे और उन पर जमींदारों का हस्तक्षेप नहीं होगा। अंग्रेजों ने घोषणा की थी कि पहाड़िया पहाड़ से उतर कर नीचे आएँ और जंगलों को काटकर खेती के लायक बनाएँ। यदि वे ऐसा करते हैं तो सरकार उनकी जमीनों को स्वतंत्र कर उन्हें कर मुक्त कर देगी। लेकिन पहाड़िया उसके लिए तैयार नहीं हुए।

राजस्व प्राप्ति के दृष्टिकोण से अंग्रेजों ने कटक, धालभूम, मानभूम, छोटानागपुर, हजारीबाग, पलामू, मेदिनीपुर, बाँकुड़ा से संतालों की दामिन-ए-कोह में आकर जंगलों को साफ कर जमीन बनाने के लिए प्रोत्साहित किया। संताल बड़ी संख्या में आकर दामिन-ए-कोह में बस गए। उन्होंने जंगल काट कर खेती के लायक बनाया। 1838 में पहली बार संतालों द्वारा तैयार की गई जमीन पर सालाना 2000 रुपये की लगान निर्धारित की गई, तब उनमें गाँवों की कुल संख्या मात्र 40 थी। लेकिन 1851 तक संताल गाँवों की संख्या बढ़कर 1473 हो गई। जैसे-जैसे संताल गाँवों की संख्या बढ़ने

लगी, वैसे-वैसे उनके लगान की राशि दो हजार रुपये से लेकर 1851 में यह 43918 रुपये तथा 1854 में 58,033 रुपये कर दी गई। 1857-58 में उनके जमीनों की पहली बार बंदोबस्ती की गई। 1868 में पुनः 6 साल के लिए बंदोबस्ती की गई और उनकी लगान की राशि बढ़ाकर 1,00,165 रुपये कर दी गई। मालगुजारी का आधार प्रत्येक गाँवों में जोतों की कुल संख्या पर निर्धारित किया गया था। 1878-79 में क्राउन वुड के द्वारा गाँवों के सीमा रेखा की नाप की गई और रैयतों को पंचायतों में विभक्त किया गया। गाँवों और पंचायतों की सीमाओं के क्षेत्रफल को आधार मान कर दस साल की बंदोबस्ती की गई और लगान की राशि पुनः बढ़ाकर 1,67,191 रुपये कर दी गई। 1905 तक दामिन-ए-कोह की आबादी 3,58,294 हो गई थी, जिसमें संतालों की कुल आबादी 2,26,540 थी।

दामिन-ए-कोह में विद्रोह

अंग्रेजों द्वारा गाँवों की सीमाओं के क्षेत्रफल को आधार मान कर लगान की राशि निर्धारित कर दिए जाने से दामिन-ए-कोह में खेती करने वाले संताल नाखुश थे। लगान की राशि प्रत्येक वर्ष कई गुणा बढ़ रही थी। जिसके कारण किसान समय पर लगान देने में भी असमर्थ थे।

कर्ज की शर्त पर दासता का पट्टा लिखना उत्पीड़न का अन्य रूप था। बहुत से संतालों के पास जमीन या फसल न होती कि वे कुछ कर्ज ले सकते। किसी व्यक्ति को अपने पिता के दाह-संस्कार के लिए महाजन के पास जाना होता था। चूँकि उसके पास महाजन को देने के लिए कुछ नहीं होता था। इसलिए वह यह लिख देने को बाध्य होता था कि जब तक कर्ज का भुगतान नहीं होगा वह और उसका परिवार गुलाम रहेगा। श्राद्ध का भोज खत्म होते ही वह परिवार महाजन के घर की तरफ चल पड़ता और गुलामी के लिए अपने को सौंप देता। महाजन

अपने गुलाम को इस तरह खटाता कि वह अपनी आजादी खरीदने के लिए एक पाई भी नहीं कमा पाता। वह एकमात्र कर्ज की विरासत अपने बच्चों के नाम छोड़ जाता।

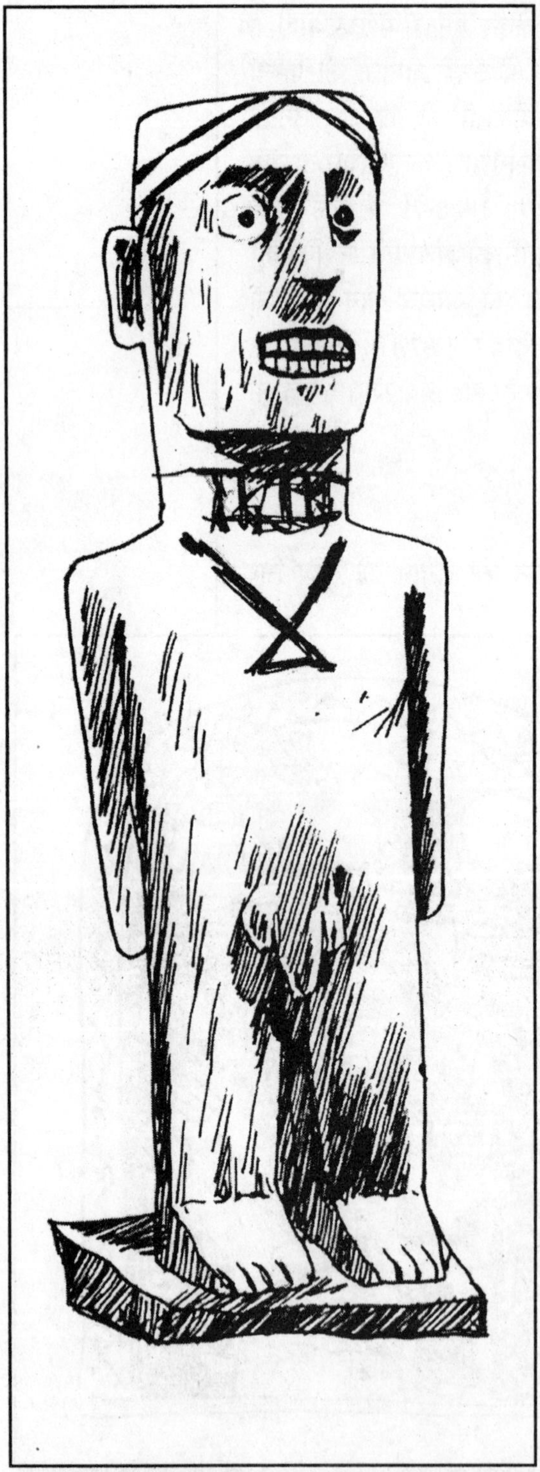

इसी समय हिंदुस्तान में पहले-पहल रेलवे लाइन निकाली जा रही थी। रेलवे काम में नियुक्त अंग्रेजों के कर्मचारी संतालों की बकरी-मुर्गी इत्यादि छीन कर खा जाते थे। संताल औरतों को उठाकर ले जाते। उनके साथ बलात्कार व उनकी हत्या कर देते। संतालों के इन अत्याचार का कोई प्रतिकार न था। पुलिस और मजिस्ट्रेट सब के सब अत्याचारियों का ही साथ देते हैं। इन हालात ने संताल किसानों को विद्रोही बना दिया।

जमींदार और महाजन के अन्याय-अत्याचार से तंग आकर कुछ संतालों ने बीर सिंह माँझी के नेतृत्व में एक दल बनाया। इस दल ने अत्याचारी जमींदारों, महाजनों को लूटना शुरू किया। अधिकारियों के आदेश और जमींदार, महाजनों के अनुरोध पर दीघी का दारोगा महेशलाल दत्त संताल डकैतों को गिरफ्तार करने उनकी बस्ती गया। इस बस्ती में गोको नामक एक धनी संताल रहते थे। महाजन बहुत प्रयासों के बाद भी उनकी संपत्ति नहीं हथिया पाये थे। मौका पाकर उन्होंने दारोगा से सलाह-मशविरा कर गोको संताल को चोरी के अभियोग में फँसाकर काफी बेइज्जत किया और उन्हें जेल भेज दिया गया। इस घटना ने संतालों का असंतोष बढ़ा दिया। उसी समय दारोगा महेशलाल दत्त ने सातकठिया नामक गाँव में संतालों को गिरफ्तार किया और उन्हें जुर्म कबुलवाने के लिए काफी उत्पीड़ित किया। इससे संताल और भी आग-बबूला हो उठे।

संतालों की एकता का प्रतीक साल वृक्ष की शाखा को गाँवों में घुमाया गया और 30 जून 1855 की रात ग्रामीणों को भोगनाडीह में एकत्रित होने के लिए आमंत्रित किया गया। उस रात चार सौ गाँवों का प्रतिनिधित्व

करने वाले दस हजार से भी ज्यादा संताल जमा हुए। यह गाँव संताल विद्रोही के नेता सिद्धो-कान्हू, चाँद, भैरव का जन्म स्थान था। नेता सिद्धो-कान्हू ने इस सभा में भाषण दिया कि उन्हें भगवान का आदेश प्राप्त हुआ है कि अब वे संतालों पर होने वाले अत्याचारों को सहन न करें, उसके खिलाफ संघर्ष के लिए एकजुट हों। संतालों ने एक स्वर से शपथ ली। अब जमींदार-महाजन-अंग्रेजी शासकों, पुलिस, मजिस्ट्रेट का अन्याय और अत्याचार बर्दाश्त नहीं करें। सभा के आदेश से सिद्धो, किरता, भादू और सुन्नी माँझी ने भागलपुर के कमिश्नर, कलक्टर और मजिस्ट्रेट तथा कुछ जमींदारों के पास पत्र भेजे। वह इन सबको संतालों का अल्टीमेटम था। दारोगा और जमींदारों से पंद्रह दिनों के अंदर उत्तर देने की माँग की गई थी। इन पत्रों को भेजने के बाद संताल नेताओं ने चारों तरफ घोषणा करा दी कि संताल महाजनों को निकाल बाहर करने और संताल अंचल को दखल कर अपनी स्वाधीन शासन व्यवस्था कायम करने को दृढ़ प्रतिज्ञ हैं। 30 जून 1855 की सभा में ही कलकत्ता अभियान की घोषणा भी की गई। 7 जुलाई 1855 से विद्रोह आंरभ हो गया। संताल विद्रोही अंग्रेजों, जमींदारों और महाजनों का राज उखाड़ कर फेंकने लगे।

विद्रोहियों ने कई दलों में बँटकर कई दिशाओं में चढ़ाई की। उनके डर से छोटे-छोटे थाने के सिपाही और जमींदार नौकरी छोड़कर भाग गए। विद्रोहियों ने चारों तरफ घोषणा कर दी कि कंपनी का राज खत्म हो गया है और स्वाधीन संताल राज स्थापित हो गया है। गोड्डा अंचल में विद्रोही

संतालों ने अंचल के महाजनों को खोज-खोजकर मौत के घाट उतार दिया। लक्ष्मणपुर को लूटकर विद्रोहियों ने इस अंचल के महाजनों के प्रधान गढ़ लिट्टीपाड़ा पर आक्रमण आरंभ कर दिया। उन्होंने टिटनपुर बाजार को भी लूटा और महाजनों की हत्या की। फिर विद्रोही सेना सामंती शोषण उत्पीड़न के प्रधान केंद्र पाकुड़ के राजमहल की तरफ बढ़ी।

सिद्धो-कान्हू के नेतृत्व में विद्रोहियों ने पाकुड़ को तीन दिन तक घेरे रखा। 12 जुलाई 1855 को सिद्धू-कान्हू, चाँद और भैरव ने राजमहल में प्रवेश किया। राजमहल लूटा गया और जमींदारों को खोज-खोजकर मृत्युदंड दिया गया। त्रिभुवन संताल और अन्य संतालों ने दुमका के पास की नीलकोठी पर आक्रमण किया और शैतानों के इस गढ़ को ढहा दिया।

16 जुलाई 1855 को भागलपुर जिले के पियालपुर के पास पीरपैंती के मैदान में अंग्रेजी सेना और विद्रोहियों के बीच पाँच घंटे तक युद्ध हुआ। मेजर घरोज की सेना पराजित होकर भाग खड़ी हुई। मेजर घरोज की हार से भागलपुर, कहलगाँव और राजमहल खतरे में पड़ गए।

इस विद्रोह का दमन करने के लिए अंग्रेज शासकों ने चारों तरफ से लगभग 15 हजार सुसज्जित सैनिक इकट्ठे किए। तोपें और सैकड़ों हाथी लाए गए। विद्रोही संतालों की सेना लगभग 30 से 50 हजार तक थी। उनके हाथों में वही पारंपरिक हथियार तीर-धनुष, बरछे-भाले थे। अंग्रेजी सेना बंदूकों और तोपों से लैस थी। अंग्रेज शासकों की सेना संताल गाँवों को जलाती और संतालों का कत्ल करती आगे बढ़ी। अंग्रेजी सेना ने संताल गाँवों को जलाकर राख कर दिया गया। विद्रोही संतालों ने वीरभूम जिले के आधे हिस्से पर अधिकार कर लिया था। 21 जुलाई 1855 को पुलिस, जमींदारों तथा महाजनों की इकट्ठी सेना को संताल विद्रोहियों ने पराजित कर दिया था। अंततः कंपनी की सरकार ने यह घोषणा कर दी कि अगर संताल आत्मसमर्पण कर दें तो

नेताओं को छोड़कर सभी को माफ कर दिया जाएगा। जो आत्मसमर्पण नहीं करेंगे तो उन्हें कठोर दंड दिया जाएगा। इस ध मकी के बावजूद किसी संताल ने आत्मसमर्पण नहीं किया। विद्रोही लड़ते-लड़ते मर जाना चाहते थे। 10 नवंबर 1855 को ब्रिटिश शासकों ने बंगाल और बिहार के संताल अंचलों को सेना के हवाले कर दिया। घोषणा की गई कि जिस संताल के हाथ में हथियार देखा जाएगा उसे अंग्रेज सरकार का दुश्मन माना जाएगा। इसके बाद अंग्रेजों ने मौत का नंगा नाच शुरू कर दिया। हजारों संताल जवान-बच्चे-बूढ़े मारे गए। संतालों की बस्तियाँ उजाड़ दी गईं। इस प्रचंड आक्रमण के कारण विद्रोहियों को पीछे हटना पड़ा। फरवरी 1856 में सिद्धो अंग्रेजी सेना के हाथ में पड़ गए उन्हें उसी वक्त गोली मार दी गई। चाँद-भैरव भागलपुर के पास भयंकर युद्ध में मारे गए। फरवरी 1856 के तीसरे सप्ताह में कान्हू वीरभूम जिले में पुलिस के हाथों मारा गया। इसी तरह संताल विद्रोह के अन्य नेता भी लड़ते-लड़ते मारे गए। इस तरह सेना ने कठोरता के समय संताल विद्रोह का दमन किया।

झारखंड राज्य और दामिन-ए-कोह

संताल विद्रोह बिरसा उलगुलान, कोल विद्रोह आदि संघर्ष के इतिहास की प्रेरणा से झारखंड में अस्मिता और पहचान के लिए दशकों तक संघर्ष हुए और अंततः भारतीय संविधान के अंतर्गत झारखंड नामक नए

राज्य का उदय हुआ। झारखंड में आर्थिक शोषण और सामाजिक-सांस्कृतिक पहचान के खतरे से मुक्ति के लिए अलग राज्य की परिकल्पना सामने आई। यह संकल्प दुहराया गया था कि अलग राज्य के गठन से वर्षों से दमन का पीड़न झेल रही शोषित-पीड़ित जातीयताओं को आत्मनिर्णय का अधिकार प्राप्त होगा। उनकी आशाओं-आकांक्षाओं को मूर्त रूप दिया जाएगा। दामिन-ए-कोह में हुए संघर्ष की श्रद्धांजलि देते हुए सिद्धो-कान्हू, चाँद-भैरव और हजारों शहीदों के अधूरे सपने पूरे होंगे। गरीब किसानों को महाजनी शोषण से मुक्ति दिलायी जाएगी। उनके खेतों में फसल लहलहाएँगी। सरकार उन्हें आधारभूत सुविधाएँ मुहैया कराएगी। झारखंड राज्य के गठन के बाद ऐसी आशा की गई थी कि झारखंड सरकार विकास के हर पहलू पर संजीदा से विचार कर विकास की प्रक्रिया आरंभ करेगी। ऐसी आशा की गई थी कि सरकार अतीत के गौरवपूर्ण इतिहास से प्रेरणा ग्रहण करेगी और भविष्य की रूपरेखा तैयार करेगी। यह माना गया था कि झारखंड के वीर पुरुषों के आदर्शों एवं सिद्धांतों पर स्वर्णिम झारखंड की नींव डाली जाएगी। ऐसी आशा थी कि इतिहास की समीक्षा कर झारखंड की सामाजिक-सांस्कृतिक-आर्थिक धरोहरों की सुरक्षा और विकास का इंतजाम किया जाएगा। परंतु यह किसे पता था कि झारखंड बनने के बाद इसके शासक मलेशिया, आस्ट्रेलिया और बैंकाक में विकास की अवधारणा ढूँढ़ने की कोशिश करेंगे और ब्रिटिश काल की व्यापारिक-सामाजिक राजधानी राजमहल विकास की आस लिए सिसकती रह जाएगी। शायद झारखंड के शासकों को यह भरोसा न था कि बंगाल में व्यापारिक गतिविधियों को नियंत्रित करने वाली राजमहल और आस-पास की सीमाओं में अब भी वह संभावना व्याप्त है। अंग्रेजों ने इसी जमीन पर आकर राजस्व का इंतजाम किया था और हमारी स्वतंत्र सरकार राजस्व घाटे की चिंता से पीड़ित है। अंग्रेजी शासन काल में ही यह संभावना व्यक्त की जा रही थी कि झारखंड क्षेत्र में छोटे-छोटे पूँजीपति-जमींदार और व्यवसायी मिलकर आन्तरिक उपनिवेशवाद को जन्म दे रहे हैं। तभी तो दामिन-ए-कोह जैसे क्षेत्र में गरीब किसानों, पहाड़िया जनजातियों और अन्य पिछड़ी छोटी-छोटी जातियों के विकास के लिए कोई योजना नहीं बनती। सरकार खनिजों का दोहन तो करना नहीं चाहती, उससे प्राप्त

राजस्व से अन्य संसाधनों के विकास पर ध्यान नहीं देती। आखिर जमीन के अंदर छिपे संसाधनों के विकास की क्यों पहल नहीं होती। झारखंड कृषि प्रधान क्षेत्र है और यहाँ की आबादी में कार्यकुशलता है। इस कार्यकुशलता को अति विकसित मानवसंसाधन में तब्दील करने की पहल क्यों नहीं होती। सच तो यह है कि 150 वर्षों में न समस्याएँ समाप्त हुईं, न सरकारों की कार्यशैली बदली। सिर्फ दामिन-ए-कोह की बात करें, तो यह साफ दिखता है। वही जंगल, वही पहाड़, वही सूखे बंजर-बंजर खेत और जमीनों पर आधिपत्य की महाजनी कोशिश। कर्ज में डूबते किसान और पुलिस अत्याचार। आखिर क्या परिवर्तन हुए।

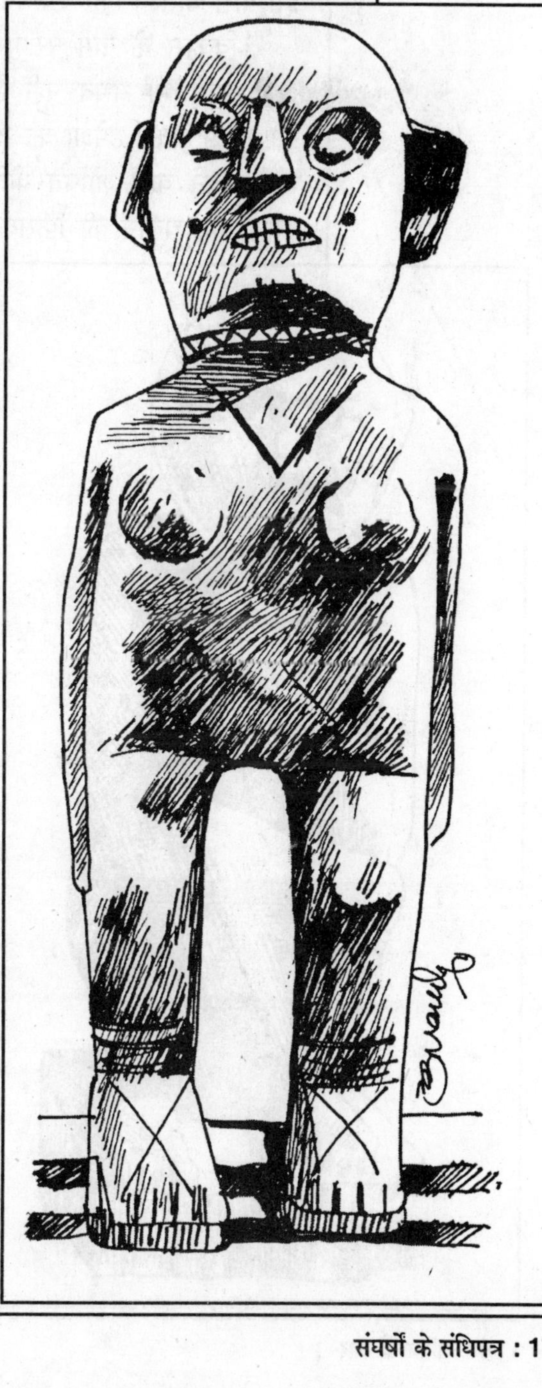

जब राज्य गठन की घोषणा हुई तब संताल परगना के विकास को लेकर कई महत्वाकांक्षी घोषणाएँ हुईं। संताल परगना को उपराजधानी बनाया जाएगा। वहाँ हाईकोर्ट की ब्रांच स्थापित की जाएगी। कैबिनेट की बैठकें बीच-बीच में संताल परगना में आयोजित की जाएँगी। शिक्षा का विकास किया जाएगा। कृषि का विकास, पानी-बिजली जैसी आधारभूत सुविधाएँ मुहैया करायी जाएँगी। पलायन रोकने के लिए रोजगार उपलब्ध कराने की घोषणा की गई। गाँवों में विकास प्रक्रिया की बात तो दूर अभी तक उपराजधानी हेतु आधारभूत संरचना का विकास तक नहीं किया गया। प्रश्न है, आखिरकार सरकार की प्राथमिकताएँ क्या हैं? वहाँ जनता एक तरफ सिद्धो-कान्हू के संघर्ष का इतिहास दुहरा रही है, दूसरी तरफ सरकारें अंग्रेजी शासकों की तरह उपनिवेशवाद की शैली में कार्य कर रही हैं। सरकार के प्यादे क्लीवलैंड, जानवार्ड, सदरलैंड बरोज की कार्यशैली में अपना युद्धाभ्यास कर रहे हैं। अमड़ापाड़ा कोयला उत्खनन के लिए निजी कंपनी ग्रामीण जनता से दो-दो हाथ करने के लिए तैयार है। अंधाधुंध अवैध खनन पट्टे व्यवसायियों को दिए जा रहे हैं

और ये व्यवसायी लीज पट्टे लेकर ग्रामीणों की जमीन रौंदने को तैयार बैठे हैं। क्या यह सब संताल विद्रोह की पृष्ठभूमि जैसी नहीं लगती? अगर ऐसा ही है तो संताल विद्रोह से लेकर आज तक बीते 150 वर्षों में क्या बदला। शायद कुछ भी नहीं। अगर इस परिस्थिति में फिर एक विद्रोह की भूमिका तैयार होती है तो यह दोष किसका होगा?

विकास के नाम पर पूँजी निवेश की खोखली दलील देनेवाली सरकार के पास अब इतना भी संभव नहीं है कि इस तरह के जन-विद्रोह के पीछे छिपी भावनाओं को समझ सके। हमेशा की तरह यह सरकार भी उन गरीब आदिवासी किसानों, अपना हक माँगने वाले शोषित पीड़ित जनता के विद्रोह को अलगाववादी उग्रवादी बताकर दमन चक्र चलाने की फिराक में है। 150 वर्षों के बाद भी अपने राज्य में आदिवासी पिछड़ों, दलितों एवं सामाजिक रूप से कमजोर वर्गों के लोगों की आशाएँ अब धूमिल होती जा रही हैं। राज्य सरकार की नीतियों से कहीं ऐसा आत्मविश्वास पैदा नहीं होता, जो एक नई स्फूर्ति पैदा कर सके। सरकार और जनता के बीच संवादहीनता पैदा होने लगी है।

झारखंड की राजनीति में भी इन दिनों वैचारिक शून्यता आ गई है। सरकार तो लापरवाह है। विपक्ष भी प्रतिवाद करने से कतराता फिर रहा है। ऐसा लगता है जैसे पक्ष और विपक्ष के आपसी समन्वय से यह सरकार चल रही है। जनता की समस्याएँ और बुनियादी अधिकारों के सवाल हाशिए पर ढकेले जाने को मजबूर हैं। जनता चाहती है, राज्य सरकार झारखंड की अर्थव्यवस्था पर आधारित महत्त्वपूर्ण पहलुओं को गंभीरता से समझ कर उसके अनुरूप ठोस नीतियाँ बनाए। पारस्परिक कृषि प्रणाली को लाभप्रद बनाने की दिशा में काम किया जाए। कृषि भूमि की उत्पादकता बढ़ाने और भूमि सुधार की प्रक्रिया शुरू हो। पंचायती राज अधिनियम को कार्यान्वित कर सत्ता के विकेंद्रीकरण की प्रक्रिया शुरू हो। पर्यावरण की सुरक्षा और संतुलन के लिए कठोर कदम उठाते हुए प्रकृति रक्षा का संकल्प लिया जाए।

संविधान की रक्षा का दायित्व हर सरकार का है। झारखंड में आदिवासियों दलितों के विकास के लिए

कई संवैधानिक प्रावधान किए गए हैं। परंतु झारखंड राज्य में संवैधानिक प्रावधानों का उल्लंघन अत्यंत गंभीर सवाल है। आज झारखंड में आदिवासियों के लिए पाँचवीं अनुसूची के अंतर्गत कई विकासात्मक प्रावधान हैं। धारा 275 है। पंचायती राज विस्तार अधिनियम के अंतर्गत ग्राम सभा कानून है। छोटा नागपुर और संताल परगना टेनेंसी एक्ट है। कोल्हन क्षेत्र में विल्किनसन रूल है। परंतु राज्य सरकार के द्वारा इन संवैधानिक कानूनों का अनुपालन नहीं किया जा रहा है। जिससे झारखंड में आदिवासी विकास की प्रक्रिया रुक गई है।

वर्तमान संदर्भ में संताल हूल की परिचर्चा इन्हीं सवालों का जवाब ढूँढ़ने का प्रयास है। यदि सरकार जनता की बुनियादी समस्याओं का समाधान नहीं ढूँढ़ पाती है, तब शोषण और विद्रोह की प्रक्रिया दुहरायी जाती रहेगी और गरीब आदिवासी किसान, दलित, शोषित-पीड़ित और कमजोर वर्ग के लोग शोषण की त्रासदी झेलने को अभिशप्त होते रहेंगे। लेकिन सिद्धो-कान्हू, चाँद-भैरव और हजारों शहीदों का इतिहास हमें यह प्रेरणा देता रहेगा कि संतालों ने लुटेरों, जमींदारों, महाजनों के समक्ष कभी आत्मसमर्पण नहीं किया। मरते दम तक अपने अस्तित्व की रक्षा और सम्मान के लिए संघर्षरत रहे।

आत्मसम्मान की रक्षा के लिए समझौता विहीन संघर्ष, शोषितों के अधिकार के लिए शोषकों की पहचान ही संताल हूल के आदर्श थे, जो आज के राजनीतिक परिवेश में एक चुनौती हैं। इसके आदर्श और पदचिह्न शोषितों को उपयुक्त पथ की ओर ले जाएँगे।

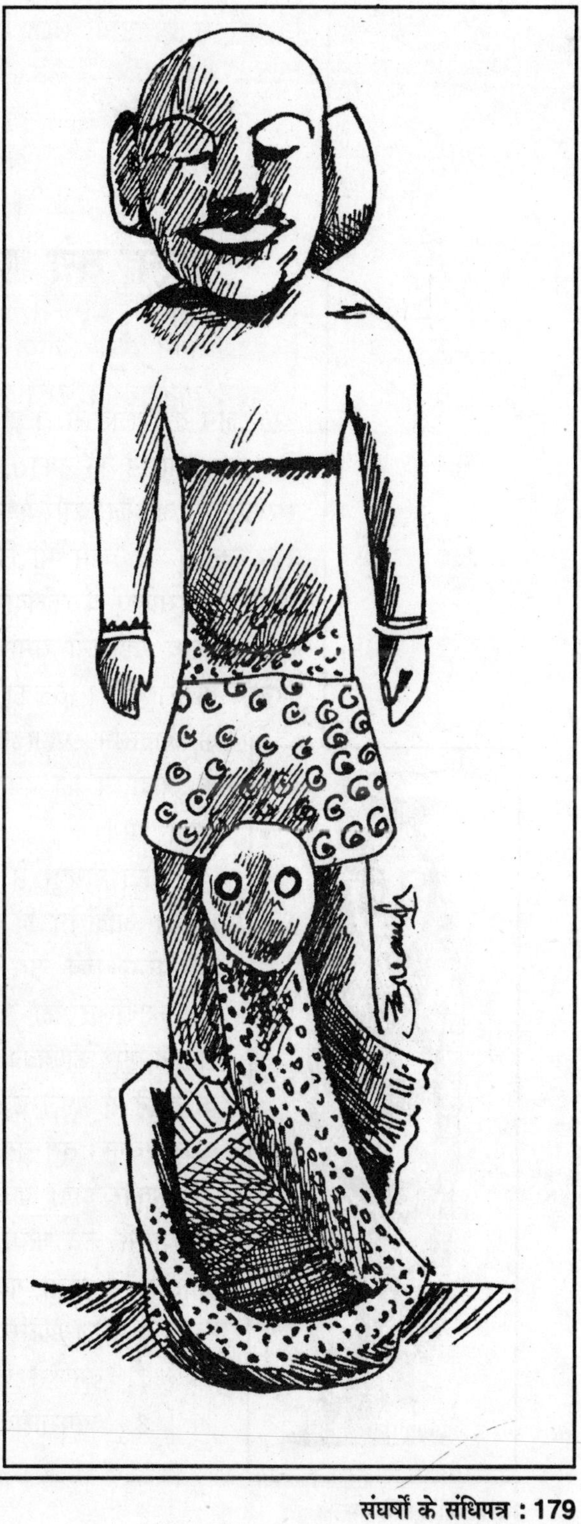

हूल को प्रवाहमान बनाए रखना है

□ डॉ. रोज केरकेट्टा

इसी ज्ञान की वजह से ये आंदोलन लंबे समय तक चला। जब जनता ने सरकार द्वारा दिए गए प्रशासन को नकारा, तब प्रशासक के पास, क्रोध के साथ भय भी था। इसलिए सरकार ने आंदोलनकारियों के दमन के लिए हत्या के साथ-साथ गाँवों को उजाड़ने और जलाने का काम भी किया। परंतु जनता का अपना लक्ष्य और अपनी रणनीति होती है। इसलिए वे बलिदान भी देते हैं। संताल परगने की ओर से हूल जमीन की लूट के साथ महाजनी समाप्त करने और खेतिहरों को उनकी जमीन पर हक वापस दिलाने के लिए था। तिलका माँझी, सिद्धो-कान्हू का संघर्ष ऐसा ही था। तिलका माँझी के आंदोलन (पहाड़िया) को सरकार ने संतालों के माध्यम से दबाया। संतालों के आंदोलन को दबाने के लिए फौज और महाजनों का सहयोग प्रशासन को मिला था।

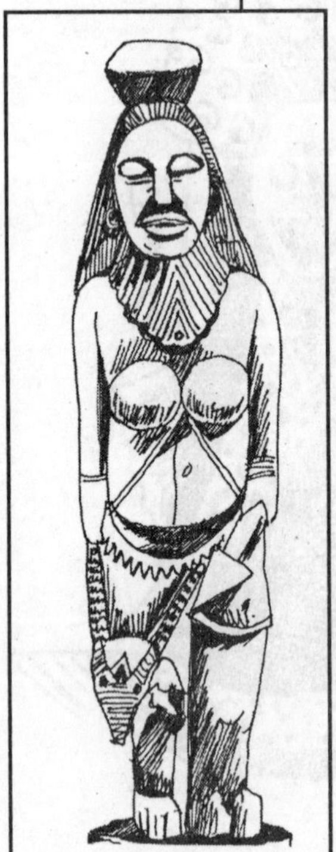

छोटा नागपुर में जनता ने जमींदारी शासन, सरकारी और महाजनी लूट के विरुद्ध आंदोलन किया; उसमें स्त्रियाँ गोद के बच्चों को लेकर शामिल हुईं। स्त्री-पुरुष-बच्चे सब मारे गए।

आंदोलन का परिणाम भी संथाल परगना काश्तकारी अधिनियम और छोटानागपुर काश्तकारी अधिनियम के रूप में निकला। इन काश्तकारी अधिनियमों के बनने से पहले उन्नीसवीं सदी के उत्तरार्द्ध में जब बंगाल प्रेसीडेंसी था—जंगल कानून बना। तब तक जंगल और गाँव बसे थे। इन गाँवों के लोग जंगल कानून के शिकार हुए। वन अधिनियम के कारण शांत जंगलों में हलचल हुई थी। दुनिया से कटे गाँवों के लोगों को जंगलों में अशांति लाने वाली आपराधिक जातियों में गिना गया। जंगल अधिनियम के ये परिणाम निकलकर आए—

1. रेल पटरियों और जहाजी बेड़ों के लिए पेड़ों की अंधाधुंध कटाई।
2. वनों से वहाँ के पुश्तैनी बाशिंदों का निष्कासन।
3. आपराधिक जनजातियों के रूप में नामकरण।

4. वनों का वर्गीकरण—कुछ में बिल्कुल ही प्रवेश की मनाही।

5. वन ठेकेदारों के रूप में नए वर्ग का जन्म।

जब लोगों ने वनों में प्रवेश तक की मनाही का विरोध किया, तब उनका भयंकर दमन हुआ और लोग एक जगह से दूसरी जगह शरण पाने के लिए भागते रहे। इस तरह से भागने वाले लोगों का कोई रेकार्ड नहीं बना। सरकार ने बस इतना किया कि इन लोगों को शरण एवं भीतर की तलाश में निरंतर घूमते रहने योग्य बना दिया। सरकार ने इनसे लोगों की रक्षा करने के लिए एक-एक चौकीदार लगा दिया।

हाँ, आजादी के बाद जो लोग वनों से निष्कासित किए गए, उनकी संख्या 10 लाख से ऊपर आँकी गई है। इन आदिम जनजातियों का दोष सिर्फ इतना था कि वन उनका घर था, जिसकी वे बड़ी मुस्तैदी से देखभाल करते थे। वन्य प्राणियों के प्रति कभी उनकी कोई शिकायत नहीं रही। वनों में वे सखाभाव से रहते थे। पेड़ों के काटने के अपने नियम थे। परंतु वन उजाड़ने का कलंक इनके माथे पर लगा। काश्तकारी अधिनियमों के तहत यहाँ के निवासियों को जमीन बचाने का कानूनी अधिकार मिला। वन अधिनियमों के तहत निष्कासन और वनों से बेदखल होना पड़ा। यहाँ के निवासी इन आदिम जनजातियों में पहाड़िया, बिरजिया, परहिया, सबर खड़िया, बिरहोर और कोरवा मुख्य हैं। इनमें भी पहाड़िया, सबर और कोरवा हमेशा संवेदनशील रहे हैं।

अट्ठारहवीं सदी के पूर्वार्द्ध में जंगल को लेकर भूमिजों और गोंडों के नेतृत्व में जोरदार आंदोलन हुए। बीसवीं सदी के पूर्वार्द्ध में भी जंगलों को लेकर आंदोलन हुए। पहले आंदोलन में स्वामित्व को लेकर आगे संगठित हुए थे। दूसरे आंदोलन में स्थानीय पेड़ों को नेस्तनाबूद करने और आयातित पेड़ों को लगाने के विरोध में आंदोलन हुए। पलामू में वनोपज (बीड़ी पत्ता) के उचित मूल्य के लिए तथा महुआ चुनने के हक को लेकर आंदोलन हुए। संवेदनशीलता की बात जब हम करते हैं, तो कोरबा और सबर की बात आती है। इनकी ऐतिहासिक पृष्ठभूमि रही है। सबरों के बीच काम करते

हुए उनकी भारतीय संस्कृति की देन को नहीं भूलना चाहिए। कवि नज़रुल इस्लाम मानते थे कि कभी पूरी सभ्यता इन्हीं की थी। जिसे आगे चलकर आर्य सभ्यता ने अपने में आत्मसात किया। सिंहभूम में सबरों के रथ-स्पर्श के बाद ही रथ यात्रा आरंभ होती है। इस समृद्ध सांस्कृतिक विरासत के दाताओं का सबसे अधिक दमन हुआ है। जब सत्ता ही दमनकारी की भूमिका में हो तो इन्हें कौन बचा सकता है। परंतु बंगाल में इनका साथ महाश्वेता देवी और उनके साथियों ने दिया। सबर दमन के कारण इधर-उधर बिखर कर पश्चिम बंगाल में सगंठित हो रहे हैं। जलधर सबर इनके सबसे विश्वस्त व्यक्ति हैं।

बिहार और अब झारखंड में रह रहे सबरों के लिए सरकार ने विशेष योजनाएँ चलायीं, जबकि रामदास साहू जैसे समाजसेवी ने इन्हें कॉलोनियों में बसने में मदद दी। लेकिन इसे स्पष्ट समझना चाहिए कि सिंहभूम के घाटशिला में कभी सबरों के समतल जमीन थी। जिनपर वे खेती करते थे। उसका नाम ही खड़ियाडीह था। उस जमीन को कृषि विभाग ने कृषि प्रदर्शन के लिए अधिग्रहण किया। सबर खड़िया को मिली खड़िया कॉलोनी, जहाँ भूमिहीन के सबर बाँस की टोकरी बनाकर जीते हैं। कृषक से मजदूर बना दिए गए। इन सबरों में कुपोषण सबसे बड़ा रोग है। गरीबी में दिन काट रहे ये स्वाभिमानी सबर किसी के सामने आज तक हाथ पसारने नहीं गए। परिणाम यह हुआ कि लोगों सहित सरकार की समझ बनी कि ये निठल्ले रहना पसंद करते हैं। आलसी हैं और सभ्य बनना, शिक्षित होना इनके बूते के बाहर है। पढ़ना इनके बस की बात नहीं है। इनके लिए बने स्कूलों में दूसरे लोग पढ़ते हैं।

महाश्वेता देवी का प्रयास ऊपर के तर्कों को झुठलाता है। पुरुलिया में जिस तरह से सबर जी रहे हैं और वहाँ के कार्यकर्ता जिस तरह से घुलमिल कर रहते हैं। उनका आधार यही है कि सबरों को सम्मान मिला है। उन्हें अपनापन मिला है। यही नहीं उनकी समस्याओं को लेकर महाश्वेता देवी व साथी संपर्क कर रहे हैं। चोर, हत्यारिन के नाम पर पुलिस द्वारा पकड़ी गई बूधन सबर एवं अन्य के लिए कानूनी लड़ाई से लेकर मर्यादा की लड़ाई तक लड़ी जा रही है। सभी प्रकार का हक इन्हें मिले, इस लड़ाई

के समर्थन में उन्होंने बूधन पत्रिका भी निकालना आरंभ किया है।

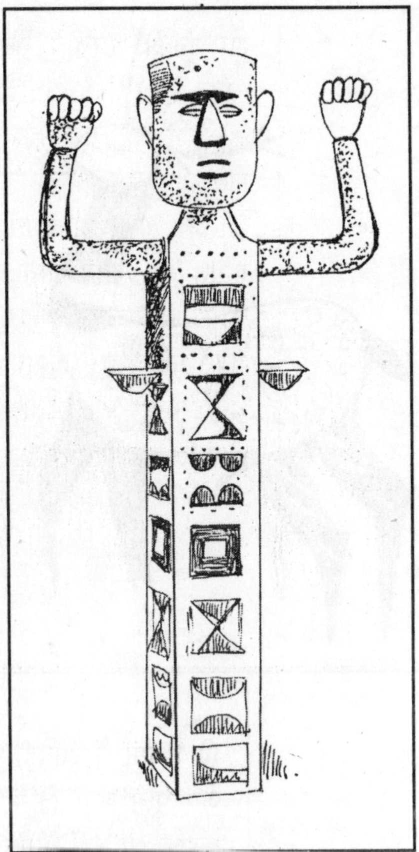

पूर्वी सिंहभूम के पोटका प्रखंड के कालिकापुर से आगे बढ़ें तो ऊँची जमीन पर सबरों की कॉलोनी मिलती है। इसे 'सबर नगर' नाम दिया गया है। सौ घर हैं, जिसमें कुछ इंदिरा आवास है, कुछ बिरसा आवास। यहाँ एक उच्च माध्यमिक आवासीय विद्यालय है और सौ छात्रों के लिए छात्रावास भी। छात्रावास में चार चापाकल हैं जिसमें दो चालू हैं। स्कूल का मकान ठीक-ठाक है। छात्रावास में सबर लड़के नहीं रहते, दूसरे लड़के रहते हैं। स्कूल में लड़कियों को नहीं लिया जाता है। अब तक स्कूल में पढ़ा एक मैट्रिक फेल सबर स्कूल में ही पिछुन का काम करता है। कॉलोनी के एक सबर युवक ने मैट्रिक पास किया है। भारत सेवाश्रम संघ ने उसे दस हजार रुपये ऋण देकर किराना दूकान खुलवाया है। अभी-अभी भारत सेवाश्रम संघ ने केंद्र खोलकर लड़कियों को पढ़ाना आरंभ किया है। यहाँ दो सबर लड़कियाँ क्लास-1 में पढ़ रही हैं। इसके अतिरिक्त वहाँ कृषि और बुनाई की शिक्षा दी जाती है।

प्रत्येक सबर परिवार को पाँच एकड़ जमीन मिली है। एक सकारात्मक काम है है कि यहाँ जो जमीन सबरों को मिली है, वह उपजाऊ और समतल है। परंतु पानी की कोई व्यवस्था नहीं है। ये सबर अच्छे पशुपालक हैं। प्रत्येक धर में तीन से चालीस तक बकरियाँ, मुर्गी और लगभग सभी के पास एक जोड़ा बैल हैं। इनका सामान्य स्वास्थ्य अच्छा है।

इसी कॉलोनी के बिरसा आवास संख्या-2 में राधू सबर अपनी पत्नी, साली और एक पुत्र के साथ नहीं रहता है। वह अपनी जमीन पर फूस की झोंपड़ी बनाकर रहता है। उसकी झोंपड़ी के चारों ओर मई के महीने में हरियाली छायी है। यह जमीन उनकी अपनी होकर भी अपनी नहीं है। पाँच एकड़ उपजाऊ जमीन के मालिक के घर का अंदरूनी भाग देखकर अनुमान लगाया जा सकता है कि यह दंपति घोर अभाव में जी रहा है। लेकिन यह सच नहीं है। यह सही है कि उसके घर में एक बड़ी देगची, दो स्टील का डूभ, तीन कटोरी, एक मिट्टी का तवा, एक मिट्टी का घड़ा बर्तन के नाम पर है। वे जमीन पर बोरा और पुआल बिछा कर सोते हैं। घर की दीवारें कुछ ईंट के टुकड़ों, मिट्टी और कुछ पत्थर की बनी हैं।

छत फूस का है और दरवाजा बाँस के टट्टर का। कपड़े के नाम पर पुरुष के पास एक लुंगी और गमछा। स्त्री के पास एक पेटीकोट, गमछा और एक साड़ी। फिर

भी उन्हें इसका दुःख नहीं है। असल में भारत सेवाश्रम संघ से कृषि योग्य काफी जमीन कृषि प्रदर्शन कार्य के लिए ले रखी है। इन्होंने वहाँ दो 'डीप वैल' तैयार किए हैं। और उस पर खेती करते हैं। राधू का भाई सोनू इस जमीन पर मजदूरी करता है। उसे प्रतिदिन तीस रुपये मात्र मिलते हैं। कुछ बंगाली और संताल कार्यकर्ता भी हैं। उन्हें भी तीस रुपया प्रतिदिन मिलता है। पाँच एकड़ जमीन के एवज में इन जमीन मालिक सबरों को प्रतिवर्ष पाँच सौ रुपये दिया जाता है।

सबरों से बात करने पर पता चला कि उनकी जमीन को इनकी इच्छा के विरुद्ध संघ ने ले लिया है। उनका कहना है कि सरकार यदि हमारे लिए पहले ही 'डीप वैल' देती तो हम खेती ही करते, लेकिन सरकारी महकमा हमारी सुनता नहीं। दबी जुबान से वे संघ के व्यवहार और कार्य के प्रति अप्रसन्नता व्यक्त करते हैं। राधू सबर अकेला ऐसा है जिसने संघ के दिए आवास को अस्वीकार किया है। वह कहता है—"मैं दूसरे की जमीन पर बने घर में क्यों रहूँ? मैं अपनी ही जमीन में झोंपड़ी में ही रहूँगा। स्वामी लोगों ने जबरदस्ती मेरी जमीन ले ली है।" जब पूछा गया कि—"वे काम देते हैं, उसमें क्यों नहीं करते?" बड़ी ताकत से उसने कहा—"मैं नहीं करता काम। मैं जंगल से रस्सी लाकर बेचता हूँ। लकड़ी और फल-फूल भी बेचता हूँ।" कोई कष्ट है?—कहने पर वह कहता है—"कुछ नहीं, मजा से कमाते हैं।" राधू सबर संघ द्वारा जमीन लिए जाने के विरोध में अकेले खड़ा है। लेकिन अकेले विरोध संघ जैसे व्यापी संस्था का कुछ नहीं बिगाड़ सकता है। हम बड़ी उपलब्धि के लिए आंदोलन करते हैं, लेकिन जब तक इन कमजोर लोगों के लिए उठ खड़े नहीं होते, आंदोलन में सूराख बने रहेंगे। इन्हीं सूराखों से झारखंडी एकता को तोड़ने के लिए जातीय वैमनस्य, घृणा, दलाली, सांप्रदायिकता, ऊँच-नीच का विचार झारखंड में घुसा है। इन्हीं छोटे-छोटे छिद्रों से लूट, घूस, मिलावट, ठगी, अंदर आयी है। महाश्वेता देवी ने इन सूराखों को दिखाकर छिद्रों को बंद करने का रास्ता बताया है।

राजनीतिक हस्ती बन पाना सब कुछ नहीं है। कमजोरों को बराबरी में लाना भी लक्ष्य होना चाहिए। झारखंड का आंदोलन रुका नहीं है। वह चल रहा है। उसे प्रवाहमान बनाए रखना है। जब कमजोर आदमी रहने के लिए संघर्ष कर रहा है, तो उसके संघर्ष में शामिल होना हमारा भी दायित्व होना चाहिए।

हूल के अक्षर का इतिहास

□ अश्विनी कुमार पंकज

अवसर था संतालों के गुरु गोमके (महान शिक्षक) पं. रघुनाथ मुर्मू की जन्म शताब्दी वर्ष का समापन समारोह।

आदिवासी भाषा, साहित्य व संस्कृति का वह अभूतपूर्व समागम था। बिना किसी औपचारिक आमंत्रण के लोग आए थे। भारत के विभिन्न हिस्सों से चूढ़ा-मूढ़ी, चावल बाँधकर, पैदल, साइकिल, ट्रैक्टर, जीप एवं बसों से, बच्चों को पीठ पर लादे महिलाएँ और लाठियाँ टेकते बूढ़े, मीलों तक साल वृक्षों की एक चेतन अनुशासित कतार।

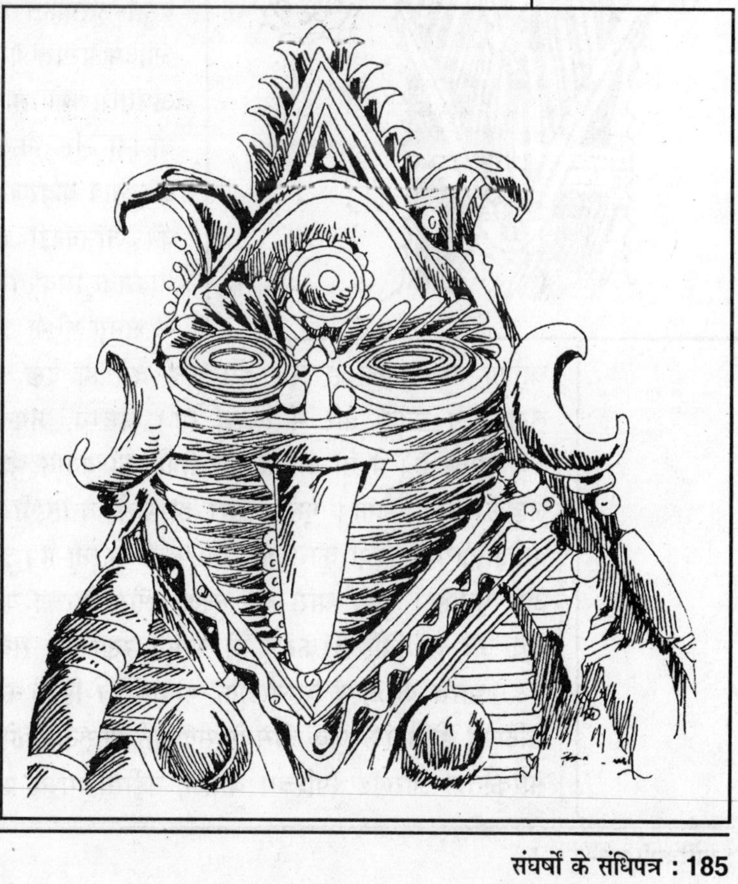

किसी शिक्षक और सांस्कृतिक नायक के सम्मान का ऐसा आयोजन मैंने आज तक समूची हिंदी पट्टी में न देखा है और न सुना है। यहाँ तक कि झारखंड के राजनीतिक आंदोलन के महानायक मरांग गोमके जयपाल सिंह मुंडा की जन्म शताब्दी पर भी झारखंड में ऐसा कोई कार्यक्रम नहीं हुआ। 21 से 24 मई को झारखंड, पश्चिम बंगाल व उड़ीसा के सीमावर्ती आदिवासी इलाकों से गुजरते और रुकते हुए गाँव-गाँव में गुरु गोमके की स्मृति में छोटे-बड़े आयोजनों को देखने- सुनने का यह मेरा पहला अनुभव था। मैं आश्चर्यचकित था। अपने गुरु के प्रति ऐसी श्रद्धा और सम्मान। वह भी एक ऐसे आदिवासी समुदाय में, जिसे भारत की हिंदी

पट्टी में जंगली, गँवार, अनपढ़ और न जाने क्या-क्या कहा जाता है। जो भारत की अनुसूचित जनजाति में शेड्यूल्ड है। और जिनकी एक बड़ी आबादी गरीबी रेखा से नीचे है।

बहुत दिन हुए हैं। इस साल के फरवरी महीने की बात है। झारखंड में विधानसभा चुनावों की तैयारी चल रही थी। राष्ट्रीय-अंतर्राष्ट्रीय मीडिया राजधानी रांची में जमा हुआ था। हर पल की खबर की होड़ थी। लंबे समय तक झारखंड आंदोलन से जुड़े रहने के कारण कभी-कभार कोई मीडियाकर्मी 'फिलर' कार्यक्रम के लिए मुझ तक भी पहुँच जाता था। ऐसे ही एक दिन बीबीसी हिंदी सेवा से एक सज्जन मेरे पास रविभूषण के जरिए आए। रिकार्डिंग के बाद की अनौपचारिक चर्चा के दौरान उन्होंने बहुत उत्साहित होकर संताल समाज की लुप्तप्राय आदिम परंपरा 'बिठलाहा' (संताल समुदाय में किसी अपराधी को सामूहिक सजा देने की परंपरा) पर बोलना शुरू किया। कहने लगे कि यहाँ आए तो थे चुनाव कवरेज के लिए, इसी बीच उन्हें बिठलाहा की जानकारी हुई और उस पर उन्होंने एक 'एक्सक्लूसिव' रिपोर्ट तैयार कर ली है। तो आज के समय में भी आदिवासी समाजों के बारे में हमारी धारणा नहीं बदली है और हम उन्हें वैसे ही देख रहे हैं जैसा कि सौ साल अंग्रेजी लेखकों ने उनके बारे में लिखा था। असभ्य, जंगली लोगों को भाषा, संस्कृति की क्या समझ है। वे तो अपनी तकलीफों का बयाऩ भी नहीं कर सकते। हमें ही अंग्रेजी लेखक बनना होगा। मुख्य धारा ही उन्हें बचाएगी। आखिर जनजातीय कल्याण के करोड़ों-अरबों रुपयों का बजट भी 'खर्च' करना है। इसलिए हम ही होंगे उनके प्रवक्ता और मसीहा। मुख्य धारा की सुरक्षा और श्रेष्ठता का वर्चस्व उनको संस्कारित (चाहे चर्च करे या विहिप) करके ही बनाए रखा जा सकता है।

भारत के अन्य बहुसंख्यक भाषायी व हिंदी को इस तथ्य को स्वीकार करने में कठिनाई होगी कि जब बीसवीं सदी की शुरुआत में हिंदी भाषा आकार ले रही थी, सांस्कृतिक झारखंड (पश्चिम बंगाल, उड़ीसा, मध्य प्रदेश और आज के छत्तीसगढ़ का

आदिवासी इलाका) में संताल समुदाय के पं. रघुनाथ मुर्मू आदिवासी भाषाओं की स्वतंत्र सत्ता की नींव डाल चुके थे। मुर्मू द्वारा रचित मुंडारी भाषा परिवार की नयी लिपि 'ओलचिकी' को संताल समाज ने स्वीकार कर लिया था। और गाँव-गाँव में ओलचिकी स्कूल 'इतुन आंसाम' व इतुन आरू (संताली स्कूल) खोलने के सिलसिले की शुरुआत हो गई थी। देवकीनंदन खत्री के 'चद्रकांता संतति' की ही तरह बृहत्तर झारखंड के आदिवासी लाखों की संख्या में गुरु गोमके की नाट्य रचना बिंदु चंदन को पढ़ने तथा इसका प्रदर्शन देखने के लिए 'ओलचिकी' सीख रहे थे। भाषायी नदी का यह एक ऐसा प्रवाह था, जिसे अंग्रेजी, हिंदी, बांग्ला और उड़िया भाषाओं के बाँधों ने रोक रखा था। यह झारखंड के राजनीतिक आंदोलन की एक मुखर सांस्कृतिक अभिव्यक्ति थी, जिसे रघुनाथ मुर्मू के शिक्षकीय कौशल ने संगठित सांस्कृतिक आंदोलन में बदल डाला था। 21 मई की तपती धूप में हम (झारखंड की भाषायी पत्रिका 'अखड़ा' की संपादिका वंदना टेंटे, बिरसा के मीडियाकर्मी तीर्थराज बुढ़िउली और मैं) भारत की औद्योगिक नगरी जमशेदपुर के करनडीह गाँव में खड़े हैं। वैसे करनडीह आज गाँव नहीं रह गया है, क्योंकि जमशेदपुर नगर के विस्तार ने उसे लील लिया है। अब यह शहर का ही एक हिस्सा है। करनडीह में गुरु गोमके के आंदोलन के दिनों का पुराना घर है। उनका पुश्तैनी गाँव रायरंगपुर (उड़ीसा) का डांडपोस है।

मिट्टी, सीमेंट और खपड़ैल के करनडीह के इस घर में उनके चार बेटों में से जीवित एकमात्र पुत्र बैजनाथ मुर्मू और पोते-पोतियाँ रहते हैं। यहीं खुले आँगन में नीम के पेड़ के नीचे लोहे की एक पुरानी प्रिंटिंग मशीन व उसके कल-पुर्जे रखे हैं। लंदन से यह मशीन झारखंड पार्टी के सर्वोच्च नेता जयपाल सिंह मुंडा ने सन् 40 के आसपास मँगवा कर गुरु गोमके को सौंपी थी। मशीन आ जाने के बाद समस्या टाइप की थी। तब

कलकत्ता स्थित स्वदेशी टाइप फाउंड्री में जाकर गुरु गोमके ने स्वयं अपने हाथों से 'ओलचिकी' टाइप ढाला और जमशेदपुर के 'खेरवाल जरपा समिति' के मुनिराम बास्के, सावना मुर्मू आदि के सहयोग से गोदलिया भवन में चंदन प्रेस की स्थापना की। किसी भी आदिवासी लिपि का भारत में यह पहला प्रेस था।

चंदन प्रेस की स्थापना 1943 में हुई। लेकिन इसके 15 वर्ष पूर्व ही वे ओलचिकी की छपायी के लिए लकड़ी का टाइप और छापाखाना बना चुके थे। तब वे रायरंगपुर (उड़ीसा) के पास बादामतलिय मोडेल स्कूल के हेडमास्टर थे। इस काम में सोना मुर्मू उनके प्रमुख सहयोगियों में से थे। यह 1925 की बात है। मात्र 20 वर्ष की उम्र थी तब उनकी। 20 वर्ष की उम्र में मुंडा युवक बिरसा ने 1900 ई. में अंग्रेजों के खिलाफ अबुआ राज का राजनीयिक आंदोलन उलगुलान (मुंडा आदिवासियों का ऐतिहासिक विद्रोह) किया था। और ठीक इसी उम्र में रघुनाथ मुर्मू ने उलगुलान के 25 सालों बाद सांस्कृतिक आंदोलन की नींव डाली—'ओलचिकी' का आविष्कार किया।

एलबीएस कॉलेज, जमशेदपुर के पूर्व प्राचार्य और संताली भाषा के विद्वान प्रो. दिगंबर हांसदा से बात हो रही है। श्री हांसदा कहते हैं—गुरु गोमके ने जो लिपि आविष्कृत की, वह मूल रूप में 'मुँडारी पारसी' (लिपि) थी। उन्होंने सिर्फ संताली नहीं, बल्कि मुंडा परिवार की तमाम भाषाओं के लिए इसकी रचना की। निज भाषा के उत्थान के लिए वे जिन सवालों से जूझ रहे थे, वे सवाल सभी आदिवासी भाषाओं के थे। इसे दुर्भाग्य ही कहा जाएगा कि मुंडा भाषा समूह के अन्य समुदायों—मुंडा, खड़िया, हो, ने इसे नहीं अपनाया और यह केवल संतालों की लिपि ओलचिकी बन कर रह गई।

गुरु गोमके ने भाषा के माध्यम से सांस्कृतिक एकता का जो अभियान संगठित किया, उसका

मूल्यांकन होना अभी शेष है। तीस से लेकर सत्तर तक के पाँच दशकों में आदिवासी एकता के लिए लिपि के द्वारा उन्होंने जो आंदोलन चलाया, वह ऐतिहासिक है। संताल लोग, जो कि बिहार, बंगाल, असम और उड़ीसा चार प्रांतों में रहते हैं, संवाद के लिए बांग्ला, उड़िया, हिंदी और असमिया भाषा पर निर्भर रहते हैं। पाँच तरह की लिपियाँ देवनागरी, बांग्ला, उड़िया एवं रोमन का प्रयोग करते हैं। इससे न सिर्फ उनका सामाजिक संगठन कमजोर हुआ, बल्कि भाषायी व सांस्कृतिक क्षरण भी तेजी से हुआ। गुरु गोमके इस अवरोध को समझते थे। उन्होंने समझ लिया था कि जब तक एक लिपि नहीं होगी, सामाजिक एका संभव नहीं है।

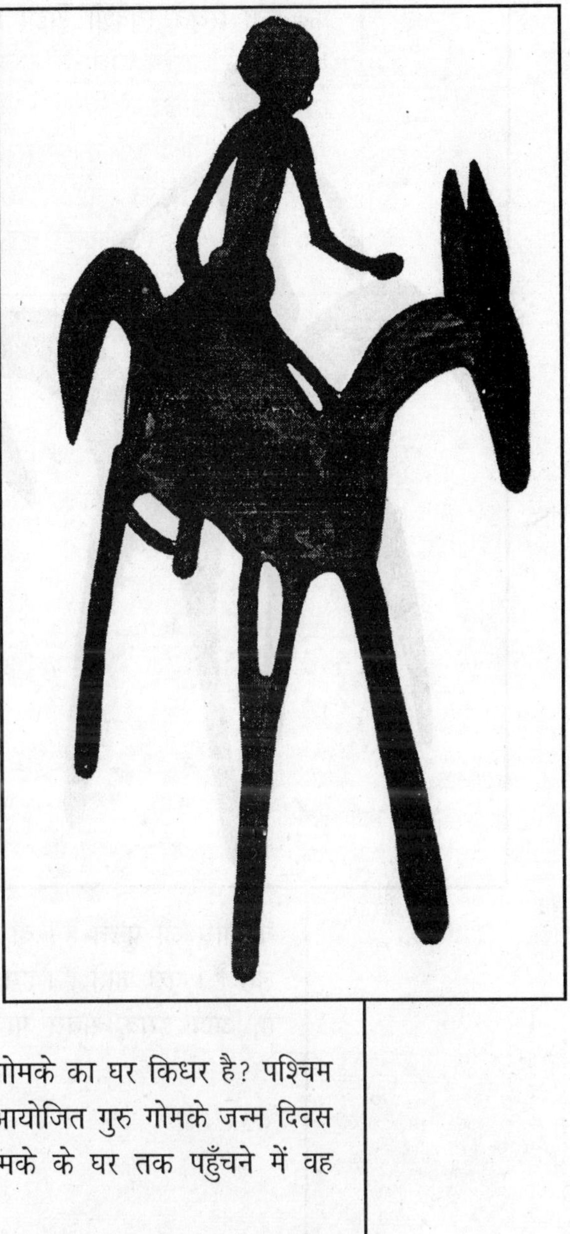

इस दृष्टि से संताल-मुंडा एकता के लिए उनका योगदान अभूतपूर्व है और इस संदर्भ में उनके सांस्कृतिक, साहित्यिक व संस्थानिक कार्यों का अध्ययन किया जाना चाहिए।

22 मई की शाम लगभग सात बजे हम डांडपोस पहुँचते हैं। इसका दूसरा नाम डहरडीह है। अर्थात् रास्ते का गाँव। जमशेदपुर-रायरंगपुर मार्ग से कोई 5 किलोमीटर पहले स्थित है यह गाँव। अँधेरे में तीन-चार दुकानों का आभास होता है। सड़क पर ही एक बैनर दिखाई देता है। पं. रघुनाथ मुर्मू मेमोरियल क्लब। बैनर अंग्रेजी और ओलचिकी लिपि में लिखा है। एक संताली युवक से पूछता हूँ कि गुरु गोमके का घर किधर है? पश्चिम सिंहभूम के तांतनगर गाँव का यह युवक 23 मई को आयोजित गुरु गोमके जन्म दिवस समारोह में शामिल होने के लिए आया है। गुरु गोमके के घर तक पहुँचने में वह हमारा मार्गदर्शक बनता है।

जमशेदपुर से डांडपोस मात्र 70 किमी. की दूरी पर है और यह रायरंगपुर विधानसभा एवं मयूरभंज लोकसभा क्षेत्र में आता है। उनके बेटे स्व. सिदलाल मुर्मू 1971 में यहाँ से झारखंड पार्टी के विधायक एवं उड़ीसा सरकार के श्रम मंत्री तथा राजीव गाँधी के समय में कांग्रेस के सांसद रह चुके हैं। डांडपोस के आधे कच्चे-आधे पक्के पुश्तैनी मकान में सिदलाल की विधवा रुक्मणी मुर्मू अपने बच्चों के साथ आती है।

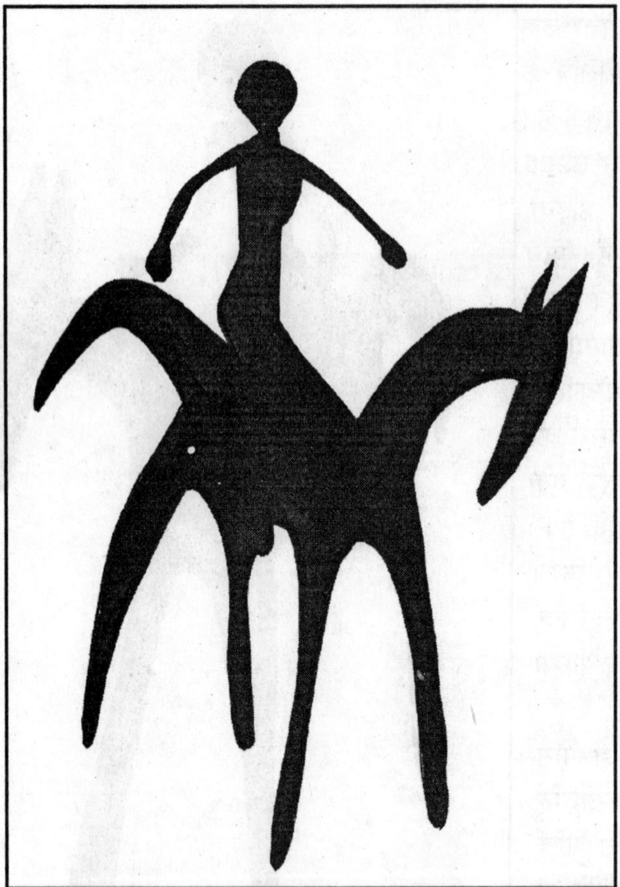

आम आदिवासियों की तरह ही यह मामूली घर है। आज के समय में किसी मंत्री अथवा सांसद का ऐसा साधारण मकान 'दुर्लभ' ही है।

स्व. सिदलाल की पत्नी हमसे मिलते ही यादों में खो जाती हैं। टूटी-फूटी हिंदी में बोलते-बोलते उनका गला रुँध जाता है। एक स्नेहिल पिता की, सर्वकालिक शिक्षा और सांस्कृतिक नायक की ढेर सारी यादें हैं उनके पास। तीर्थराज का कैमरा सब कुछ रिकार्ड कर रहा है। एक संताली महिला का अनुभव, जो इस घर में बहू बन कर आने से पहले उन्हें जानती थी।

इसी बीच गुरु गोमके के तृतीय एवं एकमात्र जीवित पुत्र बैजनाथ मुर्मू आकर अत्यंत आत्मीयता से हमसे मिलते हैं। मयूरभंज में पोस्टेड डॉक्टर पोता नेपाल रघु मुर्मू भी बातचीत में शामिल हो जाते हैं। पूरा परिवार अभिभूत है। सभी पूछते हैं रिकार्डिंग का क्या करेंगे? वंदना जवाब देती है। डॉक्यूमेंट्री बना रहे हैं। बन जाने के बाद घूम-घूमकर लोगों को दिखाएँगे। हमें भी? बैजनाथ जी पूछते हैं। वो कहते हैं बहुत से लोग आते हैं। बाबा के बारे में जानकारी लेते हैं। चले जाते हैं। हमें पता नहीं, वह हमारे लोगों तक कब पहुँचेगा। वंदना कहती है, आप इसके सबसे पहले दर्शक होंगे।

धरती के साथ अन्याय बंद करना होगा

□ डैनिएला बेज्जी

प्रकृति की वह मनोरम छटा, इन क्षेत्रों के अनछुए जंगल, हजारीबाग की सुंदर रँगी हुई दीवारें, बुलू इमाम और उनका परिवार जेवियर का दफ्तर-सह-आवास का दोपहर का भोजन, और वो सभी सम्मान के क्षण जो विभिन्न शहीद स्मारकों के समक्ष हमने देखा, जो वहाँ के उपस्थित लोगों की आँखों में कौतूहल बन कर घूम रहा था।

एक तस्वीर में आप मेरे दस वर्षीय पुत्र गैबरिएल को देख सकते हैं, जो एक बड़े समतल पत्थर की ओर इशारा कर रहा है, जिस पर नामों की एक लंबी लिस्ट खुदी हुई है। ये नाम किसी और के नहीं बल्कि उनके हैं, जो वर्षो पहले अपनी घाटी, कोयल-कारों को बचाने में शहीद हुए थे। कोयल-कारों के वर्तमान जंगल राज्य : खूबसूरत, घना जंगल, यहीं बिखरे हुए गाँव हैं। ठीक अपने प्राचीन सरना तथा धान के खेतों के बगल में, जिनका जीवन अनछुआ है और जिनका समय जारी वर्तमान। कोई भीड़-भाड़ नहीं केवल रास्ते में साइकिलें और पैदल चलते लोग।

एक अन्य तस्वीर में हम सभी एक साथ हैं, यहाँ तक कि बोकारो का मेरा मित्र और हमारा गाइड भी इसमें है, सामने एक अनूठा दरवाजा है। जिस पर लोहे का एक बड़ा धनुष रखा हुआ है। इस समतल धनुष पर आकाश की ओर इशारा करता हुआ तीर है। निचले भाग में एक छोटा-सा मातम का प्रतीक एक पत्थर है। एक अन्य स्मारक जहाँ 17 आदिवासियों के मरने की दास्ताँ है। ये वे शहीद हैं, जो 8 सितंबर, 1981 को गुआ

गाँव के अस्पताल में हुए हत्याकांड के शिकार हुए।

एक अन्य तस्वीर में पीटर इस अवस्था में खड़ा है कि वह एक बड़े से पत्थर को सम्मान दे रहा है। यह पत्थर चाईबासा के बिरसा ऑफिस के कोर्टयार्ड में है। उसके गले में गेंदे के फूल की माला उसी सुबह मेरे एक मित्र ने राँची छोड़ने से पूर्व दी थी, जो अब थोड़ा मुरझा गया था। यह एक पत्थर तकरीबन दो मीटर ऊँचा था और इसकी सतह पर भी कई लोगों के नाम खुदे हुए थे। इस तस्वीर में वह छोटा जनसमूह नहीं दिखाई पड़ रहा है, जिसमें सभी आदिवासी लोग थे और उनके चेहरों पर उस शांति के बावजूद तनाव था।

हमने वह पूरा दिन कहानियाँ सुनते हुए ही बिता दिया। उनकी सहनशीलता, शोषण तथा परेशानियों का एक लंबा सिलसिला। इस तस्वीर में हम सभी एक साथ हैं। मुस्कुराते हुए। क्या हम फिर कभी एक-दूसरे से मिल पाएँगे? यही वे भरोसा करना चाह रहे थे।

तस्वीर में यह बात उभर रही है। हम एक से हैं, यानी हम एक हैं। हालाँकि हमारी नस्ल, हमारी बनावट, हमारी पृष्ठभूमि तथा हमारे जीवन की राहें अलग-अलग हैं। हम हर क्षण को एक-दूसरे के साथ व्यतीत कर रहे हैं, यह जानते हुए भी हमें संघर्ष करना है और इसे शायद नजरअंदाज भी नहीं किया जा सकता है और ऐसे कहा भी जाना चाहिए।

मैं इन तस्वीरों को पूरे नौ माह के बाद देख रही हूँ और इसे देख कर थोड़ी हैरान भी हूँ। भारत में यह किस तरह की यात्रा थी? क्या यह क्षेत्र में काम करने का एक प्रकार का पूर्वाभ्यास था? या फिर एक प्रकार की तीर्थयात्रा। यह तीर्थयात्रा कहाँ की और किस लिए? ये घाटियाँ कभी भी मेरी घाटियाँ नहीं रहीं। मैं इन गाँवों से बहुत दूर पैदा हुई हूँ। और ये सभी शहीद लोग जिनकी यहाँ फेहरिस्त दिख रही है, वे सब मेरे लिए अपरिचित हैं। यह मुद्दा जिससे यहाँ के लोग जूझ रहे हैं वह हमारे लिए अहम है। संसाधनों की लूट और बेवजह दोहन पहले भी हुआ है और यह अब भी जारी है। यह सब विश्व के हर कोने

में होता रहा है, यहाँ तक कि हमारे यहाँ भी।

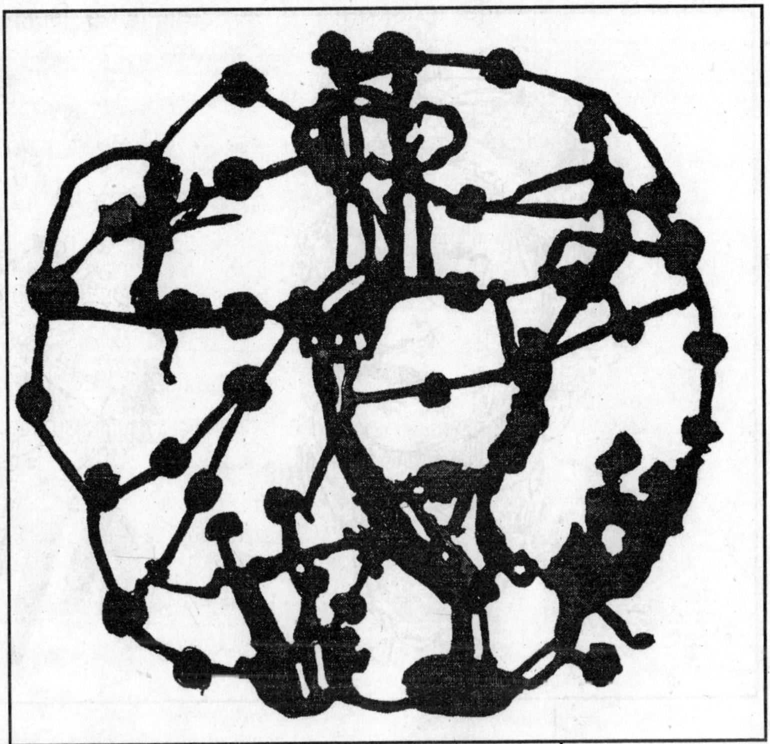

फिर हम वहाँ क्यों थे? हम किस की तलाश कर रहे थे? मैं अपने पति और बच्चों को क्या बताना चाह रही थी, जिसने मुझे झारखंड से इतनी प्रगाढ़ता से जोड़े रखा है...?

एक अन्य तस्वीर जिसे मैं केवल याद कर सकती हूँ (क्योंकि तस्वीरों का वह कलेक्शन फोटो बुक कहीं सेल्फ में खो गया है), जहाँ मैं पहली बार स्व. राजा पोलुस गुड़िया से मिली थी। यह 1999 का वर्ष था और झारखंड को स्वतंत्र राज्य बनाने की दिशा में राजनीति चरम पर थी। एक अलग राज्य का सपना और उसके पूरा होने की आस उनकी आँखों में थी। यकीनन वीर पोलुस गुड़िया द्वारा सँजोया गया अंतिम सपना था, जिसे साकार करने की उन्होंने कोशिश की थी। यह बात उन्होंने मुझे घाटी की बात बताते हुए कही थी।

सचमुच वह न बीतने वाला क्षण था। यह कहानी यूँ ही चलती रहेगी। हर भाव का अनुवाद करने के लिए एक लंबा समय चाहिए और तभी मैं उसके हर पल को बयाँ कर पाऊँगी। मैंने इस खोजयात्रा के इस लिखित दस्तावेज को सँभाल कर रखा है। इसके एक पत्र में लिखा है "भारत में इन अद्‍भुत एवं आश्चर्यजनक चीजों की कल्पना करना कठिन नहीं है।" और जो सचमुच भारत में है, हालाँकि समय अपनी रफ्तार से बढ़ता जा रहा है...।

झारखंड में आने वाले पादरी फादर लिवंस (जिनका जन्म बेल्जियम में 1856 में हुआ) को आज भी एक बड़ी प्रतिमा के रूप में स्थापित कर याद किया जाता है और यह आप यहाँ के तोरपा नामक छोटे से कस्बे में प्रवेश से पूर्व देख सकते हैं। उनके एक उत्तराधिकारी का बहुत-बहुत धन्यवाद, जिन्होंने 1945 में घाटी पर मँडराते खतरे को जानने की कोशिश की थी।

कोयल-कारों परियोजना की परिकल्पना ब्रिटिशों के दिमाग में सदी के प्रारंभ में

आयी थी और इसे नव आजाद भारत ने अमल में लाने की कोशिश की ताकि यह विकास की राह पर आगे बढ़ सके। कोयल-कारों परियोजना की पहली सभा इसलिए बुलायी गई थी ताकि उसके बारे में बताया जा सके। किसी भी व्यक्ति को घाटी पर बाँध बनाए जाने के बारे में जानकारी नहीं थी।

कैथोलिक पादरी ने बताया, कि उनके दिमाग में क्या है। यदि आप इसका विरोध करना चाहते हैं, तो नहीं बोलिए और आप ऐसा कर सकते हैं...

वर्षों से इस क्षेत्र में शोधकर्ता घाटियों में दिखते रहे हैं...लेकिन यहाँ कभी कुछ भी नहीं हुआ। जब तक कि कुछ गंदे इरादेवाले लोगों का यहाँ आगमन नहीं हुआ। उनका गुस्सा फूट पड़ा और आंदोलन की शुरुआत हुई। इस कहानी को आप अच्छी तरह याद कर पाएँगे बजाय मेरे इस नोट्स में लिखे गए वाक्यों से। (यह मायने भी नहीं रखता, यह मेरा मुद्दा भी नहीं है।)

मेरे लिए ये मुद्दा है कि यह असीमित है और मेरे लिए इससे जुड़ना महत्त्वपूर्ण है। दृश्य है। एक पेड़ के नीचे एक चबूतरा है। पोलुस गुड़िया कुछ लोगों से वहाँ घिरे हुए है। उनकी घाटी की कहानी को समेटना और भूलना असंभव है और यह एक अनजान इतिहास है। यह तारीख और घटना है। एक छोटा परंतु अब विशाल रूप ले चुका है, वह आख्यान आज भी वादियों में मौजूद है...।

दो वर्षों पश्चात मैं दिल्ली में थी, एक शाम मैं रात्रि भोजन कर रही थी, एक मित्र ने मुझे एक खेल के लिए आमंत्रित किया, जिसमें एक-दूसरे को करीब लाने की कोशिश की जाती है।

चलिए मैं आपको बताती हूँ कि वह क्षण जीवन का कैसा था हमारे लिए, कब और क्यों...?

खेल शुरू होता है और मैं चूंकि घेरे के किनारे थी, इसलिए मुझे सोचने का ज्यादा समय मिला। और जब दूसरे उस क्षण को याद करते हैं, तो आपस में मिलते हैं। कभी एक बालक के बारे में तो कभी एक माँ इत्यादि। लेकिन, एकमात्र क्षण जो मुझे अच्छी तरह याद है, धूप में पेड़ के नीचे बैठना। राजा पोलुस का चेहरा उतरना याद है। जैसा कि मेरे नाना का उतरा था। खतरनाक घाटी की कहानी मेरी पारिवारिक कहानी के ऊपर हावी हो गई थी कि कैसे हमने जमीन खोयी और व्यवसाय में घाटा सहा।

मुझे लगता है उस दिन मैं समझ पायी कि किस तरह हम अपनी यादों को खोते जा रहे हैं, जिनसे हम जुड़े रहे। उस खास दिन और घटनाओं को हम जबरन बताने की कोशिश करते हैं कि हमारी जड़ें, हमारी पहचान क्या है। और मैंने महसूस किया कि ये लोग क्यों इसका विरोध कर रहे हैं और लड़ रहे हैं। हम उसके बारे में कुछ भी दावा पेश नहीं कर सकते, क्योंकि हमने वह सब खो दिया है।

12 घंटों के बाद कुहासे भरे दिन में मेरे फोन की घंटी बजी और आरबी की आवाज सुनाई पड़ी। उसने यह सूचना दी कि कई लोगों की हत्या हो गई है। उसकी भावुक आवाज से मैं यह कल्पना कर सकती थी कि कैसे खून से लथपथ लोगों को ले जाया जा रहा है। गाड़ियों में आग लगी हुई है। अनकही बेचैनी। क्या हम कुछ कर सकते हैं, कुछ लिख सकते हैं, क्या हम अपनी दुनिया में यह बता सकते हैं कि कैसे उनकी दुनिया में आग लगी है, हम कोशिश करते हैं, लेकिन कर नहीं पाते। हमारे संपादक इन युद्धों को एक तरह से नहीं देख सकते। युद्ध विश्व के हर क्षेत्र में एक समान नहीं होता, दुनिया के हर क्षेत्र में एक खास तरह का युद्ध होता है।

लेकिन अचानक उस शाम मेरे दिमाग में राज्य के निर्माण में कैसे युद्ध लड़ा जा रहा है। यह बात मैंने अपने दोस्तों को बतायी जब मैं आदिवासी जमीन की बात कर रही थी और यह सामूहिक हत्या कुछ घंटों पूर्व ही हुई थी।

यह 2 फरवरी 2001 का दिन था। मैंने इस तारीख को गूगल में जाँचने की कोशिश नहीं की। क्योंकि मेरे पास वर्तमान झारखंड से संबंधित एक अन्य सूची थी जिस पर स्पष्ट अक्षरों में तारीख लिखी हुई थी और इस दिन मरे लोगों की सूची दर्ज थी। तपकरा गाँव की चौमुंहानी दुकानों और लोगों से भरी हुई थी। बाजार का दिन होने के कारण व्यस्तता थी। कुछ लड़के हमारा पीछा कर रहे थे, जिनके चेहरे पर थोड़ी जिज्ञासा झलक रही थी। शायद ऐसे ही किसी दिन ने सामूहिक हत्या की थी। इसी तरह भीड़ होगी या फिर इससे भी अधिक। 5000 मुंडा आदिवासियों से कम नहीं होंगे। इनमें स्त्रियाँ और बच्चे भी सुबह से इकट्ठे हुए थे। क्योंकि ऐसा कोई दूसरा बाजार मौजूद नहीं है। देरांद गाँव की बाहरी घेराबंदी तोड़ने के बाद कोयल-कारों आंदोलन ने इसे बचाने के लिए एक विशाल सभा का आयोजन किया।

हालाँकि आप भारत के कई हाइवे पर चेकपोस्ट को देख सकते हैं, लेकिन डैम विरोधी आंदोलन में इसकी प्रमुखता जबरदस्त थी। इसकी शुरुआत मुंडा आदिवासियों ने 1984 में एनएचपीसी में जाने से रोकने तथा सरकारी अधिकारियों को लोहाजिमी जाने से रोकने के लिए की थी। यह क्षेत्र देरांद के बगल में ही है जहाँ प्रस्तावित डैम परियोजना कोयल-कारों नदी पर बनायी जानी थी। वर्ष 1995 में सरकार ने जब यह निर्णय लिया कि इस परियोजना को फिर से शुरू किया जाएगा, तो क्षेत्र में संगठन द्वारा कर्फ्यू लगाए गए और 24 घंटों निगरानी रखी जाने लगी।

इसी तरह सड़कों पर घेराबंदी की गई। ताकि आधिकारियों को डैम पर जाने से रोका जा सके और पुलिस को क्षेत्र में प्रवेश से रोका जाए। मैं उस घेरे में प्रवेश दिए जाने की भावुकता को आज भी याद करती हूँ और अपने गाइड को धन्यवाद देती हूँ। इसी दिन मेरी मुलाकात राजा पोलुस गुड़िया से हुई।

लोगों की सहनशीलता का एक सशक्त उदाहरण जानबूझकर तोड़ा गया और आदिवासियों का आक्रोश फूट पड़ा।

संगठन के नेताओं और विभिन्न पुलिस अधीक्षकों के बीच घंटों बातचीत के बाद बिना बताए ही लाठीचार्ज शुरू हो गया। महिलाएँ और बच्चे जो कि आगे बैठे थे, उन्हें ही पहले मार खानी पड़ी। उसी समय हवा में गोली चलनी भी शुरू हो गयी और उसके बाद सीधे सभा में पत्थर के बदले गोलियाँ और आँसू गैस चलाए जा रहे थे। लोग आतंकित होकर इधर-उधर भाग रहे थे। भगदड़ मच गई थी। गाड़ियों में आग लगा दी गई। घायल लोगों को घसीट कर कब्जे में लिया जा रहा था और बाद में उन्हें बुरी तरह पीटा गया। दस लोग मारे गए, दिन के अंत में लड़ाई का यही नतीजा निकला। एक अन्य बात जो याद आती है, जो बिरसा मुंडा की मौत के बाद शायद सबसे बुरी रही, वह है तपकारा गाँव का बाजार...

इसके बाद एक अच्छी बात यह हुई कि कोयल-कारों परियोजना को रोक दिया गया। कितने दिनों हम घाटी को सहेज कर रख पाएँगे, यह हम नहीं जानते, लेकिन कुछ समय के लिए तो यह सुरक्षित है ही।

जब हमलोग घाटी के अंतिम छोर पर पहुँचे जहाँ जीप आगे नहीं जा सकती थी, मेरे पति ने कहा कि "मैं समझ सकता हूँ कि क्यों तुम यहाँ वापस आना चाहती थीं।" वह चपलता, वह प्रकाश, जंगल, अपने खेतों पर चुपचाप काम करते किसान और अनाज, समय में नहीं बँधने वाली एक असीमित दुनिया। मैंने एक बार फिर उस गाँव में जाकर वही अनुभूति पाने की कोशिश की, जिस पेड़ के नीचे वर्षों पहले घाटी के राजा से बात करने का गौरव हासिल हुआ था। जहाँ तक राजा पोलुस गुड़िया की बात है, उनका देहांत कुछ वर्ष पहले हो गया।

उनकी विधवा पत्नी के घर की ओर किसी व्यक्ति ने इशारा किया, हमलोग उनसे और उनके भाई से मिलने गए। मुझे कुछ समझ में नहीं आ रहा था कि क्या कहूँ? किसी ने एक फोटो खींची। इस बार केवल मैं और वह थीं। उनका चेहरा अनिश्चितताओं से भर गया था और अप्रत्याशित

रूप से अंदर घुस आने के कारण मेरे चेहरे पर थोड़ी परेशानी के भाव थे। उसके बाद हमलोग वहाँ से चले। हमारी जीप यात्रा को आगे बढ़ा रही थी। दिन समाप्त होने तक हम दूसरे गाँव और दूसरी घाटी में थे। तस्वीरों का एक और सेट। जिस क्षण तक हम वापस नहीं हुए, तब तक हर क्षण को समेट लेना चाहते थे। अपनी दुनिया और अपने घर जाने से पहले हम उस अनजानेपन को खत्म कर लेना चाहते थे।

अगले दिन मेरा बेटा आया और सीधे शब्दों में कहा 'आई मिस इंडिया।' हमलोग सभी भारत को याद करते हैं, हालाँकि हमलोग तीन साल पहले ही भारत छोड़ चुके हैं, लेकिन यह पहली बार हुआ कि उसने ऐसा कहा था कि हमारे बिना किसी बात के छेड़े हुए।

मैंने उससे पूछा, ''क्या वास्तव में याद करते हो, भारत की किस विशिष्ट बात को याद करते हो...'' कुछ देर तक वह शांत रहा और फिर कहा, ''उस यात्रा को याद करो, उन सभी जंगलों की अंतिम यात्रा। मैं उसे याद करता हूँ। वह बरामदा के साथ का घर, उस मुखिया का प्यार, जिसने मुझे तीर और धनुष दिया।''

यह सब उस गाँव में हुआ जो नोआमुंडी से दूर नहीं है, गुआ माइंस और सारंडा जंगल के पीछे, जो ओडिशा के बॉर्डर के नजदीक है।

इस बात की सबसे बड़ी विशिष्टता है, उनके द्वारा दिया गया मान-सम्मान और आदर-सत्कार। हमारा दोपहर का खाना, परंपरागत पत्तों में परोसा गया, जिसे मेजबान ने हमारे लिए विशेषकर उसी सुबह बनाया था। जब हम बरामदे में खा रहे थे, तो सबसे शानदार दृश्य हमारे सामने था। जाड़े के लिए अनाज को पुआल के बड़े थैले में जमा करने की धीमी रफ्तार, ऐसा लग रहा था जैसे कुछ संपन्न हो रहा हो, एक अनुष्ठान, एक कला, एक बार फिर मैंने अपने बेटे से पूछा, ''तुम वही स्थान विशेष को ही क्यों याद करते हो?'' उसने कहा–''मैं नहीं जानता, वह एक विशेष स्थान है।''

पूरा झारखंड ही विशेष है। भले ही हमारी यात्रा कुछ दिनों में ही समाप्त हो गई, लेकिन हमलोग भी अपना कुछ वहाँ छोड़ आए हैं, जहाँ हमारा दिमाग बार-बार जाता है। जो तस्वीरों से कहीं ज्यादा जीवंत है। यादें रह जाती हैं। और यह भय कि कब हमला हो जाएगा। जागरूकता जो भय के साए में कैद है, तकरीबन दो सदियों से।

जिसकी कीमत शहीदों ने जान देकर चुकायी है—और वह भी विकास के नाम पर दबावों में। विश्व के हर कोने के लोगों ने (चीन, कोरिया, और भारत ने)। यह एक अंतहीन सिलसिला है। इस वर्ष के बाद भी कई वर्षगाँठ मनाई जाएँगी। इस साल हूल की 150वीं वर्षगाँठ को श्रद्धांजलि। बीते पुराने क्षण अचानक याद करने और उत्सव मनाने के लिए महत्त्वपूर्ण बन जाएँगे। सिद्धो-कान्हू की तरह कई शहीद कल तक केवल जुबानी कहानियों और गानों में ही मशहूर थे, अंततः हस्ती और विरोधी के रूप में प्रसिद्ध होंगे।

और यह निश्चित रूप से पुनर्निरीक्षण तथा पारंगता का अहम क्षण होगा। इसके लिए आदिवासी शोषण और युद्ध का समानांतर इतिहास सामने आएगा और उसे लिखा व कहा जाएगा। धरोहर और शहीदों की कब्रगाह आधिकारिक रूप से सम्मानित होंगी। लेकिन कुछ हद तक ही। जहाँ तक आज का सवाल है, संघर्ष करनेवालों का अपमानित होना जारी रहेगा।

आपके देश में और अधिक शहीदों की बातों को सामने लाना होगा, जैसा कि हमारे देश में होता है। आपके खूबसूरत गाँवों और जंगलों में मल्टीनेशनल माइनिंग इंडस्ट्री को लगाने से रोकना होगा। सीमेंट के जंगलों से हमारा नुकसान हो रहा है और हमारे उद्योग-धंधे दिन-प्रतिदिन सिकुड़ते जा रहे हैं। हमारा विस्थापन जारी है। और इसकी मूल वजह है इन जंगलों का बेतरतीब विस्तार।

अब तो ऐसा लगता है कि यदि हम धरती के साथ ऐसा अन्याय करते रहे, तो वह दिन दूर नहीं जब इसकी खूबसूरती विलुप्त हो जाएगी। धरती माँ और उनके बच्चों को और अधिक सताना बंद करना होगा। शोक मनाने के लिए अब और शहीदों की आवश्यकता नहीं है। एक क्षण के लिए : सपना देखो, तस्वीरें लो, इसी उम्मीद में।

•••

आभार

प्रस्तुत पुस्तक माला के 'आदिवासी स्वर : संघर्षों के संधिपत्र' नामक इस खंड में रचनात्मक सहयोग देने के लिए हम निम्नलिखित विद्वान लेखकों के प्रति आभार प्रकट करते हैं :

सर्वश्री बासुदेव बेसरा, दिगंबर हांसदा, मुन्नी हेंब्रम, रमेश हेंब्रम, महादेव टोप्पो, स्टेन गोस्वामी, नीलकंठ मिश्र, हेंब्रम आर. कुमार, ग्लैडसन डुंगडुंग, निर्मला पुतुल, भुवनेश्वर सवैयाँ, स्टीफन मरांडी, पृथ्वी माँझी, डॉ. सुश्री शरद सिंह, भारत डोगरा, बोड़ो बास्की, प्रभाकर तिर्की, डॉ. रोज केरकेट्टा, अश्विनी कुमार पंकज और डैनिएला बेज्जी।

इन सबके अतिरिक्त अन्य ऐसे ज्ञात-अज्ञात संदर्भ, जो इस पुस्तक में लिए गए हैं, उनके प्रति भी हम आभारी हैं।

'प्रभात खबर' राँची तथा इसके संपादक श्री हरिवंश जी का विशेष आभार।